HEYNE BÜCHER

Von Utta Danella sind
als Heyne-Taschenbücher erschienen

Regina auf den Stufen · Band 01/702
Vergiß, wenn du leben willst · Band 01/980
Die Frauen der Talliens · Band 01/5018
Jovana · Band 01/5055
Tanz auf dem Regenbogen · Band 01/5092
Gestern oder Die Stunde nach Mitternacht · Band 01/5143
Alle Sterne vom Himmel · Band 01/5169
Quartett im September · Band 01/5217
Der Maulbeerbaum · Band 01/5241
Das Paradies der Erde · Band 01/5286
Stella Termogen · Band 01/5310
Gespräche mit Janos · Band 01/5366
Der Sommer des glücklichen Narren · Band 01/5411
Der Schatten des Adlers · Band 01/5470
Der Mond im See · Band 01/5533
Unter dem Zauberdach · Band 01/5593
Der dunkle Strom · Band 01/5665
Circusgeschichten · Band 01/5704
Die Tränen vom vergangenen Jahr · Band 01/5882
Das Familienfest und andere Familiengeschichten · Band 01/6005
Flutwelle · Band 01/6204
Der blaue Vogel · Band 01/6228
Eine Heimat hat der Mensch · Band 01/6344
Die Jungfrau im Lavendel · Band 01/6370
Die Hochzeit auf dem Lande · Band 01/6467
Niemandsland · Band 01/6552
Jacobs Frauen · Band 01/6632
Alles Töchter aus guter Familie · Band 01/6846

UTTA DANELLA

DIE REISE NACH VENEDIG

Ein bezaubernder Roman um die Erlebnisse eines jungen Mädchens in Italien

WILHELM HEYNE VERLAG
MÜNCHEN

HEYNE ALLGEMEINE REIHE
Nr. 01/6875

Dieser Band erschien bereits in der
Jugendtaschenbuch-Reihe mit der Band-Nr. 104.

Printed in Germany 1987
Umschlagfoto: Bildagentur Mauritius/ H. Schwarz, Mittenwald
Umschlaggestaltung: Atelier Ingrid Schütz, München
Satz: IBV Satz- und Datentechnik GmbH, Berlin
Druck: Elsnerdruck, Berlin

ISBN 3-453-00041-2

Eine junge Dame

Was kein Mensch für möglich gehalten hätte, ist nun doch Wahrheit geworden: Mit der Schule bin ich fertig. Ich will nicht gerade behaupten, daß ich ein Pracht-Abi gebaut habe. Ehrlich gesagt, ich bin eben so durchgewitscht. Und ich glaube, meine Lehrer waren ganz froh, mich loszuwerden, sie wollten es nicht darauf ankommen lassen, daß ich ihnen noch ein weiteres Jahr erhalten bliebe.

Doch ich will mich nicht schlechter machen, als ich bin. Die Ereignisse im Pensionat ›Franzenshöh‹ haben doch einen ziemlich gereiften Menschen aus mir gemacht. Man wird ja schließlich auch älter, nicht? Ulkigerweise haben mir die Ereignisse im Pensionat das weitere schulische Leben ziemlich erleichtert. Natürlich hatte man hier bei uns in Düsseldorf von dem Mord und dem ganzen dazugehörigen Skandal gehört und gelesen, so was passiert nicht alle Tage. Und daß ich nun ein leibhaftiger Zeuge von dem ganzen Remmidemmi gewesen bin, hat mich in den Augen meiner Lehrer und Mitschülerinnen zu einer interessanten Persönlichkeit der Zeitgeschichte gemacht. Wie oft ich die ganze Tragödie von vorn bis hinten erzählt habe – also wirklich, das läßt sich gar nicht mehr aufzählen. Und da ich ein Kind mit lebhafter Fantasie bin und zweifellos eine beachtliche schriftstellerische Begabung besitze – doch, in aller Bescheidenheit, Erbteil von meinem Vater –, so ist die Geschichte immer länger, vielseitiger und dramatischer geworden. Nachher wußte ich schon selbst nicht mehr, wie viele Leichen es eigentlich waren. Und die Rolle, die ich bei der Aufklärung des Falles gespielt habe, wurde immer glorreicher.

Eine Zeitlang habe ich mal mit dem Gedanken gespielt, einen Tatsachenbericht daraus zu machen. So in der Art, wie es immer in den Illustrierten steht und wie es Stephan Jorgen schreibt. Damit soll man viel Geld verdienen können. Auf jeden Fall wäre es ein vielversprechender Start für eine Schreiberkarriere geworden. Aber Herr Federmann, mein Stiefvater, hat energisch dagegen opponiert. Das käme gar nicht in Frage, sagte er. Was sollten denn die Leute dazu sagen? Das fehlte ihm gerade noch. Er schwebte sowieso ständig in Todesängsten, was ich noch alles anrichten würde.

Nun habe ich ja jetzt einen feinen Trumpf in der Hand, den ich immer ausspielen kann, wenn die Großen sich mausig machen.

»Nu mal langsam«, habe ich gesagt, »schließlich habe *ich* mir ja dieses Pensionat nicht ausgesucht, sondern *ihr* habt mich hingeschickt. Wenn *ich* meine Tochter schon partout aus dem Hause haben wollte und sie nach auswärts in ein Internat schicken würde, dann täte ich mich zunächst mal genau erkundigen, was das für ein Laden ist, und das arme, unschuldige Kind nicht leichtfertig in so eine Laster- und Mörderhöhle stecken.«

Darauf ist ihm das Blut wieder zu Kopf gestiegen, daß man meinen konnte, gleich platzt er. Bißchen hoher Blutdruck. Kommt von den vielen Fläschchen. »Pony«, hat er angefangen, »ein für allemal, ich kann dir nur raten...«

Aber da ist Mathilde, meine Frau Mama, dazwischengefahren. »Bitte, George, reg dich nicht auf. Du sollst dich doch nicht aufregen, du weißt, was der Arzt sagt.« Alter Spruch von ihr, kennen wir schon. Und dann an mich gerichtet, für ihre Verhältnisse recht energisch: »Du bist still, Pony. Man sollte meinen, daß du langsam etwas vernünftiger wirst. Du sollst deinen Vater nicht immer so reizen.« Aber das war nun das falsche Wort, das ihr da über die Lippen gekommen ist. Ich habe die Nase in die Luft gesteckt und kühl gefragt: »Sagtest du Vater? Das dürfte wohl ein kleiner Irrtum sein. Wenn sich vielleicht auch die sogenannten Väter manchmal nicht ganz klar sein mögen über die Familienverhältnisse, eine Frau sollte doch zumindest genau informiert darüber sein, wer der Vater ihrer Kinder ist.«

Ich fand damals, das sei ein schöner Satz, gut formuliert und sehr moralisch obendrein. Auf meine alten Herrschaften wirkte er verheerend. Herr Federmann sank in einen Sessel, legte die Hand vor die Augen und seufzte tief und schmerzlich. Mama aber stellte sich dicht vor mich hin, sie hob sogar die Hand, und ich dachte wirklich, sie klebt mir eine.

»Ich hätte gute Lust, dir eine runterzuhauen«, sagte sie wütend. »Verdient hättest du es. Ich finde zwar, du bist wirklich jetzt zu alt dazu. Auf jeden Fall denke ich nicht daran, meine Nerven deinetwegen vollständig zu ruinieren. Geh auf dein Zimmer.«

»Was hab' ich denn eigentlich verbrochen?« fragte ich empört. »Dein jetziger Mann ist doch wirklich nicht mein Vater. Darüber besteht wohl kein Zweifel. Ich trete ihm doch nicht auf den Schlips, wenn ich das feststelle.«

»Mach, daß du rauskommst«, sagte Mama mit einer Miene, die mich nun doch zu einem raschen Rückzug veranlaßte.

Als ich rausging, hörte ich noch, wie sie ihn ansäuselte: »George, bitte, beruhige dich. Denk an dein Herz. Wo hast du denn deine Tabletten?«

So ein Affentheater! Möchte wissen, was ich ihm getan habe. Alles mögliche will er werden, sogar Politiker, und ist nicht mal imstande, mit einem harmlosen jungen Mädchen ein Gespräch zu führen, ohne daß ihn beinahe der Schlag trifft. Ja, was denkt er denn eigentlich, was ihm dann passiert? Dann muß er sich ganz andere Dinge an den Kopf werfen lassen und muß höflich erwidern: Wie mein verehrter Herr Kollege eben ausführte... Da kann sich Mathilde dann ja auch danebensetzen und ihn trösten und mit Tabletten füttern. Aber das nur nebenbei. Ich wollte nur erzählen, wieso ich keinen Tatsachenbericht geschrieben habe. Unter anderem. Nicht, daß mich Herr Federmann davon hätte abbringen können, wenn ich ernstlich gewollt hätte. Ich hätte es ja heimlich schreiben und dann unter Pseudonym erscheinen lassen können. Aber Tatsache ist, so was macht viel Arbeit. Ob man eine Geschichte nur erzählt oder sie schreibt, das ist ein kleiner Unterschied. Und dann meine Handschrift. Goethe und Schiller und die alle haben ja zwar auch mit der Hand geschrieben. Mein Vater übrigens auch. Aber das waren Dichter. Tatsachenberichter schreiben nicht mit der Hand. Kurz und gut, ich habe es lieber bleiben lassen. Dann ging die Schule wieder los, das war gerade Arbeit genug.

Nun liegt das hinter mir. Und wie immer, wenn einer, dem man gar nichts zutraut, etwas fertigbringt, sind jetzt alle ganz außer sich vor Begeisterung. Pony vorne und Pony hinten. Auf einmal bin ich das gute Kind. Abitur hat sie nun, denken Sie mal an. Als wenn ich damit ein Weltwunder vollbracht hätte. Sooo schwierig war es nun auch wieder nicht. Und so blöd bin ich ganz gewiß nicht. Da haben schon weitaus Dämlichere das Abi bestanden. Wenn ich wollte, pöh, dann könnte ich noch ganz andere Dinge fertigbringen. Aber ich will eben nicht.

Aber, um mal hier eine kleine philosophische Bemerkung einzuflicken – doch, manchmal beschäftige ich mich jetzt auch mit Philosophie, das kommt mit fortschreitendem Alter –, ja, also, man sieht hierbei wieder mal, wie gut und nützlich es ist, sich nicht eines zu tugendhaften Lebenswandels zu befleißigen. Bei den Braven und Tüchtigen ist alles selbstverständlich, im Gegenteil, von denen erwartet man immer noch mehr. Wenn man aber seine Umgebung in Atem hält und ab und zu mal ein bißchen enttäuscht, dann werden Erfolge erst richtig gewertet. Was bei den Braven ein kleiner Fisch ist, das ist bei Leuten meiner Art dann ein riesiger Elefant.

Mama ging mit mir einkaufen, und ich durfte mir aussuchen, was mir gefiel. Bis zur Höhe von 500 Mark, die hatte Federmann spendiert. Und der Knalleffekt ist nun, daß ich eine Reise machen darf. Eine richtige große Reise ins ausländische Ausland. Nach Italien.

Vielleicht könnte jetzt jemand sagen, Italien sei nicht gerade originell. Für mich schon. Ich war nämlich noch nicht da. Ich war mal an der Nordsee, mal am Bodensee, das ist aber schon lange her, und zweimal im Harz. Meist habe ich meine Ferien bei Tante Dora im Münsterland verbracht. Und dann kenne ich den Starnberger See, von meinem Aufenthalt im Pensionat her. Aber das waren ja keine Ferien, sondern bitterer Ernst.

Natürlich fahre ich nicht allein, Himmel, nein. Meine Familie würde befürchten, daß ich den ganzen Stiefel abmontiere. Denn eins ist komisch: Obwohl ich mich doch nun annähernd zwei Jahre lang wie ein Engel betragen habe, von ganz winzigen Zwischenfällen abgesehen, und nun auch noch das Abi gebaut habe, traut mir keiner. Alle großen und kleinen Untaten, die ich je begangen habe, sind unvergessen. Und wenn es die Geschichte von Franzenshöh ist. Federmann hat doch wirklich und wahrhaftig mal gesagt: ›Ich bin sicher, wenn Pony nicht hingekommen wäre, so wäre es dort nie zu einem Skandal gekommen.‹

Also, wenn das nicht ungerecht ist, dann weiß ich es nicht. Schließlich war ich bei der ganzen Sache nur ein unbeteiligter Zuschauer. Aber so ist es eben immer mit den Großen: sie brauchen einen Sündenbock. Und Politiker, glaube ich, brauchen ihn ganz besonders. Vielleicht ist Federmann doch der geborene Staatsmann. Möglich ist alles. Es haben schon mal Pferde direkt vor der Apotheke gekotzt.

Bitte um Entschuldigung. Dieser Satz wird gestrichen. Ich bin nun eine junge Dame, und da sagt man so was nicht mehr. Ich muß mir anderen Umgang suchen. So 'n kleiner Freund von mir, aus unserem Coca-Club, der sagt das immer. Jetzt denken Sie vielleicht, das ist einer von den untern Hunderttausend, nee, gar nicht. Dem sein alter Herr sitzt im Aufsichtsrat von drei Banken, und bei der EG ist er auch dabei. Klotzig reich, der Papa, die haben ein Gut in Holland und ein Chalet in der Schweiz und irgendwo noch 'ne Jagd. Und Jürgen, so heißt mein Freund, hat natürlich einen eigenen Wagen. Aber solche Sprüche kennt er eine Menge, solche wie der von dem Pferd und der Apotheke, und damit garniert er seine Unterhaltung. Aber ich werde ihm nun sagen, daß er das bleiben lassen soll, oder er muß sich eine andere Tanzpartnerin suchen. Ich bin jetzt eine junge Dame. Herr Federmann hat es gesagt, und der wird es wohl wissen. Ist doch immer gut, wenn man von den Großen rechtzeitig aufgeklärt wird. Ich selber hätte wahrscheinlich gedacht, ich sei noch ein Wickelkind.

Wie ich von der Schlußfeier kam, haben sie wirklich zu Hause auf mein Wohl eine Flasche Sekt getrunken, und Federmann hat eine Rede gehalten. ›Pony, mein liebes Kind, ich freue mich von Herzen über diesen Tag. Eine neue Epoche beginnt in deinem Leben, eine große und wichtige Zeit nimmt ihren Anfang. Die Kindheit liegt hinter dir, du trittst ins Leben, du bist nun eine junge Dame. Und dies bedeutet, ich gebe es offen zu, eine der liebenswertesten Erscheinungen, die die Menschheit hervorgebracht hat. Wenn, nun, wenn...‹

Und daraufhin führte er lang und breit aus, wann und wieso eine junge Dame eine junge Dame sei, was sie alles sein und tun oder aber auch unterlassen muß, um als solche und damit als liebenswerte Erscheinung der Menschheit zu gelten. Er tat es wohl in der stillen Hoffnung, daß ich mir das zu Herzen nehmen und dem von ihm geschilderten Vorbild nachstreben würde. Ein abendfüllendes Programm, das er da proklamierte. Ich konnte daraus entnehmen, daß es gar nicht so einfach ist, eine junge Dame zu sein. Nee, wirklich nicht.

Aber es war eine schöne Rede. Ich kann nicht verhehlen, daß ich irgendwie gerührt war, obwohl ich mir alle Mühe gab, das zu verbergen. Reden kann er schon. Ich kann mir ohne weiteres denken, daß er so eine Suada mal im Bundestag losläßt und daß alle schwer davon beeindruckt wären.

Übrigens: junge Dame. Bin ich wirklich eine junge Dame? Ich weiß nicht recht. Kann man das so von heute auf morgen werden? Bloß weil man nicht mehr in die Schule geht? Sicher, ich bin jetzt neunzehn. Und ich gehe nun regelmäßig zum Friseur. Es hat auch niemand mehr was dagegen, wenn ich mich schminke. Und meine neuen Schuhe haben ziemlich hohe Absätze. Und wenn ich mit Jürgen im Auto fahre, dann hält er manchmal, und wir küssen uns, und er – na ja, er streichelt mich so ein bißchen. Nichts Besonderes weiter. Und ich mag es eigentlich gar nicht sehr gern. Ich tu's nur, weil ich denke, es gehört dazu. Sonst tu' ich nichts mit ihm. Er hat schon mal gesagt, ich soll mit ihm übers Wochenende hinauskommen in ihr Landhaus im Sauerland. Wenn seine Eltern nicht draußen sind, versteht sich. Und nach Amsterdam wollte er auch schon mal mit mir fahren. Aber das kommt natürlich nicht in Frage. Ich bin ja nicht von gestern, ich weiß schon, wie er das meint. Ich denke natürlich nicht daran. Ausgerechnet Jürgen, lieber Himmel! Der ist gerade ein Jahr älter als ich, und daß sein Alter Geld hat, imponiert mir schon gar nicht. Heutzutage haben viele Leute Geld, das ist gar nichts Besonderes mehr. Und ein Sohn von einem Mann mit Geld, das ist schon gleich überhaupt gar nichts. Mir imponiert nur einer, der selbst etwas leistet.

Und die Küsserei mit Jürgen und das Geknutsche, also ehrlich gestanden, ich kann darauf verzichten. Wenn ich denke... Ja, ich habe einmal einen Kuß bekommen, einen ganz kleinen Kuß nur, aber noch heute, wenn ich dran denke, wird mir heiß und kalt, und es geht mir so ein komischer Thrill über den Rücken. Wenn der mich noch einmal küssen würde, Stephan, das wäre eine ganz andere Sache. Aber der hat mich natürlich längst vergessen. Was war ich denn weiter als ein kleines Schulmädel. Geschrieben hat er mir nie, obwohl er es doch versprochen hat. Seine Berichte aus Südamerika sind inzwischen erschienen, ich habe sie gelesen. Sicher ist er wieder hier oder war mal hier. Aber ich laufe ihm nicht nach. War ja auch nicht wichtig. Ich habe es hier nur angeführt wegen des Unterschiedes zwischen Kuß und Kuß. Wenn ich vielleicht auch noch nicht viel weiß, *das* weiß ich bestimmt, ein Unterschied ist da. Und ich denke, irgendwann wird mir schon wieder mal ein Mann begegnen, ein richtiger Mann, nicht so 'n Junge wie Jürgen, der die andere Art von Küssen küßt. Das merke ich dann schon. Überhaupt jetzt, wo ich eine junge Dame bin.

Manchmal vergesse ich es auch wieder, das mit der jungen Dame. Man muß sich erst daran gewöhnen. Wenn ich morgens aufwache, dann fahre ich oft hoch und denke: Auweia, jetzt hab' ich verschlafen. Ich komme wieder zu spät. Dann will ich aus dem Bett springen, und dabei fällt mir ein: keine Schule, alles vorüber. Junge Damen können sich noch eine halbe Stunde auf den Bauch legen und über das Leben nachdenken.

So was wie einen Beruf muß ich auch mal haben. Das ist zum Beispiel etwas, worüber ich nachdenke, wenn ich früh im Bett liege. Wir haben schon darüber gesprochen. Meine Familie ist mächtig gespannt, wofür ich mich entscheiden werde. Herr Federmann ist dafür, mir freie Wahl zu lassen. Nur beratend zur Seite stehen wolle er mir natürlich. Er kann auch dazu eine Anzahl passender Sprüche loslassen. Im stillen hofft er ja, daß ich bald heiraten werde, das weiß ich genau. So wie meine Schwester Marlise, die in jungen Jahren eine blendende Partie gemacht hat. Sagen jedenfalls die Leute. Ich finde ja Eugen, ihren Mann, nicht so übermäßig blendend. Geld hat er eben. Aber er ist ganz nett. Er gewinnt bei näherem Kennenlernen. Obwohl ich nicht mit ihm verheiratet sein möchte. Ich kann mir nicht vorstellen, daß es einem den Rücken runterläuft, wenn er einen küßt. Bei Marlise läuft es sicher nicht. Aber ich glaube, die braucht das auch nicht. Die ist anders wie ich. Als ich.

Federmann denkt, wenn ich verheiratet bin, ist er die Verantwortung für mich los. Das denkt er, ich weiß es genau. Aber ich brauche seine Verantwortung gar nicht, ich mache das schon selber.

Nun aber die Sache mit dem Beruf. Was ich am allerliebsten möchte, das muß ich für mich behalten, da stoße ich auf keine Gegenliebe. Ich möchte nämlich Schauspielerin werden. Ich gehe oft ins Theater, ich kann viele Rollen auswendig, und ich bilde mir ein, ich hätte allerhand Talent. Temperament habe ich, und häßlich bin ich auch nicht gerade.

Eine Zeitlang habe ich daran gedacht, ins Werbefach zu gehen. Wegen Robby, meinem großen Bruder, den ich heiß liebe. Robby ist Werbefachmann. Allerdings ist er schon seit einigen Jahren in New York, er arbeitet dort in einem großen Werbebetrieb, sie entwerfen Inserate, Kataloge und Fernsehprogramme und so was alles. Robby verdient eine Menge Geld bei dem Job. Voriges Jahr war er mal zu Besuch. Er sieht großartig aus, jedes Mädel schaut sich nach ihm um. Und das nützt er weidlich aus, hat er als junger Bengel schon getan, sehr zu Herr Federmanns Ärger.

Robbys derzeitige Freundin heißt Cindy. Oder hieß noch so im letzten Brief. Das ändert sich manchmal schnell bei ihm. Angenommen nun, Robby kommt mal zurück und macht sich hier selbständig, dann könnte ich mit ihm zusammen arbeiten, das wäre prima. Als ich ihm das vorgeschlagen habe bei seinem Besuch, hat er mich ausgelacht. Er nimmt mich eben noch nicht ernst, denkt, ich bin noch ein Baby. Große Brüder haben das so an sich.

Herr Federmann hält daran fest, daß ich Journalistin werden soll, das spukt mir nämlich auch im Kopf herum. Er meint, das wäre ein Beruf, der mir gut liegen würde, beweglich und intelligent, wie ich wäre. Doch, hat er gesagt. Ich sollte ein paar Semester Zeitungswissenschaft studieren und dann in einer guten Tageszeitung volontieren, dazu würde er mir gern verhelfen. Hat natürlich auch seine Reize. Ganz demnächst muß ich eine Entscheidung treffen.

Was mich aber momentan in erster Linie beschäftigt, ist die Reise. Zur Belohnung für das Abi und um meinen Horizont zu erweitern, so weit Federmann, darf ich eine Reise machen. Zusammen mit Marlise, meiner schönen Schwester. Über das Reiseziel waren wir uns schnell einig. Das heißt, Marlise wußte genau, wohin sie wollte. Sie will nach Venedig. Eigentlich wollte sie nicht mit mir fahren, sondern mit Eugen. Venedig spukt ihr seit ihrer Hochzeit im Kopf herum. Marlise ist ein bißchen romantisch, und Fantasie hat sie auch nicht viel. Folglich wollte sie ihre Hochzeitsreise nach Venedig machen. Eugen wollte nicht, er genierte sich. Er meinte, er käme sich etwas lächerlich dabei vor. Irgendwie kann ich es verstehen. Er ist vierundzwanzig Jahre älter als Marlise und war vorher schon mal verheiratet. Er wollte eben nicht als Hochzeitsreisender in Venedig herumkreuzen. Schließlich ist er Herr einer beachtlichen Maschinenfabrik und ein weithin sichtbarer Faktor des Wirtschaftslebens. Man müsse nicht tun, was alle tun, sagte er, und ich finde, da hat er recht. Er überredete Marlise damals zur französischen Riviera, da sei es elegant, sehr schick und auch teuer, und das leuchtete ihr denn auch ein.

Aber meine Schwester ist ulkig. Sehr viel hat sie zwar nicht im Kopf, aber was sie einmal drin hat, das hat sie drin. Inzwischen haben sie mal an der holländischen Küste Ferien gemacht, mal auf Mallorca, mal in Spanien, und ich weiß nicht, wo noch alles. Nur in Venedig waren sie nicht. Immer wieder fängt sie von Venedig an. Eugen hatte ihr versprochen, dieses Jahr mit ihr hinzufahren. Ein paar Tage Venedig, dann irgendwo an die Adria.

Nein, meinte Marlise, man könne doch am Lido bleiben. Da sei es sehr in, ihre Freundin Katja habe sich da großartig amüsiert.

Nun ergab es sich, daß Eugen im Moment nicht wegkann. Irgendwelche wichtigen Verhandlungen mit ausländischen Firmen stehen bevor. Seine Fabrik soll was nach Persien liefern oder nach Arabien, und da muß er bleiben, bis die Verträge perfekt sind. Darum fahren wir allein, Marlise und ich, und Eugen kommt etwas später nach. Mir auch recht.

Blieb noch die Frage, wie wir dahinkommen. Marlise wollte partout mit dem Wagen fahren. Wenn Eugen mitgekommen wäre, dann wären wir natürlich mit dem Auto gefahren. Und sie dachte es sich sehr hübsch, nun selbständig mit dem großen Wagen loszubrausen. Aber da bleibt Eugen eisern. Kommt nicht in Frage. Und genaugenommen hat er recht. Marlise hat zwar einen Führerschein, aber das ist auch alles. Sie fährt wie eine gesengte Sau.

Pardon. Sicher auch kein Ausdruck für eine junge Dame. Hab' ich noch von Bayern. Da sagte es immer der Fahrer von dem Milchauto, der jeden Tag die Milch nach Franzenshöh brachte. Ich fand den Ausdruck eigentlich recht plastisch und gewöhnte mich dran. Später habe ich ihn dann hier in Düsseldorf populär gemacht. Jürgen hat ihn mit Begeisterung in sein Repertoire aufgenommen.

Ja, wie gesagt, Marlise fährt miserabel. Sie hat einfach kein Talent dazu. Ich stehe immer Todesängste aus, wenn ich mal neben ihr sitze. Sie fährt auch nur selten, sie traut sich eben nicht recht. Ein paarmal hat sie schon Zäune, ihre Kotflügel und anderer Leute Blech demoliert. Eugen weiß das. Erstens muß er zahlen, und zweitens liebt er das engelsgleiche Wesen, das er geheiratet hat, und zittert um ihr kostbares Leben. Drum darf sie nicht mit dem Wagen fahren. Vorm Fliegen hat sie Angst. Ergo fahren wir mit der Bahn. Erster Klasse natürlich, und Eugen kommt dann mit dem Wagen nach.

Erst geht es mal bis München. Dort machen wir Station. Ich freue mich schon, München wiederzusehen. Und dann geht es weiter. Ich bin schon ganz aufgeregt. Ich habe noch nie eine so weite Reise gemacht. Vorbereitet bin ich bestens. Ein paar neue Sommerkleider, einen neuen Badeanzug und eine kurze Badejacke, so ganz knapp, reicht gerade über den Po. Glücklicherweise habe ich erstklassige Beine. Eigentlich, wenn man es genau nimmt, besser als Marlises Beine. Länger, schlanker und eben überhaupt.

Das ist eine Gabe, für die ein Mädchen, junge Dame oder nicht, dem lieben Gott gar nicht genug danken kann.

Es geht los

Reisen ist ja ganz schön. Aber mit älterer Schwester reisen, das ist ein etwas zweifelhaftes Vergnügen. Marlise bildet sich ein, weil sie ein paar Jahre älter und verheiratet ist, muß sie mich schulmeistern. Was die weiß, weiß ich schon lange. Vornehm in die Ecke zurückgelehnt, in einem todschicken Pepitakostüm – Maßarbeit natürlich –, die Beine übereinandergeschlagen, so sitzt sie da und liest ein Buch. Über ihr im Gepäcknetz verwelken die Rosen, die Eugen ihr an die Bahn gebracht hat. Er bringt sich halb um mit ihr.

Wir haben im Speisewagen Mittag gegessen, was mir immer großen Spaß macht. Ein Mann, der schräg gegenüber saß, hat Marlise pausenlos angeglotzt. Das kenne ich schon. Das tun die meisten. Aber sie sieht hoheitsvoll darüber hinweg. Eine Königin auf Reisen. Na ja, man kann schon verstehen, daß die Männer nach ihr schauen. Sie sieht immer aus wie aus einem Modejournal geschnitten. Eine Haut wie Porzellan, die Haare goldblond und glänzend, jede Welle an ihrem Platz. Ich möchte wissen, ob mir das auch mal gelingt. Ich hab' natürlich ausgerechnet wieder einen Pickel am Kinn, und obwohl ich gestern erst beim Friseur war, wurschteln meine Haare schon wieder kreuz und quer durcheinander. Herr Rudi, unser Friseur, meint, es liege am Charakter. Wenn er Marlise bedient, verdreht er die Augen wie ein Kalb und tanzt um sie herum wie ein Bildhauer um seine neue Statue. Bei mir sagt er: Das gnädige Fräulein hat eben einen widerspenstigen Charakter. Und dabei grinst er. Ich hab' ihm drum auch bloß fünfzig Pfennig Trinkgeld gegeben. Marlise gibt immer zwei Mark. Vielleicht sitzen ihre Haare deswegen so gut.

Kurz vor Würzburg gehe ich ein bißchen auf den Gang

hinaus. Die Füße vertreten. Und dann möchte ich auch den Main richtig sehen. Und eine Zigarette will ich rauchen. Wir fahren Nichtraucher, denn Marlise raucht nicht. Sie fürchtet, sie könnte sich ihren Teint und die Zähne damit verderben. Ich frage mich nur, was nützt die ganze Schönheit, wenn man nicht ein bißchen Spaß im Leben haben soll. Jedenfalls, ich rauche.

Als ich dann, ein paar Schritte von unserem Abteil entfernt, eine zerdrückte Zigarette aus meiner Hosentasche ziehe, erscheint umgehend eine Hand vor meiner Nase. Eine Hand mit Feuerzeug. Als meine Zigarette brennt, schaue ich mir den Feuerspender näher an. Ach ja, das ist der aus dem Speisewagen. Ausgepolsterter Vierziger. Eine ganze Flasche Wein hat er getrunken, allein. Man sieht es ihm auch an, seine Äuglein funkeln vergnügt, und seine Nase und seine Stirn haben einen entsprechenden rosa Schimmer. Ganz netter Onkel.

Es dauert nicht lange, da sind wir mitten in einem munteren Gespräch. Er erklärt mir die Gegend, die um Würzburg herum ganz besonders hübsch ist. Die Marienfeste hat er mir auch gezeigt, und einige Merkmale der Stadt. Er scheint sich auszukennen.

»Sind Sie von hier?« frage ich.

Nein, er ist aus München. »Die schönste Stadt der Welt«, sagt er mit verklärtem Gesicht. »Kennen Sie München, gnädiges Fräulein?«

»Natürlich. Ich kenne es gut. Ich habe sogar mal eine Zeitlang in der Nähe von München gelebt. Am Starnberger See.«

Davon ist er nun restlos entzückt, will wissen, wieso, wann und wie lange, und ich habe endlich wieder mal einen Zuhörer für die Franzenshöh-Story. Er ist mächtig begeistert davon, und das bringt uns fast durch das ganze Maintal. Dabei haben wir noch zwei Zigaretten geraucht. Dann erzählt er einige Schwänke aus seinem Leben, und darauf folgend will er wissen, wer die junge Dame in meiner Begleitung sei.

»Meine Schwester«, sage ich.

»Ah na«, wundert er sich. »Es besteht eigentlich nicht die geringste Ähnlichkeit zwischen Ihnen beiden.«

»Das walte Gott«, sage ich. Und da man die Leute nicht im unklaren lassen soll, kläre ich ihn darüber auf, daß Marlise nach Mama, ich dagegen nach unserem Vater schlage. »In jeder Beziehung«, betone ich. »Auch seelisch. Und geistig.«

Als ich das ausgesprochen habe, muß ich ein bißchen darüber nachdenken. Stimmt auch wieder nicht, was ich da zusammenrede. Mein Vater, der so gut und so klug und so wunderbar war, was habe ich denn seelisch und geistig schon für Ähnlichkeit mit ihm. Es ist eine Frechheit von mir, das zu behaupten. Aber das geht den Onkel hier ja nichts an.

Ob wir länger in München bleiben, will er wissen.

»Nein. Nur einen Tag. Dann fahren wir weiter nach Venedig.«

»Oh, Venedig. Wie schön. Waren Sie schon einmal dort?«

»Nee, natürlich nicht. Ich war überhaupt noch nie in Italien.«

Das findet er nun sehr interessant. Ein Mensch, der noch nie in Italien war, kommt für die Münchener anscheinend gleich nach einem Höhlenbewohner der Steinzeit. Er kennt sich in Italien bestens aus und beginnt mit einem längeren Vortrag.

Dazwischen fragt er, ob wir uns denn in München nicht mal treffen könnten, er, meine Schwester und ich. Er will uns gern ein paar Sehenswürdigkeiten von München zeigen. Oder mit uns zum Weißwurstessen gehen. Was wir lieber mögen.

»Weißwurstessen wäre sehr nett«, sage ich. »Darüber ließe sich reden.« Gegen Sehenswürdigkeiten hab' ich was.

Dann meint er, ob wir nicht in den Speisewagen gehen wollten, eine Tasse Kaffee trinken. Immer nur trokkene Zigaretten, das wäre doch auf die Dauer auch nichts.

»Und wo wir uns so gut unterhalten, gnädiges Fräulein. Wirklich, ich habe lange nicht mit einer Dame so ein amüsantes Gespräch geführt.«

Na bitte, wenn ich nicht erwachsen bin, dann weiß ich es nicht. Ich möchte wissen, wer sich schon jemals mit Marlise amüsiert unterhalten hat.

»'ne Tasse Kaffee wäre nicht schlecht«, sage ich. Ob ich Marlise davon verständigen muß? Wozu denn? Sie wird sich schon denken können, daß ich nicht aus dem Zug gefallen bin. Sie hat sich ja jetzt die ganze Zeit nicht darum gekümmert, wo ich bin. Vielleicht sollte ich meine Tasche holen. Sicher wäre es gut, wenn ich meine Nase mal pudere. Aber dann fragt sie bloß, wo ich hingehe. Wird auch so gehen. Bei amüsanten Leuten kann die Nase ruhig mal glänzen.

Aber gerade wie wir gehen wollen, taucht Marlise in der Abteiltür auf. Sie mustert mich streng, wirft meinem Gesprächspartner einen äußerst kühlen Blick zu und sagt dann zu mir: »Komm, wir gehen Kaffee trinken.«

»Au ja«, sage ich, »das wollten wir sowieso gerade.«

Marlise zieht die Brauen hoch, in dieser unnachahmlichen Weise, wie nur sie es versteht. »Wir? Wer wir?«

»Na, dieser Herr hier und ich.«

»Jawohl«, sagt dieser Herr und macht eine verwirrte kleine Verbeugung. Marlise gibt keine Antwort, steckt sich ihre Tasche unter den Arm, gibt mir meine und sagt knapp, ausschließlich an mich gerichtet: »Gehen wir.« Damit rauscht sie an dem armen Münchner vorbei, der sich erschrocken ans Fenster drückt. Ich schneide eine Grimasse zu ihm hin und folge meiner hoheitsvollen Schwester.

Am Ende des Wagens weist sie gebieterisch auf eine bestimmte Tür und sagt: »Geh da hinein, kämm dich und pudere deine Nase. Ich gehe voraus.«

Als wir dann am Tisch sitzen, teilt sie mir mit, daß ich

mich, wie immer, unmöglich benommen habe. Man unterhält sich nicht stundenlang mit fremden Männern. »Ein paar Worte vielleicht mal, wenn es sich so ergibt, aber man erzählt nicht seine ganze Lebensgeschichte und auch nicht, woher man kommt und wohin man fährt.«

»Woher weißt du denn, was wir gesprochen haben?«

»Ich habe es gehört.«

»Wieso? Die Tür war doch zu.«

»Ich habe einen Spalt aufgemacht, als du so lange nicht wiederkamst. Schließlich muß ich wissen, wo du dich herumtreibst. Zur Zeit bin ich nun mal für dich verantwortlich.«

Schon wieder einer, der für mich verantwortlich ist. Das kann ja heiter werden.

Und dann lerne ich noch was dazu.

»Überhaupt«, sagt Marlise, »war der Mann verheiratet. Was hat es für dich für einen Zweck, sich so lange mit einem verheirateten Mann zu unterhalten. Das ist nutzlos vertane Zeit.«

Jetzt bleibt mir wirklich mal die Spucke weg. Zugegeben, das kommt selten vor. Aber jetzt ist es mal soweit.

»Woher weißt du denn, daß er verheiratet ist?«

»Er trägt einen Ring. Hast du das nicht gesehen?«

»Ich weiß nicht. Vielleicht habe ich es gesehen, beim Rauchen oder so. Ist ja auch egal. Ich will den doch nicht heiraten.«

»Warum unterhältst du dich dann so lange mit ihm?«

»Kann man sich nur mit Männern unterhalten, die man heiraten will?«

»Für ein junges Mädchen empfiehlt es sich, etwas rationeller mit seinem Witz und seinem Charme umzugehen.«

Das ist ein gutes Stichwort für mich. »Keine Bange. Davon habe ich genug. Ich kann mich noch massenhaft mit Leuten unterhalten, ob sie nun zum Heiraten geeignet sind oder nicht. War das bei dir nicht so?«

Sie gibt mir nur einen ihrer kühlen Blicke und keine Antwort. Eine Frage allerdings beschäftigt mich noch.

»Wieso hast du denn gesehen, daß er einen Ring trägt? Du hast ihn doch gar nicht angesehen.«

Und Marlise darauf mit Nachdruck: »So etwas sehe ich immer.«

»Ehe du jemand ins Gesicht siehst, was? Möchte bloß wissen, warum dich das so interessiert. Du bist doch verheiratet.«

»Aber du nicht.«

»Nee, Gott sei Dank. Und da wirst du wohl noch eine Weile darauf warten müssen. Ich will jetzt erst mal ein bißchen Spaß vom Leben haben.«

Und ich zünde mir noch eine Zigarette an, justament und gerade, obwohl mir schon ganz kratzig im Halse ist.

Kurzes Gastspiel in München

In München im Hotel trifft Marlise Bekannte aus Düsseldorf. Eine nicht ganz so hübsche und nicht ganz so junge Frau wie sie es ist, aber genauso elegant und gelackt. Der dazugehörende Mann ist so ein mittelprächtiger Wirtschaftswunderling mit Bauch. München, sagt er, sei eine ganz charmante Stadt, mal so zum Besuchen. Immer möchte er ja nicht hier sein. Die Leute seien zu träge, das Geldmachen verstünden sie nicht so richtig. »Zuviel Schlendrian, zuviel Bier. So werden sie nicht weit kommen.«

»Das ist ja gerade das Schöne an München«, meine ich.

»Na ja, zur Abwechslung mal. Aber damit erobert man den Weltmarkt nicht.«

»Muß man das denn?«

Er guckt mich nur mitleidig an.

Sie sind natürlich nicht mit der Bahn unterwegs, in der Hotelgarage steht ein dicker Mercedes. Marlises Bekannte sagt geringschätzig: »Mit der Bahn? Aber da sind Sie ja so unbeweglich.«

Marlise ärgert sich, zeigt es aber nicht und sagt so nebenbei: »Mein Mann braucht den Wagen zur Zeit. Er kommt später nach.«

Aber so schnell ist die feindliche Lady nicht geschlagen. »Haben Sie denn keinen eigenen Wagen? Aber, meine Liebe, den sollten Sie sich unbedingt zulegen. Man ist doch unabhängiger. Ich habe jetzt einen Alfa. Ist ja nichts Besonderes, aber für die Stadt und für kleine Reisen ganz brauchbar. Für weitere Strecken nehmen wir sowieso den großen Wagen.«

Marlise schweigt. Sie blickt nachdenklich drein. Jede Wette, wenn wir nach Hause kommen, muß Eugen den

Wagen für die gnädige Frau ausspucken, ob er will oder nicht.

Mit unserem Reiseziel finden wir auch keinen Anklang. »Venedig?« fragt die Dame indigniert. »Jetzt? Um diese Zeit? Da wird das Publikum recht gemischt sein. Venedig geht höchstens im April oder Ende September.«

»Wir wollen zum Lido rüber«, sagt Marlise lässig. »Und meine Schwester wollte gern mal nach Venedig, sie kennt es noch nicht.«

Ich bin ja eine vornehme Natur. Ich schweige also mit bescheidener Miene zu dieser Darlegung, obwohl ich sie prächtig blamieren könnte. Erstens wollte sie nach Venedig, und zweitens kennt sie es genauso wenig wie ich.

Die beiden wollen nach Capri. »Zunächst einmal«, erfahren wir. »Wenn es dort zu voll sein sollte, gehen wir nach Ischia rüber. Dort trifft man jetzt sehr gutes Publikum. Die Lohmanns waren vergangenes Jahr dort, sie haben recht begeistert davon erzählt. Nicht, Max?«

Max bestätigt es, und Madame fährt fort: »Freilich, Lizzy Lohmann stellt ja keine besonderen Ansprüche. Sie kommt aus ziemlich einfachen Verhältnissen und ist nicht verwöhnt. Sie kennen doch Lizzy auch, nicht?«

Ja, Marlise kennt Lizzy auch. Und sie ist ebenfalls der Meinung, daß Lizzy nicht als Maßstab gelten könne, wenn es darum geht, zu entscheiden, wie eine Frau von Welt sich zu verhalten hat und wo sie hinreisen kann.

»Dies rote Kleid, das sie neulich bei der Party von Direktor Niedermeier trug, also wirklich, ich habe mich gewundert. Es war wirklich, nun, um mich milde auszudrücken, wirklich recht ungewöhnlich.« Soweit Marlises Ansichten über Lizzy Lohmann.

»Sagen Sie lieber gewöhnlich, das trifft es besser«, meint die andere. »Und dabei hat sie noch behauptet, es sei ein Pariser Modell. Ich habe damals gleich zu meinem Mann gesagt, wenn dieses Kleid aus Paris ist, dann ist meines aus Moskau. Nicht, Max?«

Max nickt, und alle drei lachen herzhaft über dieses Bonmot. Ein Kleid aus Moskau. Man denke. Ihrer Meinung nach kleiden sich die Leute dort höchstens in Bärenfelle. Wie dem immer auch sei, nimmt Max den Faden wieder auf, man versuche es jetzt eben mal mit Ischia. Dann bestellt er noch ein Bier.

»Denk an deine Linie, Max«, mahnt ihn seine Frau. Dann teilt sie uns als Neuheit mit, daß sie sich entschlossen hätten, es mal mit Ischia zu versuchen. Es sei doch etwas abgelegen, meint sie, und man könne also hoffen, dort nicht Gix und Gax zu treffen. Obwohl es jetzt immer schlimmer werde. Bald gäbe es keinen Ort mehr, wo man vor all den komischen Leuten, die heute reisen, sicher sei.

»Früher war es doch auch nicht so. Da war man schön unter sich. Heute reist jede Bürohilfe und jede Verkäuferin. Stellen Sie sich vor, meine Friseuse war letztes Jahr auch in Italien. Übrigens ebenfalls in Venedig.«

Das hat sie gut placiert. Marlise bleibt ihr die Antwort schuldig. Und ich stelle so meine Betrachtungen über die Menschheit an, über Männer und Frauen und im besonderen über die Ehe.

Männer müssen doch wirklich leibhaftige Engel sein. Wenn man bedenkt, so eine Frau hat nun einen Mann gefunden, der sie geheiratet hat, der sie ernährt und kleidet, ihr ein eigenes Auto schenkt und obendrein noch ihre Gegenwart erträgt. Wenn ich dieser Mann wäre, so hätte ich ihr garantiert nach acht Tagen Zusammenleben eine ordentliche Portion Strychnin in den Frühstückskaffee gekippt. Oder ich wäre zumindest meiner Wege gegangen. Aber der Gute fährt auch noch mit ihr nach Ischia, und beide bilden sich doch wahrhaftig ein, sie stellen so etwas wie die gute Gesellschaft dar. ›Das sind so fundamentale Irrtümer der Menschheitsgeschichte‹, sagt Jürgen immer. ›Wenn ein Eskimo meint, er müsse unbedingt in der Sahara Schlittschuh laufen, dann braucht er sich nicht zu wundern, daß er Sand in die Schnauze kriegt.‹

Am nächsten Tag machen die drei Damen – die dritte bin ich – einen Schaufensterbummel durch München. Marlise und ihre Bekannte geben ziemlich an dabei. Geringschätzig gucken sie in die Fenster und stellen immer wieder fest, daß doch in Düsseldorf alles viel schicker sei. Kann ich nicht finden. Nur teurer ist es.

Ich würde viel lieber allein durch München bummeln. Sehr gut kenne ich die Stadt ja leider nicht. Oft sind wir damals nicht hineingekommen, als ich im Pensionat war. Einmal waren wir im Deutschen Museum, und ein paar Kirchen haben wir besichtigt. Vielleicht kann ich nachmittags mal allein loswitschen. Furchtbar gern würde ich ja Kommissar Linckmann besuchen. Der war so nett damals. Ob der mich wiedererkennen würde?

Aber nachmittags fängt es an zu regnen, ganz doll, und mein Schirm ist tief im Koffer, den kann ich nicht rausfischen, dann kriege ich das nie mehr hin. Werde ich mir aber für die Zukunft merken. Schirme müssen immer griffbereit verpackt werden. Denn ich habe ja die feste Absicht, einmal viel zu reisen. Und in München möchte ich gern wohnen. Hier gefällt es mir.

Abends essen wir in einem sehr vornehmen Restaurant. Max hat uns hingeführt. »Die richtigen Kneipen kenne ich in jeder Stadt«, bemerkt er stolz. »Dann fühlt man sich gleich zu Hause. Hier esse ich immer, wenn ich in München bin. Hier kennen sie mich schon. Nicht wahr?« fragt er zum Ober gewendet, der am Tisch steht.

Der ist ein höflicher Mann und sagt gemessen: »Selbstverständlich, Herr Direktor.« Dabei hat er sicher keine Ahnung, wer der kleine Dicke ist, der hier so angibt.

»Na bitte«, meint Max befriedigt und vertieft sich in die Speisekarte.

»O diese Männer«, seufzt die Gattin. »Man sollte sie gar nicht allein verreisen lassen.«

Die Reise geht weiter

Marlise und ich habe die beiden Fensterplätze. Das hat Eugen vorsorglich organisiert. So ein liebender Ehemann kann doch etwas ganz Brauchbares sein. Außer uns sitzen noch zwei Leute im Abteil, an den Plätzen bei der Tür. Sonst ist der Zug aber ziemlich voll, wie ich gesehen habe, als wir in München einstiegen. Marlises Bekannte hat recht: alles reist. Und wie es scheint, reisen auch noch einige Leute mit der Bahn. Das freut mich. Auto ist bestimmt was Schönes. Aber die gute olle Eisenbahn auch. Auf einen Bahnhof kommen, die Züge sehen, die ganz bestimmte Luft da riechen, also ich weiß nicht, mich erregt es immer. Man hat das Gefühl, die ganze Welt gehöre einem, wenn man nur auf diesen silberglitzernden Schienen hinausrollt. Fernweh nennt man das, glaube ich. Ich kenne das Gefühl. Vorhin, ehe wir abfuhren, fragte ich Marlise, ob sie auch so empfindet. Sie sah mich erstaunt an: »Du bist immer so exaltiert«, sagte sie. Und fügte dann gnädig hinzu: »Nun ja, du bist eben noch jung.«

Sie ist gerade fünf Jahre älter als ich. Jede Wette, daß ich in fünf Jahren noch genauso gespannt und aufgeregt bin, wenn ich auf einen Bahnhof komme und in einen Zug steige, der in die Ferne fährt. Man fühlt es eben, oder man fühlt es nicht, hat mit Alter oder Jugend gar nichts zu tun. Nein, die Eisenbahn darf nicht aussterben. Das wäre ein großer Verlust. Und wie nett die Schaffner jetzt immer sind! Ich kann mich noch erinnern, als ich Kind war, da waren sie brummig und unfreundlich. Der hier vorhin zu uns hereinkam, um die Karten anzuschauen, war richtig nett. Er sagte guten Morgen, guckte uns alle an, und als ich ihn anlachte, lachte er zurück.

Es gibt eigentlich eine Menge netter Menschen auf der Welt. Und überhaupt, wenn man freundlich ist zu den Leuten und sie anlacht, lachen sie auch und sind freundlich. Das habe ich schon gemerkt. Vielleicht hat mein Vater das gemeint, als er einmal zu mir sagte: »Deine Umwelt ist immer das Spiegelbild deiner selbst.«

Damals habe ich das nicht so richtig kapiert, ich war eben noch zu klein. Aber ich habe mir eigentlich alles gemerkt, was Vater sagte. Oder fast alles. Und immer stelle ich irgendwann fest, daß er recht hatte.

Die beiden an der Tür sind Italiener. Sie reden nämlich italienisch. Verstehen kann ich nichts davon. Da habe ich nun so lange Latein gebüffelt, aber nützen tut es gar nichts. Ich hätte lieber italienisch lernen sollen. In den letzten vierzehn Tagen habe ich mich zwar ein bißchen damit beschäftigt, habe mir so einen italienischen Sprachführer für Touristen gekauft. Aber vierzehn Tage sind wohl zu wenig. Und dann weiß man ja auch nicht, ob man nun die Sätze gebrauchen kann, die da drinstehen. Zum Beispiel: Fortunato di fare la Sua conoscenza. Ich freue mich, Ihre Bekanntschaft zu machen. Oder: Con chi ho l'honore di parlare? Mit wem habe ich die Ehre zu sprechen?

Sind sehr schöne Sätze. Klingt so feierlich. Ich frage mich bloß, ob die Italiener im Ernstfall so was sagen. Immerhin kann ich bitte und danke und guten Tag und auf Wiedersehen, das andere wird sich finden. Als ich mal hinausgehe auf den Gang, sage ich höflich zu der jungen Dame an der Tür scusami. Ich hoffe, daß es stimmt. Sie lächelt jedenfalls zu mir auf. Ganz richtig war es vielleicht nicht, denn der Mann, als er später im Gang an mir vorbeigeht, sagt permesso. Muß mal nachsehen, was das heißt. Das Mädchen ist sehr hübsch. Ein feines zartes Gesicht, mit heller samtiger Haut und sehr großen dunklen Augen. Die Haare sind nicht schwarz, sondern dunkelbraun mit einem Kastanienschimmer darin. Sie ist schlank und zierlich, trägt Schuhe mit hohen Absätzen und ein rehbraunes Kleid. Sie spricht nicht viel, lehnt in ihrer Ecke und blickt verträumt vor sich hin. Manchmal liest sie auch.

Ob die beiden ein Paar sind? Er ist auch noch jung, vielleicht so Ende zwanzig. Aber ich finde ihn nicht so sympathisch wie sie. Er sieht nicht schlecht aus. Fast ein wenig zu hübsch und weich für einen Mann. Seine Augen sind auch dunkel, die Gesichtshaut ein bißchen gelblich, und das kleine schwarze Bärtchen auf der Oberlippe finde ich blöd. Hat mir noch nie gefallen. Seine schwarzen Haare glänzen wie gelackt. Eigentlich sieht er so aus, wie man sich einen Italiener vorstellt. Marlise interessiert ihn offensichtlich. Er schaut öfter zu ihr hin. Na ja, es heißt ja immer, südliche Männer fliegen auf Blond. Und Marlise ist nun so richtig rundherum goldblond. Ist sogar echt bei ihr.

Natürlich ignoriert sie diese Blicke zunächst. Wie gewöhnlich. Doch siehe da, kurz vor Innsbruck ertappe ich meine schöne Schwester dabei, wie sie ihre langen Wimpern hebt und zurückguckt. Es ist nur ein kühler Blick, ihr Gesicht ist ein wenig hochmütig dabei, aber immerhin, sie guckt. Bei ihr schon allerhand.

Um die Mundwinkel des Italieners erscheint ein kleines Lächeln. Ein recht gekonntes Lächeln, wie mir scheint. Ob Marlise auf so was fliegt? Wissen kann man das nie. Schließlich ist ihr Eugen nicht besonders attraktiv. Und soweit ich informiert bin, hat sie bis jetzt in ihrem Leben wenig Gelegenheit gehabt zu flirten. Oder sagen wir mal, sie hat keine wahrgenommen. Bei manchen Frauen dauert es eben länger, bis sie munter werden. Genaugenommen ist es ihre erste Reise, die sie ohne Ehemann macht.

Wie ich schon oft gelesen habe, fördert das Reisen die Bekanntschaft zwischen wildfremden Leuten. Im Speisewagen sitzen wir mit den beiden aus unserem Abteil an einem Tisch, der junge Mann gegenüber von Marlise. Das Gespräch entwickelt sich aus den Spaghettis. Bekanntlich sind ja die Dinger in Italien sehr lang, für unsere Begriffe unhandlich. Aber die Italiener wickeln sie begabt um die Gabel und können prima damit umgehen. Ich gucke neugierig zu, wie die beiden Italiener das machen, der junge Mann bemerkt meinen Blick, er gönnt diesmal mir ein kleines Lächeln und sagt überraschenderweise auf deutsch: »Es ist nicht sehr schwer, Signorina. Sehen Sie, so.«

Ich schaue aufmerksam zu, wickle dann auch, bekomme einen Riesenbatzen in den Mund, verbrenne mir die Zunge, und meine weiße Bluse trägt einen Tomatensoßenfleck davon. Da kann mir einer sagen, was er will, unpraktisch ist diese Art von Esserei schon. Die anderen drei lachen über mich, und damit ist die Beziehung hergestellt. Marlise taut sichtlich auf, als sie merkt, daß der junge Mann so gut Deutsch spricht. Sie wird lebhafter, lächelt und zeigt sich von ihrer chamantesten Seite. Sie kann nämlich, wenn sie will.

»Ah, Venezia«, sagt der junge Mann, als er unser Reiseziel erfahren hat, »wie schön, Signora. Ich freue mich sehr, daß Sie meine Heimat besuchen. Sie kennen Venezia schon?«

Marlise sagt nein, sie kennt es nicht, aber es war schon immer ihr Wunsch, einmal hinzukommen.

Der junge Mann spricht in begeisterten Worten von der Stadt und nennt uns verschiedene Sehenswürdigkeiten, die wir uns ansehen sollen. Wissen wir ohnehin, steht im Reiseführer. Wenn wir wollten, meint er, würde er uns gern das eine oder andere persönlich zeigen. Ein ganz schöner Erfolg für eine erste Auslandsreise, finde ich. Marlise weiß nicht recht, was sie dazu sagen soll. Aber sie schmilzt wie Butter in der Sonne, als sich der junge Mann mit einer kleinen Verbeugung vorstellt, nachdem wir wieder in unserem Abteil sind. Conte Ceprano, sagt er. Und mit einer Handbewegung zu der jungen Dame: meine Schwester Amelita.

Ein Conte. Da haben wir uns etwas ganz Feines aufgegabelt. Auf Marlise, die ein großer Snob ist, wirkt das enorm. Man denke: ein Conte. Ist wohl so eine Art Graf. Und Bruder ist er auch nur, kein Verlobter oder Ehemann.

Marlise schenkt ihm ihr gnädigstes Lächeln. Wahrscheinlich bastelt sie im Geiste schon an dem Bericht, den sie ihren Düsseldorfer Freundinnen geben wird. Ah, die schöne Marlise hat wieder mal den Vogel abgeschossen, an der führenden Hand eines echten Conte zieht sie in Venedig ein. Soll ihr erst mal eine nachmachen.

Dann erfahren wir, daß die Familie Ceprano in Venedig einen alten Palazzo besitzt.

»Das Stammhaus der Familie«, sagt der Conte lässig. »Die Ceprano können ihre Geschichte bis in die Zeit des Dogen Orseolo zurückverfolgen. Unser Palazzo liegt am Canale Grande. Natürlich. Einstmals war es eines der schönsten Bauwerke der Stadt. Heute?« Er hebt ein wenig resigniert die Hand. »Nun, die Zeiten ändern sich. Venezia ist eine alte Stadt. Es ist schwer, die Häuser zu erhalten, fast unmöglich, sie zu pflegen. Sie sind heute wie Falten im Gesicht der schönen Dame Venezia. Aber da jeder weiß, wie schön sie einmal war, und weil jeder sieht, wie schön sie noch immer ist, kann man darüber hinwegsehen.«

Das hat er hübsch gesagt, muß ich mir merken.

»Ich habe erst kürzlich ein Buch über Venezia gelesen«, tut Marlise kund, »eben um mich auf die Reise vorzubereiten. Die ganze Geschichte der Stadt war darin dargestellt. Wirklich sehr interessant. Die Zeit der Dogen muß sehr glanzvoll gewesen sein. Aber Sie werden sicher mehr darüber wissen als ich. Als wir«, fügte sie höflich hinzu und sieht mich an.

Sie hat mir das Buch gegeben, ich hab's aber nicht gelesen. Hatte gerade so einen spannenden Krimi.

»Ja, gewiß«, meint der Conte. »Und das ist nicht weiter verwunderlich. Unsere Familie hat ja weitgehend an dieser Geschichte mitgewirkt.«

Marlise blickt ihn erwartungsvoll an, aber er scheint nicht die Absicht zu haben, uns die Geschichte Venedigs und seiner Familie vorzutragen. Er sagt mit seinem charmanten Lächeln: »Ich lebe sehr gern in der Gegenwart, mag die Vergangenheit auch großartig und interessant gewesen sein. Mich interessiert mehr, was heute geschieht.« Und dabei blickt er Marlise so intensiv in die Augen, daß sie verwirrt den Blick niederschlägt. Unwillkürlich bin ich direkt ein bißchen neidisch auf Marlise. Gleich auf der Fahrt hat sie sich einen Flirt aufgegabelt.

Ich schaue zu dem Mädchen hinüber, zu der Contessa. So sagt man wohl. Sie sitzt schräg in ihre Ecke gelehnt und betrachtet unter halbgesenkten Lidern ihren Bruder ein wenig amüsiert, wie mir scheint.

»Haben Sie immer in Venedig gelebt?« setzt Marlise das Gespräch fort.

»Nein, keineswegs. In meiner Kindheit war ich meist auf unserem Landgut in der Romagna, dann in einem Internat in der Schweiz. Einige Zeit im Ausland, dann später, die letzten Jahre, in Rom.«

»Sie sprechen sehr gut Deutsch«, findet Marlise.

»Darüber wundere ich mir auch«, mischt sich die Contessa in die Unterhaltung.

»Mich«, verbessert ihr Bruder. »Darüber wundere ich mich auch.«

Amelita errötet ein wenig und lacht. Ein reizendes Lachen ist es. Wie ein Sonnenstrahl huscht es über ihr Gesicht. »Ich spreche Ihre Sprache noch nicht sehr gut«, entschuldigt sie sich. »Aber ich werde es noch lernen, sehr bald.« Sie sagt das mit einer gewissen Bedeutsamkeit, und ihre Augen leuchten dabei.

Der Conte zieht die Augenbrauen zusammen und blickt sie unmutig an. Sie erwidert seinen Blick uneingeschüchtert, fast ein wenig trotzig, nimmt eine Zigarette aus ihrer Tasche und steckt sie zwischen die Lippen. Ihr Bruder reicht ihr höflich Feuer, zieht dann ebenfalls eine Packung Zigaretten aus seinem Jackett und bietet Marlise und mir an. Marlise dankt; aber ich nehme eine. Mehr aus Neugier. Mal sehen, wie die italienischen Dinger schmecken. Es ist aber gar keine italienische, sondern eine gute deutsche Filterzigarette.

»Ich rauche meist deutsche Zigaretten«, erklärt der Conte, als ich mein Erstaunen darüber äußere. »Ich habe einige Zeit in Deutschland gelebt.« Dann zu Marlise: »Das beantwortet auch Ihre Frage, Signora. Aus dieser Zeit stammen meine deutschen Sprachkenntnisse und von meiner Schweizer Erziehung.«

»Und wo haben Sie in Deutschland gelebt?« fragt Marlise.

»In Frankfurt hauptsächlich und in«, er zögert, als ob ihm der Name entfallen sei, »und in München.«

»Zum Studium?« fragt seine Schwester. Sie scheint nicht allzuviel über das Leben ihres Bruders zu wissen.

»Unter anderem«, antwortet der Conte.

»Du hast mir nie aus Deutschland geschrieben.«

»Wirklich nicht?« fragt er zurück. »Das kann ich mir gar nicht vorstellen.« Er gibt ihr eine wort- und gestenreiche Erklärung auf italienisch, die wir natürlich nicht verstehen. Die Contessa schüttelt einige Male erstaunt den Kopf, lehnt sich dann zurück und raucht schweigend.

Der Conte wendet sich wieder an uns. »Meine Schwester und ich haben uns viele Jahre nicht gesehen«, erklärt er. »Amelita ist in Amerika aufgewachsen.«

»Oh«, mache ich. »Warum denn das?«

Der Conte macht eine wegwerfende Handbewegung. »Unsere Mutter starb, als wir noch sehr klein waren. Eine Schwester meines Vaters, die mit ihrem Mann in New York lebt, nahm Amelita mit hinüber. Darum ist sie heute auch mehr Amerikanerin als Italienerin.« Das ist mit einem leichten Vorwurf gesagt.

Amelita lächelt ein wenig spöttisch. »Ich bin ihm – nun, wie sagt man das auf deutsch – too independent.«

»Zu selbständig«, helfe ich aus.

Der Conte zeigt wieder bereitwillig seine Zähne. »Das war bisher bei den Frauen unserer Familie nicht üblich.«

»Na«, sage ich, »wenn Sie in der Gegenwart leben, wie Sie vorhin sagten, werden Sie sich wohl damit abfinden müssen, daß die Frauen heute selbständiger sind als im Mittelalter.«

Dieses Bonmot finden alle erheiternd. Amelita und ich tauschen einen vergnügten Blick. Ich finde sie sehr nett. Eine italienische Amerikanerin; oder auch amerikanische Italienerin. So was wird einem nicht alle Tage geboten, nicht?

»Seit Ihrer Kindheit sind Sie nie mehr in Italien gewesen?« frage ich sie.

»Doch, einmal, vor drei Jahren«, sagt Amelita. »Aber nur zu einem kurzen Besuch mit meiner Zia Paola.«

»Dann sind Sie ja wirklich mehr Amerikanerin als Italienerin.«

»Wie man's nimmt«, schränkt sie ein. »Das Haus meiner Tante wird ganz italienisch geführt. Aber natürlich hat Amerika doch sehr auf mich eingewirkt.«

»Und jetzt wollen Sie für immer hier bleiben?« fragt Marlise.

»Das steht noch nicht fest«, antwortet der Conte.

»Doch, das steht sehr wohl fest«, widerspricht Amelita energisch. »Ich gehe zunächst wieder auf einige Zeit nach New York und dann nach Deutschland, für immer.«

Nun staunen wir alle. »Nach Deutschland?« frage ich.

Amelitas Augen leuchten wieder, dunkel und zärtlich.

»Ja, ich heirate einen Deutschen.« Und dann sieht sie ihren Bruder an, triumphierend, wie mir scheint.

Der zuckt nur die Schulter. »Das wird sich finden«, meint er obenhin.

»Das ist ja prima«, sage ich begeistert. »Wo haben sie den denn kennengelernt? Waren Sie schon einmal in Deutschland?«

»Nein. Wir haben uns in New York getroffen. Er ist dort Arzt an einer Klinik.«

»Ach so«, sage ich. Plötzlich fällt bei mir der Groschen. Ich fahre von meinem Sitz auf und stoße einen Schrei aus. Alle gucken mich erstaunt an.

»Aber Mensch«, rufe ich, »dann kenne ich Sie überhaupt.« Und zu Marlise: »Mensch, Marlise, merkst du was?«

Aber Marlise guckt mich nur verständnislos an. »Sag nicht immer Mensch«, tadelt sie.

»Sind Sie vielleicht Lita?« frage ich die Contessa. »Und heißt Ihr Freund Hans?«

Sie schaut mich aus großen erstaunten Augen an. »Ja. So heißt er. Woher wissen Sie das?«

Ich werfe mich in meinen Sitz zurück und lache. Wie komisch das Leben ist. Steht ja wohl immer in den Büchern: Die Welt ist klein. Ich brauche bloß mal eine Reise zu machen, gleich treffe ich Bekannte.

»Bist du jeck?« fragt mich Marlise.

»Na, Mensch, sei doch nicht so dußlig. Überleg doch mal. Hans und Lita.« Ich zitiere: »Gestern war ich mit Cindy in einem neuen Musical. War sehr amüsant. Hans und Lita waren auch dabei. Später gingen wir italienisch essen. Es gibt da ein erstklassiges Restaurant in der... na, die Straße weiß ich nicht mehr. Ist ja egal. Jetzt zitiere ich weiter. Lita ist Italienerin. Eine bezaubernde Person übrigens. Hans ist bis über beide Ohren in sie verliebt. Es wird täglich schlimmer. Wenn man ihn früher gekannt hat, er war immer ein etwas trockener Bruder, dann kann man nur staunen, was die Liebe aus einem Mann machen kann. Am liebsten würde er morgen heiraten. Aber Litas Familie zögert mit der Einwilligung. Ihr wißt ja, wie die Italiener sind. Auch wenn sie in Amerika leben. Familiendinge werden sehr ernst genommen. Und Lita wird zu Hause sehr streng gehalten. Selten, daß sie mal mit uns ausgehen darf. In Italien hat sie auch noch einen Vater sitzen, der seinen Senf dazugeben muß.« Ich schaue meine Zuhörer entschuldigend an. »Tut mir leid, aber so ungefähr hieß es da. Wir lieben einen legeren Tonfall in der Familie.« Dann frage ich Marlise: »Na, meine Teure, ist der Groschen gefallen? Kannst du dich jetzt erinnern?«

»Ach«, sagt Marlise langsam, »du meinst...?«

Der Conte und die Contessa schauen uns gespannt an und hören interessiert zu. Sie hat vor Aufregung ganz rote Wangen bekommen.

Ich lache sie vergnügt an. »Wie heißt der beste Freund von Ihrem Hans?«

»Sein Freund?« fragt sie verwirrt.

»Ja, Amico. Auch ein Deutscher.«

»Oh, das ist Robert.«

»Na bitte, na bitte«, ich kann vor Begeisterung nicht mehr stillsitzen. »Das ist Robert. Stimmt genau. Von mir Robby genannt und zufällig mein Bruder. My brother. Fratello, verstehste.«

Na, das ist eine Aufregung. Eine Weile reden wir alle vier durcheinander, deutsch, italienisch und amerikanisch. Und dann muß ich in aller Ruhe nochmals die Zusammenhänge erklären. Daß mein Bruder Robert seit einigen Jahren in New York ist, dort in einer Werbeagentur arbeitet, ein Girlfriend namens Cindy besitzt, jedenfalls zur Zeit heißt die betreffende Dame so. Außerdem hat Robby einen guten Freund, der Hans Fröhlich heißt und als Arzt in einer dortigen Klinik arbeitet. Und daß mein Herr Bruder zwar nicht oft, aber immerhin manchmal einen genaueren Bericht über sein Ergehen schickt, in dem dann auch meist von seinen Freunden die Rede ist. Seit dem vorletzten Brief sind wir daher davon unterrichtet, daß Hans sich unsterblich in eine gewisse Lita verliebt habe und sie heiraten wolle.

»Die Welt ist wirklich klein«, beende ich befriedigt meinen Report. »It's a small world, isn't it? Il mondo è piccolo, n'est-ce pas?« Ist doch gut, wenn der Mensch ein paar Sprachen spricht.

Jetzt ist das Eis gebrochen, die Freundschaft hergestellt. Amelita lacht mich so strahlend an, als seien wir alte Freundinnen.

»Dann Sie sind Pony«, sagt sie.

»Ebendieselbe«, erwidere ich.

Dann erzählt sie uns von Robby, wie gut er aussieht, wie tüchtig und vergnügt er ist.

Marlise ist ebenfalls interessiert. Nur der Conte sitzt schweigend dabei und raucht mit gerunzelter Stirn. Aha, er spielt den großen Bruder. Die Liebe seiner Schwester zu dem Ausländer paßt ihm nicht. Man hat ja schon genug darüber gelesen, wie die Südländer sind. Wahrscheinlich würde er seine Schwester am liebsten in den alten Palazzo sperren und dann an irgendeinen verkalkten Standesgenossen verhökern. Aber die wird ihm was husten. Sie kommt aus Amerika.

Bis wir in Venedig ankommen, sind wir gute Freunde. Die Reise ist schließlich lang genug. Und Amelita tut es offensichtlich wohl, mit mir über Robby und natürlich hauptsächlich über ihren Freund zu sprechen. Ihrem Bruder gegenüber fühlt sie sich noch sehr fremd. Sie hat ihn nicht gesehen, seit sie ein Kind von vier Jahren war. Damals nahm Tante Paola sie mit nach Amerika. Der alte Conte Ceprano wußte anscheinend nicht recht, was er mit dem kleinen Mädchen anfangen sollte. Tante Paola aber, die in außerordentlich guten Verhältnisse zu leben scheint – ihr Mann hat ein Juweliergeschäft an der Fifth Avenue, wie ich erfahre –, hatte keine Kinder, worüber sie sehr betrübt war. Deshalb nahm sie die kleine Amelita zu sich und zog sie wie ein eigenes Kind auf.

Die Contessa ist nicht so verschlossen, wie sie im ersten Augenblick erschien. Während der Reise erzählt sie mir viel von ihrem Leben. Sie war in einem College und schwärmt von dieser Zeit. Einen Beruf durfte sie nicht erlernen. »Zia Paola sagt, daß ich das nicht nötig habe. Ich soll gefälligst heiraten und damit basta.«

Auch ein Standpunkt. Aber es sieht ja ganz so aus, als

ob es nun wirklich so werden sollte. Obwohl die Familie mit ihrer Wahl nicht ganz einverstanden ist.

»Niemand hat etwas gegen Hans«, erzählt sie mir. »Aber sie wollen, daß ich einen Italiener heirate.« Sie hebt die Schultern mit einer anmutigen Gebärde und lächelt zuversichtlich. »Ich habe ihnen gesagt, dies ist mein Leben, und ich heirate einen Mann, wenn ich ihn liebe, und nicht, weil er einen meiner Familie passenden Paß in der Tasche hat.«

»Das ist goldrichtig«, stimme ich ihr bei. »Wenn schon geheiratet werden muß, dann nach freier Wahl. Wäre ja noch schöner.«

Der alte Conte, erfahre ich dann, ist vor einiger Zeit gestorben, und der junge – Francesco heißt er übrigens – ist nun das Oberhaupt der Familie. Gestern hat er seine Schwester vom Frankfurter Flughafen abgeholt und sie seit ihrer Kindheit zum erstenmal wiedergesehen. Amelita mußte herüberkommen, um einige Erbschaftsangelegenheiten zu regeln.

Auf der letzten Strecke, zwischen Verona und Venedig, stehen wir im Gang, während der Conte im Abteil mit Marlise flirtet.

»Ich weiß nicht viel von meinem Bruder«, vertraut Amelita mir an. »Wir haben uns nicht allzuoft geschrieben. Ich weiß nur, daß er sich mit unserem Vater nicht sehr gut gestanden hat.«

»Warum denn das?«

»Genaues weiß ich nicht«, sagt sie nachdenklich. »Zia Paola hat immer so geheimnisvoll getan. Sie haben alle Angst vor Vater gehabt; Francesco auch. Er wollte Künstler werden, und Vater war dagegen.«

»Ihr Bruder ist Künstler?« frage ich. »Maler?«

»Nein, Musiker«, berichtigt Amelita. »Er studiert Piano und Komposition. Papa war natürlich sehr dagegen. Aber in diesem Punkt war Francesco unnachgiebig. Er ist einfach von zu Hause fort und nach Rom zum Studieren gefahren. Papa war natürlich sehr böse auf ihn. Das ist so ziemlich alles, was ich von dieser Sache weiß.«

»Das ist ja nicht gerade viel, was Sie über das Leben Ihres einzigen Bruders wissen.«

»Nein«, gibt sie zu. »Wir haben uns ja seit unserer Kindheit nicht gesehen. Und in Briefen kann man doch nicht so viel sagen. Ich habe aber immer in Liebe an ihn gedacht. Doch jetzt...« Sie verstummt und sieht nachdenklich in das Abteil, wo der Conte sich gerade mit charmantem Lächeln zu Marlise beugt.

Hm – es scheint, als ob sie von ihrem Bruder nicht sonderlich entzückt wäre. Nun, mein Typ wäre er offen gestanden auch nicht.

»Na ja«, versuche ich sie zu trösten, »es ist eben alles ein bißchen neu und fremd für Sie hier. Aber das gibt sich schon mit der Zeit.«

Bevor der Zug in Venedig einläuft, werden wir beide, Marlise und ich, von Amelita sehr herzlich eingeladen, sie einmal zu besuchen, und der Conte schließt sich der Aufforderung seiner Schwester höflich an.

Kurz darauf fahren wir über die Brücke, und ich schaue verzaubert auf das Wasser hinaus, das die Lagunenstadt umgibt. Ist schon toll, daß ich in Venedig bin. Fast kaum zu glauben.

Der Conte hilft uns, einen Gepäckträger zu bekommen, und redet ihm vorbeugend kräftig ins Gewissen. »Fremde werden bei uns leider oft übervorteilt«, erklärt er. Jedenfalls weiß er Bescheid.

In der Vorhalle des Bahnhofs wird unser Gepäck dann von einem Hausdiener des Hotels übernommen, in dem wir Zimmer bestellt haben, und wir verabschieden uns von Amelita und ihrem Bruder. Sie steigen in eine Gondel, und wir nehmen ein Taxi. Ulkig, ein Taxi ist hier einfach ein Motorboot.

Neugierig schaue ich mich um. Gleich beim Bahnhof ist der Canale Grande. Gegenüber ist eine kleine Kirche. Über den Kanal führt eine hochgeschwungene Brücke, auf der sich Menschen drängen. Überhaupt wimmelt es nur so von Menschen ringsherum, die Luft ist erfüllt von Lärm und Stimmengewirr. Die Boote tuten. Sie fahren so dicht hinter- und nebeneinander, daß man sich wundert, wie sie überhaupt aneinander vorbeikommen, ohne Kleinholz zu machen.

Wie ich mich so umschaue, fällt mein Blick auf eine Frau. Sie steht etwas abseits, hinter einer Menschengruppe verborgen, und betrachtet uns aufmerksam. Eine sehr schöne Frau. Kupferrotes Haar, in glatter Fülle über einem schmalen Gesicht mit dunklen Augen. Sie trägt ein weißes Kleid, todschick gearbeitet, und hat die Hände lässig in die Rocktaschen versenkt. An den nackten Füßen hat sie weiße Sandaletten mit schwindelnd hohen Absätzen, ihre Nägel sind blutrot lackiert. Ich sehe, wie sie Amelita mustert. Dann trifft mich ihr Blick, und ich schaue weg. Aber dann, als der Conte seiner Schwester in die Gondel hilft, sehe ich, wie er sich nach der Frau umdreht, die einen Schritt vorgetreten ist, und sie ansieht. Kurz nur, aber irgendwie bedeutsam. Vielleicht bilde ich mir das auch ein. Vielleicht auch schauen italienische Männer immer nach hübschen Frauen. Kann ja sein, er kennt sie.

Ich weiß gar nicht, wohin ich zuerst gucken soll, als wir mit ziemlichem Tempo den Canale Grande entlangbrausen. Die Häuser stehen hier wirklich im Wasser, ich hab' es immer nicht recht geglaubt. Und was für Häuser. Riesendinger, eins neben dem anderen. Bißchen verwahrlost und verschimmelt sehen sie ja aus. Ist aber wohl kein Wunder. Erstens sind sie alt und zweitens immer diese Feuchtigkeit, das muß ja die solidesten Häuser benagen.

Aber eindrucksvoll ist es doch.

»Toll, was?« sage ich zu Marlise.

Sie nickt. Sie traut sich nicht, unsere Koffer aus den Augen zu lassen. Und außerdem scheint sie das Tempo unseres Steamers nervös zu machen. Ist auch wirklich bedenklich bei diesem Verkehr und dann so schnell, gerade immer um Millimeterbreite kommen wir an anderen Schiffen vorbei. Das ist noch schlimmer als der Autoverkehr auf dem Stachus in München.

Dann brausen wir unter einer hochgeschwungenen Brücke durch.

»Das muß der Rialto sein«, rufe ich.

Unser Kapitän dreht sich grinsend um. »Si, si, il Rialto.« Und dann läßt er eine längere Suada folgen, von der ich natürlich nichts verstehe. Zu dumm, daß ich nicht Italienisch kann. Vielleicht kann Amelita mir etwas beibringen? Ob ich sie morgen schon besuchen kann? Oder ist das zu eilig? Palazzo Ceprano am Canale Grande. Welcher mag das wohl sein?

Wir fahren an einer Kirche mit breiter weißer Kuppel vorbei, und dann verbreitert sich der Kanal, und vor uns liegt weites Wasser unter einem blassen Abendhimmel. Wie ein Märchenschloß aus Tausendundeiner Nacht leuchtet hell und schimmernd der Dogenpalast vor uns auf. Gott, ist das schön. Ich freue mich, daß wir hier sind.

Nußstangen, Grappa und ein Hochzeitsreisender

Keine Bange, ich habe nicht die Absicht, hier nun eine detaillierte Schilderung von bella Venezia zu geben. Das können andere Leute sicher besser als ich, ist wohl auch schon öfter mal dagewesen. Und heutzutage im Zeitalter der Reisewelle ist ja fast jeder schon mal dort gewesen. Sogar die Friseuse von Marlises Düsseldorfer Bekannten. Ich kann also zweifellos nirgends besonderen Eindruck erwecken, wenn ich berichte, daß wir in der Markuskirche waren, den Dogenpalast besichtigt und auf dem Markusplatz die Tauben gefüttert haben. Niemanden wird es überraschen zu erfahren, daß wir mit einem kleinen Grausen die Seufzerbrücke betrachteten, mit gebührendem Respekt die Chiesa della Salute und mit Mißtrauen die kleinen, dunklen Gassen, von denen niemand weiß, wo sie hinführen und wo sie enden. Immer, wenn man glaubt, es geht nicht weiter, kommt eine Ecke, ein Durchgang, eine kleine Brücke, und dann geht es doch weiter.

An persönlichen Eindrücken möchte ich hinzufügen, daß ich am liebsten in den ulkigen kleinen Kneipen esse, wo alles, was man drinnen kriegt, schon von außen im Schaufenster zu betrachten ist: traurige, aufgesperrte Fischmäuler mit glotzenden Augen, rosige Scampis, arme kleine Vögelchen und noch verschiedenes andere, was wir gar nicht kennen. Bei Marlise finde ich allerdings keine Gegenliebe mit meinem Wunsch, in so einer Trattoria einzukehren. Sie speist am liebsten vornehm im Hotel, wo sie eines ihrer zahllosen eleganten Kleider anziehen kann und einen großen Auftritt hat. Dann habe ich Geschmack daran gefunden, Campari zu trinken, möglichst auf dem Markusplatz in der Sonne sitzend, und dabei das Gewimmel der Menschen zu betrachten, die offenbar hauptsächlich nach Venedig gekommen sind, um Venedigs fette Tauben zu ernähren. Und dann stehen sie da, die Leute, meine ich, die Arme ausgestreckt, den Kopf schief geneigt und ein nicht gerade gescheites Lächeln im Gesicht, während die Tauben ihnen auf Armen, Schultern und Köpfen herumtrippeln, und irgendeiner knipst dann dies Idyll. Von früh bis abends, solange das Büchsenlicht reicht. Was für eine harmlose Bevölkerung haust doch auf dieser Erde! Und wie man mühelos hören kann, sind es zu einem hohen Prozentsatz meine geschätzten Landsleute, die das bunte Bild des Markusplatzes bereichern. Ohne sie wäre es vermutlich ziemlich einsam hier.

Dann muß ich noch erwähnen, daß ich die kandierten Nußstangen, die ein Verkäufer am Eingang des Dogenpalastes für 50 Lire anbietet, ganz ausgezeichnet finde. Schon am zweiten Tag meines Aufenthaltes habe ich davon 8 Stück verknuspert, weswegen ich auch abends im Hotel dem Menu nicht die rechte Ehre antun konnte. Bißchen komisch war mir schon. Marlise versäumt nicht, mich wissen zu lassen, daß ich mich nach wie vor benehme wie ein kleines Kind. Die Minestra schaffe ich noch einigermaßen, aber die darauffolgende Piccata Milanese wird wieder so abgetragen, wie man sie mir hingestellt hat.

»Am liebsten würde ich einen Schnaps trinken«, teile ich meiner Schwester mit.

Marlise bedenkt mich nur mit einem ungnädigen Hochziehen ihrer Augenbrauen und würdigt mich keiner Antwort. Sie löffelt gemessen ihre Cassata und freut sich an den huldigenden Blicken, die sie treffen. Kunststück, das Laster, dem *sie* an diesem Tag gefrönt hat, war wesentlich kostspieliger. Und jetzt hat sie den Vorteil davon, während ich mit revoltierendem Magen und grün um die Nase am Tisch sitze. Sie hat sich, im teuersten Laden, den sie in der Merceria finden konnte, ein

Kleid gekauft. Zugegeben, ein tolles Kleid. Silbergraue kleine Gondeln auf lavendelfarbigem Grund, ein ganz weiter Rock und ein unverschämtes Dekolleté. Es sollte mich nicht wundern, wenn einige der Männer, die mit uns im Speisesaal sitzen, statt des Salats den Blumenschmuck aufgegessen haben. Fast keiner guckt auf seinen Teller, alle glotzen Marlise an.

»Ich finde das ja reichlich kühn. Möchte wissen, was Eugen dazu sagen würde«, konnte ich mir nicht verkneifen zu bemerken, als sie in dem neuen Stück aufkreuzte. Sie gab mir nur einen kurzen Blick, legte sich die Nerzstola lässig um die Schulter und wandelte mir voraus. Ach ja! Schön sein ist vielleicht doch ganz schön. Mich schaut natürlich kein Mensch an, obwohl ich das neue Kleid anhabe, das Mama mir als Abibelohnung geschenkt hat. Ich fand es sehr hübsch bis jetzt, maisgelb, mit einem runden Ausschnitt und ohne Ärmel. Aber neben Marlises Prachtstück ist es natürlich ein alter Hut.

Als das Essen glücklich überstanden ist, sage ich, daß ich noch ein bißchen an die frische Luft gehe. Vielleicht wird mir davon besser.

»Aber geh nicht zu weit«, sagt Marlise, als ob ich fünf Jahre alt wäre.

»Kommst du nicht mit?«

»Nein, jetzt nicht. Ich trinke in der Halle noch einen Espresso.«

Die Halle hat es ihr angetan. Ist ja auch ein tolles Gebilde. Zwischending von einem alten Dom und einer Ritterburg. Marmor und rote Polster. Die haben sich hier schon was zusammengebaut. Da setzt sie sich nun hin, nein, da läßt sie sich nieder, meine schöne Schwester, und sonnt sich in bewundernden Blicken. Wenn's ihr Spaß macht.

Ich gehe hinaus, laufe ein bißchen die Uferpromenade auf und ab, besuche Herrn Colleoni auf seinem Roß – der gefällt mir am allerbesten von ganz Venezia – und lehne mich dann an die Ufermauer. Vom Lido kommt ein Motoscafo herüber und spuckt eine Menge Leute aus. Es ist überhaupt wieder ein Mordsbetrieb ringsherum, alles läuft und promeniert und redet und schwatzt, ein Krach ist es, daß man sich selber gar nicht denken hört. Ich schaue vor mich in das Wasser hinein. Ach ja, ist ja alles gut und schön. Aber mir ist irgendwie traurig zumute. Das Leben ist so unübersichtlich. Und so schön wie Marlise werde ich nie sein. Und schlecht ist mir auch noch.

Neben mir fliegt ein Fünkchen durch die Luft, taucht ins Wasser und erlischt. Jemand hat seinen Zigarettenstummel weggeworfen. Und dieser Jemand lehnt jetzt neben mir an der Brüstung. Guckt ins Wasser wie ich. Nein, guckt mich an.

Den kenne ich. Der saß im Speisesaal ein paar Tische entfernt und verschlang ebenfalls Marlise mit Blicken. Ein junger, blonder Mann, schlank und gerade gewachsen, mit breiten Schultern und einem ziemlich sympathischen Kopf drauf.

»'n Abend«, sagt er.

Ein Landsmann also.

»Buona sera«, erwidere ich.

»Donnerwetter, Sie haben aber schon viel gelernt. Dabei sind Sie doch erst vor zwei Tagen angekommen.«

»Ich bin sprachenbegabt«, antworte ich bescheiden.

»Das scheint mir auch so. Nur das Essen schien Ihnen heute nicht zu schmecken.«

»Es geht doch nichts über eine scharfe Beobachtungsgabe.«

»Sie sagen es. Woran lag's denn?«

»Was kann Sie denn das interessieren?«

»Es hat mich tief bekümmert. So schöne zarte Schnitzel. Kostet doch eine Menge Geld. Ist doch schade, wenn das die Fische fressen.«

»Fische!« Ich schaue den Landsmann verächtlich von der Seite an. »Fische fressen doch keine Schnitzel.«

»Warum denn nicht? Ich könnte mir vorstellen, daß Fische, die in unmittelbarer Umgebung eines Hotels wohnen, sich längst an Schnitzel gewöhnt haben. Vielleicht sind auch ein paar Haifische darunter, die mögen das bestimmt.«

»Wieso? Gibt's hier vielleicht Haifische?«

»Warum denn nicht?«

»Na hören Sie mal, ich will hier baden.«

»Hier?« Er weist mit entsetzter Miene in das Wasser vor uns. »Doch nicht hier im Canale Grande. Da müssen Sie sich anschließend mit Seife abschrubben.«

»Doch nicht hier. Drüben am Lido natürlich. Und außerdem ist das nicht der Canale Grande, sondern der Canale di San Marco.«

»Vielen Dank, gnädiges Fräulein. Hab' ich doch wieder mal was dazugelernt. Aber er ist jedenfalls genauso dreckig.«

»Das kann stimmen. Gibt es hier wirklich Haifische?«

Er lacht mich ziemlich frech an. »Sicher doch. Warum denn nicht? Denken Sie bloß mal, was denen hier geboten wird. So 'ne Menge saftiger Touristen.«

»Ach, Sie verkohlen mich ja.«

»Würde ich nie wagen.«

»Außerdem«, die Schnitzelfrage beschäftigt mich, »gibt es hier eine Menge Katzen, wie Sie vielleicht schon bemerkt haben. Vermutlich bekommen die mein Schnitzel.«

»Auch möglich. Oder der Hotelküchenchef dreht die Reste durch den Wolf und bereichert morgen mittag die Spaghetti bolognese damit.«

»Sagen Sie mal, Sie wollen mir wohl für morgen auch noch gleich den Appetit verderben.«

»Da sei Gott vor. Warum hat es Ihnen denn nun wirklich nicht geschmeckt?«

»Neugierig sind Sie gar nicht, wie?« Ich weise hinüber zum Portal des Dogenpalastes. »Der Nüssemann.«

Er schaut mich verständnislos an.

»Was ist das?«

»Haben Sie den Mann noch nicht gesehen, der dort

die kandierten Nußstangen verkauft? Schmecken prima.«

»Ach so. Und da haben Sie eine gegessen vor dem Abendbrot.«

»Eine? Acht Stück.«

»Drum.«

Er scheint befriedigt, und eine Weile schauen wir nebeneinander friedlich in die Lagune.

Dann sagt er gedankenvoll: »Acht Stück. Muß was Gutes sein. Werde ich morgen auch mal probieren.«

»Guten Appetit.«

»Danke. Aber acht sind wohl zuviel?«

»Kommt ganz auf Ihren Magen an.«

»Der ist soweit in Ordnung.«

»Meiner für gewöhnlich auch. Aber vielleicht hätte ich das Eis nicht gleich hinterher essen sollen.«

»Vielleicht. Ist Ihnen jetzt besser?«

»Kann ich eigentlich nicht sagen.«

»Sie sollten einen Schnaps trinken.«

»Sehen Sie, das habe ich auch gesagt. Aber meine Schwester fand das überflüssig.«

»Ach! Das engelhafte Wesen an Ihrer Seite ist Ihre Schwester?«

Das klingt sehr interessiert. Wahrscheinlich hat er sich herangemacht, weil er Marlise kennenlernen will. Das hab' ich gern.

»Ich sage es ja«, brumme ich.

»Hm«, macht er. Nach einer Weile fährt er fort: »Jedenfalls irrt Ihr Schwesterlein in diesem Fall. Schnaps wäre goldrichtig. Gehn wir einen Grappa trinken?«

»Was ist das?« frage ich mißtrauisch.

»Der landesübliche Schnaps. Gerade richtig für Ihren Fall.«

Ich überlege. Vielleicht würde mir das helfen. Ist nur die Frage, ob ich einfach mit einem Wildfremden losziehen kann und Schnaps trinken. Aber eigentlich sieht er ganz sympathisch aus. Und Landsmann ist er auch.

»Wo denn?« frage ich. »Im Hotel?«

»Ach nee. Das ist fad. Lieber in irgendeiner kleinen Trattoria.«

»Muß aber hier in der Nähe sein.«

»Klar doch. Dachten Sie, ich will Sie nach San Rocco verschleppen?«

»Was ist denn das?«

Er deutet mit einer vagen Handbewegung hinter sich. »Na, da drüben irgendwo. Auf der anderen Seite. Finstere Gegend.«

»Kennen Sie sich denn so gut hier aus?«

»Nicht besonders. Ich bin auch erst seit fünf Tagen hier. Und da ich weiter nichts zu tun habe, bin ich so ein bißchen herumgestrolcht. Es kommt einem sowieso immer vor, als liefe man im Kreise.«

Wir gehen zusammen über den Markusplatz, durch den Uhrenturm durch und um zwei Ecken, und dann finden wir so eine kleine Kneipe.

»Pfui, das schmeckt ja greulich«, sage ich, als ich den Schnaps runtergeschluckt habe. »Sind Sie sicher, daß Sie mich nicht vergiften wollen?«

»Ziemlich sicher. Übrigens gewöhnt man sich an das Zeug. Nach dem dritten schmeckt es ganz gut.«

»Nee, danke, ohne mich.«

Aber dann trinke ich doch noch einen und rauche eine Zigarette mit meinem neuen Bekannten. Allerdings bin ich mir nicht ganz sicher, ob mir nun besser ist oder noch mieser. Ich glaube, ich sollte doch lieber ins Bett gehen.

»Was machen Sie eigentlich hier in Venedig?« fragt mein Begleiter.

»Was werden wir schon machen? Ferien.«

»Ulkig.«

»Was ist daran so ulkig? Was denken Sie denn, was all die Leute machen, die hier herumwimmeln? Was machen Sie denn?«

Er sagt mit wichtiger Miene: »Ich mache meine Hochzeitsreise.«

»Ach!« Unwillkürlich schaue ich mich um. »Und wo haben Sie Ihre Frau?«

»Ich hab' gar keine.«

Jetzt wird mir doch ein bißchen mulmig. Sollte ich mir da einen Landsmann mit Unterbelichtung aufgegabelt haben? »So«, sage ich. »Sehr originell.«

»Sehen Sie«, sagt er und starrt trübsinnig in sein leeres Glas, »ich habe eine Braut. Vorige Woche wollten wir heiraten. Und dann eben hierher die Hochzeitsreise machen. Ich fand's ja albern, aber sie wollte partout. Tja.« Er dreht sich um. »He, cameriere, ancora due.«

»Nee«, sage ich, »ich will nichts mehr von dem greulichen Zeug.«

»Trinken Sie doch noch einen mit. Zur Gesellschaft.«

»Salute«, sagte er, wie die Gläser kommen, kippt seinen Schnaps runter und ruft wieder: »Ancora due.«

Unwillkürlich habe ich mitgekippt. Jetzt hat er schon wieder zwei bestellt. Das ist aber dann der letzte. Ich werde ja blau. Wo ich nichts gegessen habe. Aber die Sache mit der Braut interessiert mich doch.

»Na und?« frage ich.

»Was, na und?«

»Wo ist denn nun die Braut?«

»Ach die! Die hat mich sitzenlassen.«

Ich pruste vergnügt los. Er schaut mich böse an. »Was gibt's denn da zu lachen?«

»Na, hören Sie mal, das ist doch komisch. Meist lassen doch die Männer die Frauen sitzen. Umgedreht ist doch mal ganz lustig.«

»Wieso? Hat Sie schon mal einer sitzenlassen?«

»Mich? Bei Ihnen piept's wohl.« Ich trinke den vierten Grappa, schmeckt immer noch greulich, und erkläre bestimmt: »Mich läßt niemals nicht keiner sitzen. Bei mir ist jeder froh, wenn er mich hat.«

»Kann – kann ich mir vorstellen«, sagt er mit etwas schwerer Zunge. »Sie sind ein sehr char – charmantes Mädchen.«

»Eben.«

»Eben«, bestätigt er, dreht sich und winkt. »Ancora due.«

»Hören Sie mal«, sage ich, »ich glaube, das langt nun. Wenn Sie unbedingt Ihren Kummer ersäufen müssen, bitte. Ich nicht. Ich habe keinen.«

»Was?«

»Kummer.«

»Aber einen verdorbenen Magen.«

»Auch nicht mehr.« Mein Magen ist jetzt ganz ordentlich. Nur im Kopf ist mir ein bißchen komisch. Ich glaube, ich habe einen Schwips.

»Salute«, sagt er wieder. Wir trinken und schweigen. Plötzlich sagt er: »Ich habe gar keinen Kummer.«

»Nein? Ich dachte.«

»Warum soll ich denn Kummer haben?«

»Na, wegen der weggelaufenen Braut. Wenn man seine Hochzeitsreise allein machen muß...«

»Ich hatte das Zeug doch nun mal bezahlt, nicht? Und nicht die billigste Tour, das sehen Sie ja. Ist doch ein erstklassiges Hotel. Teurer Laden, nicht? Wäre doch schade drum gewesen. Konnte ich doch wenigstens fahren.«

»Sehr zart besaitet sind Sie jedenfalls nicht.«

»Ich nicht?« Er schaut mich empört an. »Ich wäre nicht zart besaitet? Aber schon mächtig zart besaitet bin ich. Aber schon ganz mächtig.«

»Na, entschuldigen Sie nur. Ich dachte eben. Wenn einer so quietschvergnügt allein auf Hochzeitsreise geht, ohne Frau, da gehört eigentlich ein dickes Fell dazu.«

»Ich habe kein dickes Fell. Ganz im Gegenteil. Wenn Sie wüßten, wie dünn das ist. Noch dünner. Papierdünn. Seidenpapierdünn. Nein.« Er dreht sich wieder um. »Ancora due.«

»Nein, ich nicht«, protestiere ich energisch. »Ich auf keinen Fall mehr.«

»Ei – einen noch. Bitte. Ist der letzte. Dann gehen wir baden.«

»Baden?«

»Oder schlafen. Ganz wie Sie wollen.«

Da hab' ich mir ja einen ganz schön Verrückten aufgegabelt. Ich muß machen, daß ich hier rauskomme. Mir ist sowieso reichlich wirr. Die Wand mir gegenüber wakkelt. Und die Gläser auf dem Tisch stehen ganz schief. Ob Venedig etwa heute nacht versinkt? Prophezeit war das wohl schon lange. Zu dumm, wenn es gerade passierte, wenn ich hier bin. Ich werde man lieber nach Hause gehen. Ins Hotel, meine ich. Hoffentlich finde ich zurück. Links ging's, glaub ich, um die Ecke, dann durch die Turmuhr, nee Uhrenturm, dann übern Platz, und dann weiß ich ja Bescheid. Hoffentlich steht das Hotel noch, wenn ich zurückkomme. Täte mir leid, wenn Marlise ganz allein versinkt. Schließlich ist sie meine Schwester. Wie spät ist es eigentlich? Verflixt, meine Uhr steht. Aber spät kann es noch nicht sein. So lange sind wir nicht hier.

Mein Begleiter beschäftigt sich noch immer mit seiner Haut. »Seidenpapierdünn«, wiederholt er hartnäckig. »Ich bin kein Elefant.«

»Um so besser«, sage ich. »Ich dachte nur. Die Sache ist doch ein bißchen komisch. Erst brennt Ihnen die Braut durch, dann gehen Sie allein auf Hochzeitsreise.«

»Ich hab' Ihnen doch gesagt, daß ich schon alles bezahlt hatte.«

»Na ja. Trotzdem.«

»Außerdem«, er macht ein pfiffiges Gesicht und beugt sich ganz nah zu mir her, »wissen Sie, so ist es auch wieder nicht: Ich war auch ganz froh, daß ich sie los war.«

»Aha. Na ja, dann.«

»Eben.«

»Eben.«

Wir schweigen eine Weile, tief in Gedanken versunken.

»Wenn man es natürlich so betrachtet«, sage ich.

»So mu – muß man es betrachten.«

»Ich – ich habe noch wenig Erfahrung mit Verlo – lobung, und Heirat und so was alles«, sage ich. Jetzt fange ich auch schon an zu stottern.

»Sie sind ja auch noch ein gansch jungsches Mädchen.«

»War Ihre Braut denn schon so alt?«

»Achtundzwanzig«, sagt er prompt. Ich schaue ihn mir genauer an, soweit mir das noch möglich ist. Älter ist er auf keinen Fall. Eher noch jünger.

»Aha«, sage ich.

»Eben.«

Er dreht sich um. Um Himmels willen, er wird doch nicht noch mehr von dem Zeug bestellen? Ich stehe auf.

»Ich muß gehen.«

»Isch auch. Wir müschen nur beschahlen.«

»Denn man los.«

Kurz darauf schwanken wir Arm in Arm über den Markusplatz. So dunkel habe ich das Gefühl, daß ich mich nicht ganz richtig benehme. Wenn Mama mich hier sehen würde. Oder Herr Federmann. Und wie stelle ich es an, Marlise aus dem Wege zu gehen?

»Marlise darf mich nicht sehen«, murmele ich.

»Wer ischt Marlische?«

»Meine Schwester.«

»Ach so, die Blonde. Der blonde Eischberg.«

»Na, hören Sie mal.«

Er preßt meinen Arm zärtlich an seine Brust. »Sie gefallen mir besser.«

»Ehrt mich. Aber ich fürchte, Sie sind blau.«

»Das ischt kein Wunder«, teilt er mir mit. »Isch habe heute den ganzen Tag gesoffen.«

»Aha. Also doch Kummer.«

»Nein, keinen Kummer. Vor Freude. Isch bin ein freier Mann.«

Plötzlich bleibt er stehen, mitten auf dem Markusplatz, breitet weit die Arme aus und dröhnt mit gewaltiger Stimme: »Isch bin ein freier Mann. Kind, liebliches, weißt du, was dasch bedeutet?«

Und ehe ich piep sagen kann, hat er mich in die Arme geschlossen und drückt mich fest an seine seidenpapierdünne Brust. Und dann will er mir einen Kuß geben.

Ich wehre mich verzweifelt. »Mensch«, rufe ich empört. »Nun, seien Sie doch vernünftig. Oder ich klebe Ihnen eine.«

»Kleben ischt gut. Kleben ischt immer gut.« Er läßt locker, hält mich bloß noch bei den Armen, schaut mich mit schräg geneigtem Kopf an und fragt treuherzig: »Willscht du mir keinen Kusch geben?«

»Nee«, sage ich. »Will ich nicht. Ich küsche doch, ich meine, ich küsse doch keinen besoffenen Mann.«

»Isch bin besoffen, das ischt wahr. Gibscht du mir dann morgen einen Kusch?«

»Das wird sich finden.«

»Das wird sich finden«, wiederholt er befriedigt, und Arm in Arm wanken wir weiter.

Vor dem Hoteleingang steht Marlise. Neben ihr ein männliches Wesen.

Ich muß zweimal gucken, bis ich erkenne, wer es ist. Der Conte. Unsere Reisebekanntschaft.

»Ach, da schau«, rufe ich entzückt. »Lieber Besuch. Netter Beschuch. Je später der Abend, desto schöner die Gäschte.«

»Pony«, ruft Marlise entsetzt. »Um Gottes willen, wo kommst du her? Wie siehst du aus. Und wer ist denn das?« Mißbilligend mustert sie meinen schwankenden Begleiter.

»Küsch die Hand, habe die Ehre, gnädige Frau. Bringe isch die kleine Schwester gut nach Hausche. Magen ischt wieder in Ordnung.«

Bei Marlises entsetztem Gesicht wird der Magen gleich wieder schlimmer. Ich merke, wie er sich geradezu in mir überschlägt. Ich glaube, ich ziehe mich besser zurück.

Marlise sieht mich wütend aus schmalen Augen an. »Schämst du dich nicht? Das ist ja unerhört. Wer ist der Kerl?«

Ich merke, wie es meinem neuen Bekannten geradezu einen Ruck gibt. »Aber gnädige Frau...«, fängt er an.

»Das ist ein Freund von mir«, sage ich eilig. »Alter Bekannter. Er ist hier auf der Hochzeitsreise.«

»So«, sagt Marlise kühl. Ihr Blick ist vernichtend.

»Wir haben bloß einen Schnaps getrunken, weil mir so schlecht war.«

»Kleinen guten Grappa«, sagt mein alter Bekannter. »Ischt gut für Magen.«

Der Conte steht neben Marlise und lacht sich halbtot. Marlise sieht ihn verzweifelt an.

»Mein Gott, was mache ich nun?«

»Nichts weiter. Fräulein Pony geht am besten schlafen. Grappa ist bestimmt gut für einen verdorbenen Magen. Und wir beide trinken noch eine Flasche Wein.«

»Nein«, sagt Marlise entschieden. »Danke, Conte. Heute nicht. Ich gehe mit meiner Schwester hinauf. Wer weiß, was sie sonst noch anstellt. Und vielen Dank für die Einladung. Wir sehen uns dann morgen. Grüßen Sie die Contessa. Gute Nacht.«

Sie packt mich energisch am Arm, ich kann gerade noch ein Buona notte herausbringen, dann bin ich im Hotel.

»Nimm dich zusammen«, zischt Marlise und kneift mich heftig in den Arm. »Man muß sich ja schämen mit dir. O Gott, wäre ich bloß nicht mit dir verreist. Ich hätte mir ja denken können, was dabei herauskommt.«

Na, die soll bloß nicht so angeben.

»Hör mal«, sage ich und bleibe stehen.

Aber sie kneift mich wieder, so derb, daß ich laut quieke. Und dann hat sie den Schlüssel, und dann bin ich oben, und mir ist so schlecht, und ich falle auf mein Bett. Und dann – na ja, buona notte.

Am Lido

Als ich am nächsten Morgen aufwache, ist mir ein bißchen trocken im Hals und ein bißchen flau im Magen, aber sonst fehlt mir nichts. Trotzdem ist mir die ganze Sache etwas peinlich. Ausgerechnet wenn Marlise dabei ist, muß mir so was passieren. Genaugenommen war es mein erster richtiger Schwips. Wenn man erwachsen ist, kommt das eben mal vor. Man muß schließlich alles kennenlernen im Leben. Nur aus Erfahrung kann man lernen. Und wenn es nur darum ist, nicht wieder denselben Fehler zu machen. Ich finde, das ist direkt weise von mir gedacht. Und sehr moralisch.

Bin ja neugierig, was Marlise heute aufspielen wird. Dumm, daß der Conte gerade da war. Na, der wird auch schon mal blau gewesen sein. Ob die Leute im Hotel was gemerkt haben?

Auch nicht mehr zu ändern. Soweit ich mich erinnere, habe ich mich nicht weiter danebenbenommen. Was mag wohl aus dem jungen Mann geworden sein? Der war zweifellos noch mehr angeschlagen als ich.

Ich klettere aus dem Bett und schaue erst mal aus dem Fenster. Herrliches Wetter. Ein tiefblauer Himmel, strahlende Sonne, und das Wasser blitzt nur so. Sieht kein bißchen dreckig aus. Und das mit den Haifischen ist ja Unsinn. Heute gehe ich auf jeden Fall baden. Ob Marlise noch schläft?

Ich habe das kaum zu Ende gedacht, da klopft es an meine Tür, und sie kommt. Schön und duftend, in einem weißen Leinenkleid.

»Guten Morgen«, sage ich höflich.

Sie mustert mich kritisch. »Nun?« fragt sie anzüglich. »Hast du deinen Rausch ausgeschlafen?«

»Rausch ist wohl etwas übertrieben. Kleiner Schwips. Kam bloß durch meinen verdorbenen Magen.«

»Du solltest dich schämen«, sagt sie. »Mit einem wildfremden Kerl losziehen und dich betrinken. Ich kann schon verstehen, warum Mama sich soviel Sorgen deinetwegen macht.«

»Tut sie das? Und vergiß Herrn Federmann nicht. Der hat schon graue Haare wegen mir gekriegt.«

»Darauf bildest du dir anscheinend noch was ein. Wir sind alle viel zu gutmütig mit dir.«

»Seid ihr. Reizende Leute, wirklich.«

»Das eine sage ich dir, noch einen Ärger mit dir, und ich schicke dich nach Hause. Postwendend.«

»Aber Süße, wer soll dann auf mich aufpassen? Und nun lach mal. Guck, die Sonne scheint.«

»Dafür sind wir in Italien«, sagt sie sachlich.

»Gehn wir heute baden?«

»Wir könnten zum Lido rüberfahren«, meint sie. »Wir wollen uns ja drüben mal nach einem netten Hotel umsehen. Eugen hat mir das auch geraten. Er hat eben angerufen.«

»Da konntest du ihm ja gleich von meinen Schandtaten erzählen.«

»Ich werde mich hüten. So etwas behält man besser für sich.«

»Auch gut. Sag mal, war das nicht gestern der Conte?«

»Ja. Wir sind heute nachmittag eingeladen.«

»Charmant. Ich auch?«

»Du auch. Obwohl es dir jetzt sicher unangenehm sein wird, ihm wieder unter die Augen zu kommen.«

»Ich werd's überleben.«

»Ich gehe jetzt frühstücken«, verkündet Marlise.

»Ich komme mit. In zehn Minuten bin ich fertig. Und bestelle mir bitte gleich eine große Flasche Wasser.«

Als wir beim Frühstück sitzen, erscheint auch mein Begleiter von gestern abend auf der Bildfläche.

»Guten Morgen, meine Damen«, ruft er vergnügt.

Marlise übersieht ihn, ich sage aber guten Morgen, daraufhin bleibt er bei uns stehen.

»Na«, sagt er, »alles gut überstanden?«

»Ich schon«, sage ich. »Und Sie?«

»Bestens. Ist der Magen wieder in Ordnung?«

»Tadellos. Falls mir nicht von diesem Kaffee hier aufs neue schlecht wird.« Italienischer Frühstückskaffee ist eine Strafe Gottes.

Er lacht und blickt dann abwartend meine Schwester an. »Sie müssen entschuldigen, gnädige Frau«, sagt er. »Ich hatte nichts Böses mit Ihrer kleinen Schwester vor.«

»Das habe ich bemerkt«, erwidert Marlise kühl.

Ich schneide eine kleine Grimasse zu ihm hinauf und sage: »Ich würde Sie ja gern meiner Schwester vorstellen. Leider weiß ich Ihren Namen nicht.«

Er wird rot und ruft erschrocken: »Was für Manieren! Habe ich mich nicht vorgestellt?«

»Nicht, daß ich wüßte.«

»Also dann, gestatten Sie: Gassner. Rolf Gassner.« Er fabriziert eine nette kleine Verbeugung und blickt uns erwartungsvoll an.

»Sehr erfreut«, erwidere ich feierlich. »Ich heiße Pony Cremer.« Und mit einer nonchalanten Handbewegung zu Marlise: »Marie-Luise Benckendorff. Meine Schwester.«

Er verbeugt sich abermals und murmelt: »Es ist mir eine Ehre.« Von den anderen Tischen aus beobachtet man interessiert die Zeremonien an unserem Tisch.

»Gehen Sie man jetzt lieber frühstücken«, sage ich.

»Ja, das werde ich tun. Eh, was ich noch fragen wollte, eh, was haben die Damen heute vor?«

Jetzt blickt Marlise von ihrem Brötchen auf und läßt einen ihrer kühl-erstaunten blauen Blicke auf Herrn Gassner ruhen: »Wieso?« fragt sie langsam.

Er bekommt wieder einen roten Kopf und weiß nicht, was er antworten soll.

Das tut mir leid, und ich sage schnell: »Wir fahren zum

Lido hinüber. Zum Baden. Nachmittags sind wir eingeladen. In einem Palazzo.«

»Das ist prima«, erwidert er erfreut. »Baden gehen wollte ich auch.«

Ein neuer Blick von Marlise bringt ihn zum Verstummen. Er verbeugt sich, murmelt: »Dann wünsche ich viel Vergnügen«, und verzieht sich an seinen Tisch.

Marlise sieht mich an, als wolle sie mich mit ihrem Blick erdolchen. »Du benimmst dich unmöglich. Soll sich der Kerl vielleicht an unsere Fersen heften?«

»Gar nicht. Ich habe bloß geantwortet, wie sich das gehört. Er ist doch ganz nett.«

»Als wenn du das beurteilen könntest.«

Sie soll sich bloß nicht so haben. Soviel Menschenkenntnis wie sie habe ich schon lange. Und dieser Rolf Gassner ist wirklich ganz nett. Einen treuherzigen blauen Blick hat er und gutgekämmte blonde Haare, ganz brav und ordentlich sieht er aus. Und selbst gestern, als er den Schwips hatte, war sein Benehmen nicht anstößig. Einen Kuß wollte er mir geben, soweit ich mich erinnere, aber das ist ja weiter nicht schlimm.

»Hast du nicht gestern gesagt, dieser Kerl wäre auf der Hochzeitsreise?«

»Ja. Ist er auch.«

»Und wo ist seine Frau?«

»Er hat keine.«

Marlise sieht mich an, als sei ich jetzt endgültig übergeschnappt.

»Genaues weiß ich auch nicht. Er hat bloß erzählt, er sei auf der Hochzeitsreise, aber Frau habe er keine, die sei ihm kurz vorher durchgegangen. Kommt ja vor, nicht?«

»Na ja, war ja zu erwarten. Wenn du schon mal eine Bekanntschaft machst, kann es nichts Gescheites sein.«

»Vielleicht erzählt er uns die Geschichte noch genauer.«

»Ich bin nicht neugierig darauf.«

Kurz darauf fahren wir mit dem Motoscafo zum Lido hinüber. Bummeln dann die Straße entlang zum Strand. Hier ist auch allerhand Betrieb. Marlise vergißt ganz den Ärger, den sie mit mir hat, so viel gibt es zu schauen. Eine Menge hübscher Frauen, braungebrannt und in schicken Strandkleidern. Läden, Kioske und ein Lokal neben dem anderen. Hier ist was los.

Marlise betrachtet prüfend die Hotels, an denen wir vorüberkommen. Ein großer Prachtbau an einer Ecke hat es ihr angetan.

»Sieht nicht schlecht aus, wir könnten hier mal fragen.«

Es ist nichts mehr frei. Der Portier bedauert wortreich. Alles besetzt.

Ob es überall so sei, will Marlise wissen. Vermutlich. Die Saison sei auf dem Höhepunkt.

Nachdenklich geht Marlise mit mir weiter. »Wir hätten vorher bestellen sollen. Ich hätte nicht gedacht, daß hier soviel Betrieb ist.«

»Wir werden schon was finden. Sicher gibt es hier auch Pensionen und so was Ähnliches.«

»Pension«, sie schiebt geringschätzig die Unterlippe vor.

»Was sagt denn Eugen, wann er kommt?«

»Nächste Woche wahrscheinlich. Dann fahren wir ein Stück die Küste entlang, bis wir irgendwo eine nette Bleibe finden.«

»Dann bleiben wir eben solange in Venedig wohnen. Wir sind ja mit dem Boot gleich hier drüben.«

Vom Lido bin ich enttäuscht. Ich hatte einen freien weiten Strand erwartet. Aber alles ist geordnet und gezähmt. Kabinen, gerade Wege, und wieder Menschen, nichts als Menschen. Eintritt bezahlen muß man auch.

»Das finde ich komisch«, sage ich. »Schließlich ist doch das Meer für jeden da.«

»Hier ist es eben so üblich«, meint Marlise.

Aber als ich dann ins Meer hinauslaufe, ist alles vergessen. Ist das herrlich. Das Wasser ist warm und weich. Die Wellen schlagen an meinen Beinen hoch, wie mit Händen greifen sie nach mir. Ich stoße einen Schrei aus und werfe mich mit Schwung nach vorn und schwimme, schwimme hinaus, immer weiter. Das ist das Schönste von allem, was es auf der Welt gibt: das Meer.

Erst als ich wende und den Strand ziemlich weit entfernt liegen sehe, fallen mir die Haifische ein. Ob der mich gestern verkohlt hat? Sicher doch. Die können schließlich hier keinen Eintritt verlangen und dann Haifische in ihrem Wasser haben. Aber besser ist es vielleicht, ich kraule mal ein bißchen auf den Strand zu. Man kann nie wissen.

Plötzlich taucht ein blonder zerstrubbelter Kopf an meiner Seite auf. Herr Rolf Gassner.

»Sie sind ja eine tollkühne Schwimmerin«, ruft er mir zu. »Mir wurde ganz angst und bange, als Sie immer weiter verschwanden.«

»Pah, das ist gar nichts für mich«, prahle ich. »Ich könnte dreimal so weit schwimmen. Ich bin nur umgekehrt, weil ich an die Haifische denken mußte, die Sie mir gestern abend offeriert haben.«

»Ist auch besser«, meinte er. »Das ist kein Teich, sondern Meer. Adria zwar, aber immerhin Meer. Da soll man nicht so leichtsinnig hinausschwimmen.«

Nebeneinander streben wir dem Lande zu. »Sie schwimmen ja ein ordentliches Tempo«, sagt er, »da kann ich kaum mit.«

»Sie sollten öfter trainieren. Das erhält jung und schlank.«

»Ich werde es beherzigen.«

Marlise sitzt dekorativ in einem Liegestuhl und empfängt mich mit Vorwürfen, weil ich so weit schwimme.

Herr Gassner, der in einer winzigen blauen Badehose neben mir steht, pflichtet ihr eifrig bei: »Das habe ich dem Fräulein Schwester auch schon gesagt.«

Marlise blickt resigniert zu ihm auf. »Das war ja zu erwarten, daß Sie auch hier auftauchen.«

Er schaut sie treuherzig aus großen erstaunten Bubenaugen an. »Ich bin jeden Tag hier«, sagt er. »Aber wenn ich Sie störe, kann ich mich auch woanders hinsetzen.«

Pause. Marlise bringt es nun doch nicht fertig, schlankweg zu erklären, jawohl, er störe.

»Nö«, sage ich, »bleiben Sie man ruhig hier. Sie wollten mir noch von Ihrer Braut erzählen. Und vielleicht können wir dann ein bißchen Federball spielen.«

»Gern«, sagt er und läßt sich im Sand nieder, gerade vor Marlises Füße. Dann blickt er andächtig zu ihr auf.

Sie ölt sich die Arme und Beine ein.

»Soll ich vielleicht den Rücken . . .«, fragt Herr Gassner diensteifrig.

»Danke«, erwidert Marlise, »das kann meine Schwester tun.«

Ich verteile also kunstgerecht das Öl auf Marlises schlankem glatten Rücken. Herr Gassner fragt, ob wir Lust auf einen Aperitif hätten. Einen Campari vielleicht? Oder eine Limonade?

»Au ja, für mich einen Campari.«

»Ich hole ihn. Für Sie auch, gnädige Frau?«

Marlise nickt gnädig.

Als er weg ist, sagt sie: »Den haben wir auf dem Hals.«

»Er ist doch ganz nett.« Und diplomatisch füge ich hinzu: »Ich glaube, der hat sich in dich verknallt. Hast du gesehen, wie er dich anhimmelt? Als ob du im Louvre hingst.«

»Mein liebes Kind«, entgegnet Marlise würdevoll, »ich bin daran gewöhnt, daß Männer mich ansehen. Andere Männer als dieser kleine Herr Irgendwer.«

Mein neuer Bekannter ist aber gar kein Herr Irgendwer. Als wir beim Campari und einer Zigarette sitzen, fragt er Marlise plötzlich: »Verzeihen Sie, gnädige Frau, meine Neugier. Benckendorff . . . Sind Sie vielleicht verwandt mit Eugen Benckendorff KG in Düsseldorf?«

»Das ist mein Mann«, erwidert Marlise gemessen.

»Oh!« freut sich Herr Gassner. »Nein, so eine Überraschung. Aber ich kenne Ihren Herrn Gemahl. Wir haben schon oft geschäftlich miteinander zu tun gehabt. Ich bin nämlich der Junior von Gassner und Co. in Mannheim. Wir liefern die Elektromotoren und Schalttafeln für die Präzisionsmaschinen. Ihr Mann verhandelt doch jetzt gerade wegen eines großen arabischen Auftrages, nicht wahr?«

»Soviel ich weiß, ja«, erwidert Marlise und schaut sich Herrn Gassner erstmals richtig an. »Haben Sie damit auch zu tun?«

»Klar doch. Die Lieferfrist ist ja sehr kurz. Ihr Gatte fragte bei uns an, ob wir so rasch fabrizieren könnten, wie er es braucht.«

»Aha«, sagt Marlise.

»Na und?« frage ich. »Können Sie?«

»Ehrensache. Mein alter Herr kann immer, wenn er will. Und Export geht vor. Damit machen wir ja Mäuschen-Mäuschen.«

»Mäuschen-Mäuschen?« fragt Marlise verständnislos.

»Na, ich meine Penunse, Diridari, Marie.«

»Denaro«, sage ich.

»Genau das. Sie haben wieder mal das rettende Wort gefunden, Fräulein, eh – heißen Sie wirklich Pony?«

»Natürlich. Gefällt Ihnen mein Name nicht?«

»Im Gegenteil, ich finde ihn reizend. Ziemlich selten allerdings.«

»Genau wie ich. Ich bin auch was Seltenes.« Das antworte ich immer, wenn jemand feststellt, daß mein Name selten sei.

»Zweifellos«, meint Herr Gassner. »Man könnte geradezu sagen, einmalig.«

Unter diesem und ähnlichem belanglosen Geschwätz verbringen wir den Vormittag. Marlise ist aufgetaut und behandelt Herrn Gassner recht liebenswürdig, seit sie weiß, wer er ist. Sie hat auch nichts dagegen, daß wir ein wenig später zum Ballspielen gehen. Vermutlich kalkuliert sie ihn schon als eventuellen Ehekandidaten für mich ein. Vorausgesetzt, daß Eugen seine Liquidität bestätigt und daß die Sache mit der verschwundenen Braut geklärt wird.

Nach dem Spiel baden wir alle drei noch mal und gehen dann gemeinsam zum Essen in eins der kleinen Lokale an der Gran Viale Santa Maria Elisabetta. Das ist die Straße, die vom Hafen zum Strand führt. Prächtiger Name. Klingt bombastisch.

Heute schmeckt mir das Essen wieder. Und der Wein auch. Marlise ist zwar dagegen, daß ich Wein trinke.

»Denk an gestern abend«, sagt sie.

»Aber gnädige Frau«, überredet sie unser neuer Freund. »Was wollen Sie hier anderes trinken als Vino. Und dieser leichte italienische Landwein, der tut einem nichts zuleide.«

Also trinken wir alle drei einen roten herben Vino, und er schmeckt uns großartig.

»Salute«, sagt Herr Gassner vergnügt, genau wie gestern abend. Marlise lächelt ihm gnädig zu, und damit ist er nun endgültig zu unserem venezianischen Begleiter avanciert.

Besuch in einem Palazzo

In Venedig sind bestimmt schon viele Leute gewesen. Aber in einem echten Palazzo eingeladen wird nicht jeder. Ich bin mächtig gespannt, wie es darin aussehen wird.

Also, um es kurz zu machen: ziemlich alt und verstaubt. Womit ich unseren Gastgebern nicht zu nahe treten will. Wir hatten ja gehört, daß der venezianische Palazzo in den letzten Jahrzehnten von der Familie kaum bewohnt worden ist. Der alte Conte war meist auf seinem Landgut oder auf Reisen, der junge Conte in Rom und Lita in Amerika. Und so sieht auch alles aus. Große Räume, prächtige alte Möbel, nur wenige Stücke, aber die sind möglicherweise recht wertvoll. Ich verstehe nicht viel davon.

Am eindrucksvollsten ist die Anfahrt. Der Conte hat uns eine Gondel geschickt, rundherum mit Gold verziert, und wir gondeln also unter Lebensgefahr den Canale Grande entlang. Der Gondoliere ist ein junger schwarzhaariger Bursche, der sich elegant durch den Verkehr stakt. Deutsch versteht er kein Wort. Wenn man was zu ihm sagt, grinst er bloß.

Marlise sitzt in dem Kahn wie eine echte Venezianerin. Den weiten Rock ihres blauen Kleides malerisch um sich gebreitet, ein weißes Chiffontuch über das blonde Haar gelegt, blickt sie befriedigt um sich. Sicher ist es eine Enttäuschung für sie, daß wir nicht an der breiten Treppe vor dem großen Portal anlegen, sondern an einem kleinen Seitenkanal vor einem bescheidenen Türchen. Vermutlich ist das vordere Türschloß so verrostet, daß es nicht mehr aufgeht.

Der Conte empfängt uns auf den Stufen stehend und reicht Marlise die Hand zum Aussteigen. Graziös schwebt sie daran aus der Gondel und die Stufen empor. Schade, daß sie schon ihren Eugen hat. Als Contessa würde sie sich auch gut machen. Dann geht es durch einen schmalen hohen Gang zu einer Treppe.

»Wir gehen nach oben«, sagt der Conte. »Die unteren Räume werden nicht bewohnt. Die Repräsentationspflichten früherer Jahrhunderte bestehen nicht mehr. Und wie ich schon sagte, die Instandhaltung eines so alten Bauwerkes ist kaum mehr möglich.«

Oben sieht es ganz normal aus. Ein großer Raum mit schmalen, hohen Fenstern, die auf den Canale Grande hinausgehen. Alte Sessel, ein zierliches Sofa mit goldenen Beinen, ein gedeckter Tisch.

Eine Frau steht am Fenster, blickt hinaus, dreht sich aber um, als wir kommen. Es ist nicht Amelita. Es ist die schöne, rothaarige Frau, die ich bei der Ankunft vor dem Bahnhof schon gesehen habe. Da habe ich mich also doch nicht getäuscht, als es mir schien, sie und der Conte hätten einen Blick getauscht.

Sie sieht auch heute atemberaubend aus. Sie trägt ein schwarzes, ärmelloses Kleid, das eng wie eine zweite Haut an ihrem Körper sitzt. Herausfordernd sieht es aus. Es ist so tief dekolletiert, daß man den Ansatz ihrer vollen Brust sieht. Schultern und Arme sind tiefbraun verbrannt. In den Ohren trägt sie riesige goldene Clips und um beide Handgelenke breite schwere Armbänder.

Eine sehenswerte Erscheinung. Wer mag das wohl sein? Ich sehe, wie Marlise erstaunt die Brauen hochzieht beim Anblick der Fremden. Mit so schwerer Konkurrenz hat sie nicht gerechnet. Meine kühle blonde Schwester wirkt neben dieser Erscheinung etwas farblos. Ob das die Freundin von dem kleinen Conte ist? Da hat er sich aber viel vorgenommen. Er klärt uns jedoch gleich auf.

»Signora Lanzotti«, stellt er die Dame vor. »Die langjährige Mitarbeiterin meines Vaters.«

Mitarbeiterin! Was heißt denn das nun wieder? Wie arbeitet man bei einem alten Conte mit? Soll das vielleicht so eine Art Sekretärin sein?

Signora Lanzotti schenkt uns ein langsames Lächeln. Ihre schwarzummalten Augen mustern uns dabei genau. Mich nur kurz, Marlise dafür um so gründlicher.

»Bitte nehmen Sie Platz«, sagt sie dann. Auch sie spricht also Deutsch.

Wir setzen uns um den Teetisch herum und beginnen mit der Konversation. Marlise erzählt, was wir heute getrieben haben.

Dann fragt mich der Conte neckisch: »Und Ihnen geht es heute wieder besser, Signorina?«

Na, das war ja zu erwarten. Ein wirklich feiner Mann ist er auch nicht, sonst wäre er über den Zwischenfall von gestern abend vornehm hinweggegangen.

»So schlecht ging es mir gestern gar nicht«, sage ich. »Bißchen verdorbener Magen. Ich hatte zuviel Nüsse gegessen.«

Mittlerweile müßte das nun eigentlich ganz Venedig wissen.

»Jedenfalls haben Sie den verdorbenen Magen gleich energisch kuriert.«

Ich nicke. »Mit Grappa. Greuliches Zeug.« Der soll bloß nicht denken, daß er mich in Verlegenheit bringen kann, der Herr Conte.

»Wie lange wollen Sie in Venezia bleiben?« fragt Signora Lanzotti.

»Eine Woche etwa«, erwidert Marlise. »Dann kommt mein Mann nach, und wir fahren irgendwohin ans Meer.«

»Wollen Sie hier auf der Adriaseite bleiben?«

»Ich weiß noch nicht.«

Die rothaarige Person fasziniert mich. Übrigens ist sie nicht so jung, wie es im ersten Moment erschien. Sehr gut zurechtgemacht, aber sicher schon eine reife Dreißigerin.

»Sie sprechen sehr gut Deutsch, Signora«, macht Marlise ihr ein Kompliment.

»Mein erster Mann war Deutscher«, läßt uns die Signora wissen.

Aha, einen ersten Mann hat sie also auch gehabt. Falls es einen Signore Lanzotti gibt, ist das dann der zweite. Oder vielleicht noch eine höhere Nummer. Sie macht ganz den Eindruck einer Frau, die im Laufe der Zeit mehrere Männer verwirtschaftet.

Die Tür geht auf, und Amelita kommt herein. Sie trägt ein einfaches weißes Kleid und sieht sehr jung und anmutig aus. Mir gefällt sie am besten. Aber sie ist etwas blaß, eine leise Melancholie liegt über ihrem zarten Gesicht mit den großen Augen. Sie begrüßt uns freundlich und setzt sich dann neben mich.

Signora Lanzotti steht auf.

»Ich werde den Tee holen«, sagt sie. Sie lächelt. »Leider ist es mit Dienerschaft hier auch schwierig. Die jungen Mädchen arbeiten alle in den Hotels und Ristorantes.« Dann geht sie hinaus.

Amelita sieht ihren Bruder an. »Darum gerade ich kann nicht verstehen, daß Teresina nicht mehr ist hier.«

Der Conte zuckt ein wenig ungeduldig die Schultern. »Das habe ich dir doch schon erklärt. Sie war alt und wollte in ihre Heimat zurückkehren.«

»Ich wundere mir trotzdem. Sie war doch immer hier.«

»Bis vor kurzem, ja.«

»Und gerade jetzt...« Amelita sieht uns an und lächelt entschuldigend. »An sie, ich meine, an Teresina, ich kann erinnern viel am besten. Sie war zu mir wie eine Mama.«

Nach einer Weile kommt Signora Lanzotti mit einem Tablett. Der Tee ist dünn, und das Gebäck scheint noch aus der Zeit der Dogen zu stammen. Das Gespräch schleppt sich nur stockend hin. Amelita spricht kaum. Irgend etwas scheint sie zu bekümmern. Ihre Augen ruhen oft forschend auf ihrem Bruder. Aber nur flüchtig sieht sie die Signora Lanzotti an. Dann ist ihr Blick finster. Kein Zweifel, sie hat etwas gegen diesen roten Vamp.

Marlise will wissen, wo man drüben am Lido wohnen soll. Der Conte sagt: »Mich dürfen Sie nicht fragen, Signora. Ich bin so lange nicht hier gewesen. Ich weiß es nicht.«

Signora Lanzotti nennt ein paar Hotels, fügt aber hinzu, vermutlich sei alles besetzt, und wir sollten doch lieber beim Markusplatz wohnen bleiben, wenn wir doch nur noch wenige Tage hier sind.

»Ja, das wird wohl das beste sein«, meint Marlise.

Amelita steht plötzlich auf. »Ich habe ein paar Bilder«, sagt sie. »Ihr Bruder ist da auch mit hineinfotografiert. Wollen Sie sie sehen?«

»Au ja«, rufe ich, »gern.«

Sie geht zur Tür, doch ehe sie hinausgeht, bleibt sie stehen, sieht mich an und sagt: »Kommen Sie mit.«

Ich stehe erleichtert auf und folge ihr. Ist sowieso ziemlich langweilig. Sollen sich die drei Hübschen mal allein unterhalten. Der Conte ist heute wie eine müde Fliege. Neulich, im Zug, hat er doch ganz munter mit Marlise gezwitschert. Heute traut er sich offenbar nicht.

Amelitas Zimmer ist eine düstere Angelegenheit. Ein riesiges Bett mit einem komischen Baldachin darüber, auch hier nur wenige Möbel, alles schwer, alt und verstaubt. Sieht wirklich so aus, als sei hier lange nicht ordentlich saubergemacht worden.

Unwillkürlich frage ich: »Wie gefällt es Ihnen wieder zu Hause?«

Sie sieht mich an mit diesem traurigen Blick, den sie heute hat. »Zu Hause?« wiederholt sie langsam. »Ich fühle mich hier nicht zu Hause.« Und plötzlich ist geradezu Angst in ihrem Blick, ein kindliches Erschrecken. »Ich fürchte mich hier. Ich habe keinen Freund in diesem Haus.«

»Oh!« sage ich. Was soll ich sagen? Irgendwie kann ich es verstehen. Ich würde mich auch fürchten in dem alten Gemäuer.

»Aber Sie haben doch Ihren Bruder«, sage ich, in dem schwachen Versuch, sie zu trösten.

»Ja«, sagt sie, »mein Bruder.« Auf einmal hat sie Tränen in den Augen. Hastig wendet sie sich ab und beginnt in ihrem Koffer zu kramen, fördert auch richtig einen Umschlag ans Tageslicht. Doch dann muß sie ihn hinlegen und sich erst mal die Nase putzen.

»Entschuldigen Sie bitte«, sagt sie, »ich bin kindisch.«

»Keineswegs«, erwidere ich, »ich kann das gut verstehen. Es ist eben alles so fremd für Sie hier, nicht?«

»Ja, völlig fremd. Und mein Bruder – mein Bruder ist auch so fremd.«

Sie setzt sich auf den Bettrand und starrt trübsinnig vor sich hin. Sie tut mir schrecklich leid. Ich setze mich neben sie und lege meinen Arm um ihre Schulter. »Das wird sich schon geben, wenn Sie sich erst besser kennenlernen.«

»Ich verstehe das alles nicht«, seufzt sie. »Er hat mir so gut und verständnisvoll geschrieben, und wir haben uns alle beide auf das Wiedersehen, ja, man muß eigentlich sagen, auf das Kennenlernen, gefreut.«

»Kannten Sie ihn denn überhaupt nicht?«

»No. Als ich vor drei Jahren hier war, befand er sich gerade auf einer Auslandsreise.«

Sie ist ganz vertieft in ihren Kummer. Anscheinend tut es ihr gut, mal mit jemand darüber sprechen zu können. Zwar bin ich eine Fremde für sie, aber das sind die anderen ja auch. Und vielleicht fühlt sie, daß ich sie gut leiden kann.

»Papa hat mir nicht viel von Francesco erzählt«, fährt sie fort. »Sie hatten ja Streit.«

»Streit?« – »Ja. Francesco wollte Musik studieren, und Papa war dagegen. Und dann war da die Frau.«

»Die Frau? Eine Freundin Ihres Bruders?« Doch nicht etwa die Rote?

»Ich weiß nicht recht. Zia Paola hat mir nie etwas davon sagen wollen. Sie behandeln mich ja immer noch wie ein kleines Kind. Und Francesco hat es auch nur einmal in einem Brief angedeutet. Ich glaube aber, daß Papa zuletzt mit einer Frau zusammen lebte. Auch das war ein Grund, weshalb er und Francesco sich fremd geworden waren.«

Jetzt funkt es bei mir. »Ach, und Sie glauben, das ist die?«

Amelita sieht mich zweifelnd an. »Ich weiß nichts Genaues. Aber sie sieht aus wie so eine. Und mein Bruder ist gut Freund mit ihr, obgleich er sich früher wegen dieser Frau mit Papa entzweit hatte. Aber jetzt ist er immer mit ihr zusammen. Wenn ich ins Zimmer komme, sind sie still. Und er ist immer da, wo sie ist. Ich kann das nicht verstehen.«

Hm. Was heißt verstehen? Angenommen, diese Signora Lanzotti war wirklich die Freundin von dem verflossenen Conte, kann ja sein, daß der kleine Conte damals dagegen war, aber jetzt hat sie ihn eben becirct. Vielleicht will sie in der Familie bleiben. Hat sich daran gewöhnt. Hübsch genug ist sie ja, um einem Mann den Kopf zu verdrehen.

»Wohnt sie denn, ich meine diese Signora Lanzotti, wohnt sie denn hier im Haus?« frage ich.

Amelita nickt. »Ja.«

Eine Weile schweigen wir nachdenklich. Ist für mich natürlich schwer, einen Überblick zu gewinnen. Ich kenne ja die Familienverhältnisse nicht. Immerhin kann ich Amelitas Enttäuschung verstehen. Sie ist nach Europa gekommen, um ihren Bruder wiederzusehen, und der hat sich mittlerweile in die übriggebliebene Freundin seines Vaters vergafft und hat jetzt kein Interesse für seine Schwester. So ungefähr muß es wohl sein. Ist ja auch kein Weltuntergang. Es wird sich wieder beruhigen. Bei Männern ist das wohl manchmal so.

»Seien Sie nicht traurig, Lita«, sage ich. »Ihr Bruder wird schon wieder vernünftig werden. Vielleicht können Sie diese Tante rausgraulen. Schließlich sind Sie ja hier die Herrin im Haus. Und wenn es Ihnen nicht paßt, dann fahren Sie eben wieder ab. Lassen Sie Ihren Bruder auskühlen und treffen ihn lieber später mal wieder. Sie fahren wieder zu Ihrem Hans.«

»Ja, Hans.« Ein Lächeln fliegt über ihr Gesicht. »Er ist so gut. Ich liebe ihn sehr. Aber Francesco muß mit nach New York reisen, wegen Geschäfte mit der Erbschaft.«

Die Erwähnung ihres Hans hat sie an die Bilder erinnert. Sie nimmt sie endlich aus dem Umschlag raus. »Hier ist Ihr Bruder, Pony.«

Wahrhaftig, da ist Robby. Mit einem vergnügten, unbekümmerten Lachen steht er da, Arm in Arm mit einer langbeinigen Blondine. Gut schaut er aus. Netten Bruder hab' ich.

»Ist das Cindy?«

»Ja, das ist Cindy.«

»Liebt er die etwa?« frage ich eifersüchtig.

Amelita lacht. »Ein bißchen vielleicht. Robert nimmt Liebe nicht sehr ernst.«

»Ein kluges Kind. Dazu ist er auch noch viel zu grün.«

Sie zeigt mir ein anderes Bild. Da ist sie, und neben ihr ein ernster junger Mann, ein Stück größer als die zierliche Amelita. Sympathisch, vertrauenerweckend und zuverlässig sieht er aus.

»Das ist Hans?«

»Ja. Gefällt er dir?«

»Sehr gut. Der sieht aus, als ob du dich auf ihn verlassen könntest.«

»Oh, no, no«, protestiert sie heftig. »Er wird mich nie verlassen.«

Ich muß lachen. Ab und an hat sie eben doch noch Sprachschwierigkeiten, wenn sie auch ihrem Hans zuliebe recht gut Deutsch gelernt hat. »Nein, er wird dich nicht verlassen. Ich meinte: du kannst dich auf ihn verlassen. *You* can rely upon him.« Sie nickt überzeugt. »Ja, das ist wahr.« Dann seufzt sie. »Ich wünschte, er wäre hier.«

Ja, wäre vielleicht besser. Dann fühlte sie sich nicht so einsam und ausgestoßen. »Paß auf«, sage ich. Wie von selbst sind wir in das Du hineingeraten. »Du und Hans seid Freunde meines Bruders, also bin ich auch deine Freundin. Du mußt mir alles sagen, was dich bedrückt, vielleicht kann ich dir ein bißchen helfen.«

Amelita sieht mich dankbar an. »Das ist lieb von dir«, sagt sie. »Jetzt fühle ich mich schon nicht mehr so allein.«

Irgendwie ist es rührend. Da sitzt sie nun im Haus ihrer Väter und kommt sich hundeelend und verlassen vor. Und so ein halbgarer Tourist aus Germany – das bin ich – bedeutet ihr einen Trost.

Venezianischer Abendbummel

Als wir ins Hotel zurückgondeln, sage ich zu Marlise: »Komische Familienverhältnisse. Findest du nicht auch?«

»Wieso?« fragt sie erstaunt.

»Man sieht nicht ganz durch, nicht? Und Amelita war so niedergeschlagen.«

»Hat sie dir das gesagt?«

»Ja.«

»Drum kamt ihr so lange nicht wieder.«

»Ich habe sie getröstet.«

»Ausgerechnet du.«

»Warum nicht ich? Sie hat hier doch keinen Menschen.«

»Sie hat doch ihren Bruder. Und einen ganzen Palazzo.«

Das ist wieder mal typisch Marlise. Als ob so 'n alter Palazzo ein Trost sein könnte.

»Auch schon was«, sage ich, »diese klapprige Ruine. Überall lag der Staub zentimeterdick.«

»Daß du so was bemerkst«, wundert sich Marlise.

»Wie du siehst. Und dann, was heißt Bruder. Der ist ja in die Rote verknallt.«

»Ach, Unsinn. Die ist mindestens zehn Jahre älter als er. Eine alte Freundin der Familie. Als ihr weg wart, haben wir davon gesprochen. Ihr Mann, dieser Lanzotti, war Anwalt und hat lange Zeit die Geschäfte des alten Conte geführt. Und sie hat sich eben so ein bißchen um alles gekümmert und mal nach dem Rechten gesehen, wenn keiner da war.«

»Aha. So ist das. Und wo ist Signore Lanzotti jetzt? Ich meine, weil sie da im Haus wohnt.«

»Signore Lanzotti ist gestorben.«

»Friede seiner Asche. Der wird auch froh sein, daß er es hinter sich hat.«

»Dein schnoddriges Mundwerk ist manchmal kaum zu ertragen.«

»Ich stelle es mir nicht sehr angenehm vor, mit so einem Vamp verheiratet zu sein.«

»Ich fand Signora Lanzotti sehr charmant.«

Wir werden unterbrochen. Von einem Vaporetto herunter ruft es laut: »Hallo! Hallo! Schöne Grüße von der Düssel.« Da stehen zwei winkende Gestalten und beugen sich so weit vor, daß sie bald koppheister im Canale Grande landen.

»Allmächtiger«, sagt Marlise. Dann lächelt sie und winkt zurück.

»Hallo, gnädige Frau«, ruft ein wohlgepolsterter Fünfziger. »Welche Überraschung! Sie sind auch hier?«

Dußlige Frage!

»Wo wohnen Sie denn?« ruft eine zierliche blonde Dame. »Wir besuchen Sie nachher.«

Marlise kann gerade noch antworten, dann kreuzt der Vaporetto zur anderen Seite hinüber, wo er anlegen muß.

»Wer war denn das nun wieder?« frage ich.

»Brettschneiders. Von Brettschneider und Kulicke, der Textilfirma. Die beiden sind bei mir im Bridgeclub. Lieber Himmel, die sind also auch hier.«

Ja, die sind auch hier. Es ist sagenhaft.

Aber ich will nichts gegen Brettschneiders sagen, ihr Auftauchen schenkt mir eine gewisse Freiheit. Nach dem Abendessen erscheinen sie bei uns im Hotel, zu dritt übrigens, denn Brettschneider, der Dicke, hat seinen Vetter dabei, Brettschneider den Schlanken, und der ist zweifellos eine beachtliche Erscheinung. Berühmter Innenarchitekt, wie wir erfahren, eine Mischung aus Don Juan, Künstler und Clever boy und ganz der Typ von Mann, der Frauenherzen reihenweise knickt. Schlank, hochgewachsen, ein kühnes Adlerprofil, eine schwarze Mähne und etwas verhangene Augen – wirklich, alles dran, was den Playboy ausmacht. Marlise ist auch gleich sehr angetan. Ein schwungvoller Handkuß, ein paar leise, wohlplazierte Komplimente, und sie beginnt richtig aufzuleuchten. Für den Abend ist sie engagiert. Sie gibt einen langen Bericht von unserem Palazzobesuch und erweckt mächtigen Eindruck damit.

Ich sitze da und langweile mich. Nach einer gewissen Zeit verdrücke ich mich, ohne nähere Angabe von Ziel und Zweck. Fällt gar nicht weiter auf.

Vor der Tür renne ich geradewegs Gassner junior in die Arme.

»Das ist fein«, freut er sich. »Ich hab' mir schon den ganzen Abend gedacht, ob Sie nicht ein bißchen spazierengehen wollen.«

»Ich will«, sage ich. »Meine Schwester hat Bekannte getroffen.«

»Ich hab's gesehen. Trifft sich günstig, nicht?«

»Außerordentlich. Sie sind bei ihr im Bridgeclub, sicher fangen sie nachher an zu spielen.«

»Noch günstiger. Gehen wir wieder Grappa trinken?«

»Nee, mein Bedarf ist gedeckt. Haben Sie nichts Besseres vorzuschlagen?«

»Doch, 'ne Menge. Wir können Wein trinken oder eine Flasche Asti, oder gebackene Fische essen. Oder Cassata.«

»Cassata ist richtig.«

»Gut. Gehen wir zum Rialto? Da weiß ich ein nettes kleines Café.«

»Ist das nicht zu weit?«

»Nicht die Spur. Wollen Sie denn schon schlafen gehen?«

»Nicht unbedingt.«

Wir spazieren also los. Über den Markusplatz und dann durch das Gassengewirr stadtauswärts. Man kommt nur schrittweise vorwärts. Die engen Gassen sind dicht angefüllt mit Menschen. Ganz Venedig, scheint es, ist auf den Beinen. In beiden Richtungen bewegen sich Bevölkerung und Touristen, in Gruppen oder paarweise, immer einer schön hinter dem anderen. Das Ganze kommt einem vor wie im Theater, wenn Pause ist und alles im Kreise wandelt.

Zu beiden Seiten der Gassen sind hell erleuchtete Schaufenster mit wirklich sehenswerten Auslagen. Bei allem, was ich sehe, versuche ich die Preise in gute Deutsche Mark umzurechnen. Das hält uns ziemlich auf. Herr Gassner hat es immer schneller raus als ich.

»Sie können gut rechnen«, sage ich lobend.

»Das wollen wir denn doch stark hoffen. Übrigens, was soll ich Ihnen morgen kaufen?«

»Sie? Mir?«

»Warum nicht? Sie guckten eben so sehnsüchtig dieses rosa Kleid an. Würde Ihnen sicher gut stehen.«

»Das war nicht rosa, sondern orange.«

»Auch gut. Wollen wir es anprobieren gehen? Ich glaube, der Laden ist noch offen.«

»Sie sind wohl nicht ganz... Außerdem hat mir das nicht so gut gefallen. Da gefiel mir der zitronengelbe Rock mit den Schmetterlingen drauf viel besser, der ganz weite, wissen Sie, zwei Schaufenster weiter vorn.«

»Gut. Kaufen wir den.«

Er faßt mich am Arm und versucht eine Kehrtwendung.

Ich ziehe ihn energisch wieder in die andere Richtung.

»Ich kann mir doch von Ihnen keine Sachen kaufen lassen.«

»Warum denn nicht?«

»Weil es eben nicht geht. Sie können doch nicht einfach für ein fremdes Mädchen Kleider kaufen.«

»Aber Sie sind kein fremdes Mädchen. Wir kennen uns schon seit 24 Stunden. Ihr Schwager ist eine Geschäftsverbindung von mir, und außerdem müssen Landsleute im fremden Ausland zusammenhalten.«

»In einer Notlage, ja.« Meine Fantasie beginnt zu arbeiten. »Angenommen, ich stände hier nackt und bloß, weil jemand mir meine Kleider gestohlen hätte, und ich hätte kein Geld, und Sie würden mir dann ein Kleid kaufen, das wäre was anderes.«

»Das stelle ich mir aber ganz reizend vor. Hören Sie, Pony, ob wir wohl jemanden finden, der Ihnen die Kleider stiehlt?«

Er schiebt seinen Arm unter den meinen und zieht mich dicht an sich heran. Ich schiele von der Seite zu ihm auf.

»Sie sind ein ziemlich unernster Mensch, nicht?«

»Nein, gar nicht. Wie kommen Sie darauf? Ich bin tüchtig, fleißig, arbeitsam, gut im Rechnen, wie Sie selber festgestellt haben, und außerdem durch und durch seriös.«

»Na, das können Sie aber gut verbergen.«

»Sie dürfen nicht vergessen, daß ich hier auf Urlaub bin.«

»Auf der Hochzeitsreise«, verbessere ich ihn.

»Ach ja, richtig. Das hatte ich ganz vergessen.«

»Sie sollten sich schämen.«

»Warum denn nun schon wieder?«

»Mir wollen Sie erzählen, Sie seien seriös, und dann gehen Sie ohne Frau auf Hochzeitsreise und vergessen es auch noch.«

Jetzt faßt er auch noch meine Hand. »Seit ich Sie kenne, Pony, habe ich alles andere vergessen.«

Wenn das kein Schmus ist! Gestern abend war er blau, heute hat er Marlise angehimmelt, und jetzt sagt er so was. Was muß ein Mädchen blöd sein, wenn es einem Mann auch nur ein Wort glaubt.

Aber er schaut mich ganz ernst an. »Ehrenwort. Kein Schwindel.«

»Sie denken doch nicht im Ernst, daß ich Ihnen das glaube.«

»Junge Mädchen sollten ihren Mitmenschen gegenüber nicht so mißtrauisch sein.«

»Auf jeden Fall fremden Männern gegenüber, die ohne Frau auf Hochzeitsreise gehen.«

Er seufzt. »Ich sehe schon. Meine entschwundene Braut geht Ihnen nicht aus dem süßen Köpfchen. Ich muß Ihnen die Geschichte erzählen.«

»Ich bin nicht neugierig«, sage ich zurückhaltend.

»Weiß ich, weiß ich. Ich erzähl's Ihnen trotzdem. So ungewöhnlich ist es auch wieder nicht. Jeder Mensch macht mal 'ne Dummheit, nicht?«

»Auch Gassner junior«, sage ich.

»Der zuallererst. Mein alter Herr hat gesagt: Geschieht dir recht, und hoffentlich hast du was gelernt dabei.«

»Haben Sie?«

»Man muß die Hoffnung nicht aufgeben. Also kurz: Ich habe mich verliebt. Doll verliebt. Dacht' ich jedenfalls damals.«

»Wann damals?«

»Vor zwei Jahren. Als es losging.«

»Na, da waren Sie aber noch sehr grün hinter den Ohren.«

»Immerhin 24.«

»Auch schon was. Ein männliches Wesen in diesem Alter ist ein Säugling.«

»Muß wohl was dran sein. Haben mir in letzter Zeit schon mehr Leute gesagt.«

»Also, Sie haben sich mächtig verliebt«, bringe ich ihn wieder auf den Kern der Sache zurück.

»Genau. Lola ist Schauspielerin. Bei uns am Theater.«

»Lola klingt gut.«

»Eigentlich heißt sie Lieselotte. Na egal. Bildhübsches Mädchen, nichts gegen zu sagen. Wie ich dann so nach und nach erfuhr, war ihr Ruf nicht der beste. Aber wie gesagt, ich war so verliebt, daß mich das nicht weiter störte.«

»Vermutlich aber Gassner senior.«

»Woher wissen Sie? Genauso war's. Er versäumte nicht, mich alles wissen zu lassen, was ich gar nicht wissen wollte. Und justament und aus Trotz habe ich mich dann verlobt.«

»Und so was nennt sich seriös.«

»Das war früher. Jetzt bin ich's.«

»Wer's glaubt, wird selig.«

»Tja, also wo war ich?«

»Bei der Verlobung.«

»Richtig. Also, ich verlobte mich. So richtig mit allem Drum und Dran, gedruckten Karten und Anzeige in der Zeitung. Mein Alter Herr machte eine süßsaure Miene dazu. Er versprach sich nicht viel Gutes davon.«

»Womit er recht behalten hat.«

»Nicht unbedingt. Lola benahm sich höchst gesittet. Immerhin, mein liebes Kind, ich bin eine gute Partie.«

»Auch schon was.«

»Die meisten Mädchen legen Wert darauf.«

»Die meisten Mädchen legen Wert auf einen richtigen Mann. An dem was dran ist.«

»Ist an mir vielleicht nichts dran?« Er bleibt stehen, wirft sich in Positur und blickt mich herausfordernd an.

»Es geht«, sage ich, »hab' schon mal was Besseres gesehen. Aber los, kommen Sie schon, wir halten hier die ganze Promenade auf. Wo sind wir denn eigentlich? Müßten wir nicht längst am Rialto sein?«

Herr Gassner schaut sich zweifelnd um. »Eigentlich schon. Ich glaube, wir sind um eine falsche Ecke gebogen.«

»Das scheint mir auch so. Hach! Da, gucken Sie mal. Der gelbe Rock mit den Schmetterlingen. Hier waren wir vorhin schon. Wir sind quietschvergnügt im Kreise gelaufen.«

»Wahrhaftig. Kann ich mir gar nicht erklären.«

»Sie sind mir ein schöner Cicerone. Bin neugierig, wo ich mit Ihnen landen werde und wann ich endlich meine Cassata kriege.«

Herr Gassner blickt sich um und entscheidet dann: »Wir kehren am besten um.«

»Aber biegen Sie nicht wieder um die falsche Ecke.«

»Keine Bange. So was passiert einem nur einmal.«

»Nun weiter. Lola benahm sich höchst gesittet, und Sie sind eine gute Partie.«

»So sagte ich, und so ist es. Ja, und nun ist die Geschichte gleich zu Ende. Vor einigen Wochen kamen so ein paar Filmfritzen nach Mannheim. Sie wollen dort einen Film drehen oder haben ihn schon gedreht, so genau weiß ich es nicht. Und sie lernte da den Regisseur kennen. Na ja, und das war's schon. Der Kerl versprach ihr eine Filmrolle, machte Probeaufnahmen, die angeblich großartig ausfielen. Gefallen hat ihr der Bursche wohl auch. Kurz und gut, sie geht jetzt zum Film. Hat wirklich und wahrhaftig einen Vertrag bekommen.«

»Da besann sie sich also auf ihre künstlerische Berufung, und weg war sie.«

»Nicht so direkt. Sie wollte zunächst beides. Mich heiraten und trotzdem filmen.«

»Warum auch nicht? Wenn sie doch Schauspielerin ist.«

»Nein, das paßte mir nicht.«

»Typisch, männlicher Egoismus.«

»Wenn ich eine Frau will, will ich eine Frau. Keine überspannte Filmdiva, die ich nur zweimal im Jahr sehe.«

»Aha. Und da haben Sie gesagt: Wähle! Ich oder der Weltruhm. Und Lola wählte den Weltruhm.«

»So ungefähr. Es ging ziemlich dramatisch zu. Und hier sehen Sie mich also nun. Welcher Mann kann heutzutage mit dem Zauber der Leinwand konkurrieren.«

»Offensichtlich keiner. Selbst wenn er eine gute Partie ist.«

»Um ehrlich zu sein: Allzu große Beredsamkeit habe ich nicht aufgewandt. Ich hatte inzwischen manches Haar in der Suppe gefunden. Dies und das, es gibt da so Imponderabilien zwischen Mann und Frau, es würde zu weit führen, Ihnen das näher zu erklären.«

»Ich kann es mir auch so denken«, sage ich mit der Miene einer erfahrenen Frau.

»Schon Schiller sagt: Drum prüfe, wer sich ewig bindet...«

»Man merkt, daß Sie mit einer Schauspielerin verlobt waren. So was bildet.«

»Wenigstens ein Vorteil.«

»Und Lola dreht nun einen Film, und Sie sind hier allein auf Hochzeitsreise. Und wie Sie mir gestern versicherten, froh und glücklich darüber, ein freier Mann zu sein.«

»Es ist wirklich so. Und vielleicht ist sie auch glücklicher, kann man's wissen? Der Film war immer ihr Traum. Und sie ist keine schlechte Schauspielerin.«

»Ob Sie das beurteilen können?«

»Warum denn nicht? Ich bin sehr viel ins Theater gegangen.«

»Kann ich mir denken.« Plötzlich kommt mir eine Idee. »Sind Sie sicher, daß Ihr Vater nicht ein bißchen nachgeholfen hat, daß es mit dem Filmvertrag so schnell klappte?«

Er schaut mich erstaunt an. »Donnerwetter! Darauf bin ich noch gar nicht gekommen. Aber wenn ich es mir richtig überlege... Das sähe meinem alten Herrn ähnlich. Er hält es nämlich mit der Diplomatie.«

»Sehr gescheit von ihm.«

»Er hat mir auch weiter keine Vorwürfe gemacht. Nein, er hat gesagt: Macht nichts, mein Junge. Du kriegst noch eine andere. Nun verreise erst mal ein bißchen.«

»Netter Papa.«

»Und ob«, sagt Gassner junior gerührt, »reizender Papa. Wir verstehen uns prima.«

»Bis auf Lola.«

»Das ist nun vorbei.«

»Ha!« schreie ich. »Der gelbe Rock mit den Schmetterlingen. Sie haben mich wieder im Kreis geführt. Ich denke, das macht man nur einmal, daß man um die falsche Ecke biegt.«

Kleinlaut murmelt Herr Gassner aus Mannheim: »Wie es scheint, kann man das auch öfter tun.«

Wir schauen uns etwas ratlos um. Man könnte ja vielleicht jemand fragen. Aber nun gerade nicht.

Wir kehren also wieder um, biegen nach einer Weile um eine linke statt um eine rechte Ecke und kommen dann in eine etwas stillere Straße. Und was nun?

»Rechts oder links?« frage ich.

»Wenn ich das wüßte!« meint Herr Gassner zweifelnd.

»Hier sehen alle Straßen gleich aus. Möchte nur wissen, was die sich hier zusammengebaut haben.«

Dann entdeckt er schräg gegenüber einen Durchgang. »Ich glaube, da ist es richtig. Wenn wir da durchgehen, müßten wir eigentlich auf die richtige Straße kommen.«

»Sie sind ein Optimist.«

Wir gehen aber trotzdem in den dunklen Tunnel hinein. Lieber Himmel, sind die Häuser hier alt. Es sieht aus, als würde alles gleich zusammenstürzen. Und dunkel ist es, ganz fern am Ende brennt eine trübe Funzel. Hier sieht es aus wie am Ende der Welt.

»Schreckliche Gegend«, sage ich.

»Sie fürchten sich doch nicht etwa?« fragt Herr Gassner besorgt und legt seinen Arm um meine Schulter.

»Ich fürchte mich kein bißchen«, sage ich und versuche, seinen Arm abzuschütteln.

Aber er läßt ihn liegen. »Ich finde, es ist ein hübscher Weg«, sagt er. »So romantisch.«

»Ihr Gefühlsleben ist zweifellos etwas vermurkst«, sage ich.

»Sie können einem auch jede Stimmung verderben«, stellt er beleidigt fest.

»Was denn für 'ne Stimmung? Ich habe jetzt Stimmung auf eine Cassata. Aber wenn wir noch lange hier herumlaufen, ist es Zeit zum Frühstücken.«

Plötzlich, dicht vor uns, biegt eine Gestalt in unseren Weg. Es sieht aus, als träte sie aus der Mauer. Aber dann sehe ich, da ist eine schmale Tür. Man sieht sie kaum. Und was da herauskam, ist eine Frau, die jetzt mit raschen, sicheren Schritten vor uns hergeht. Ich sehe schlanke Beine unter einem kurzen Rock. Das helle Klappern hoher Absätze hallt von den alten Mauern wider.

Dann ist der Tunnel zu Ende, die Frau geht unter dem Licht einer halbblinden Laterne vorüber, ich sehe rotes Haar, und wie sie zufällig den Kopf wendet, kommt mir das Profil bekannt vor.

Ich fasse meinen Begleiter fester an der Hand und laufe schneller. Ist das nicht...?

Jetzt stehen wir auf einer dunklen Gasse, auf der sich anscheinend überhaupt kein Mensch befindet. Wie ausgestorben ist es hier. Vor uns blinkt trübe und düster das Wasser eines schmalen Seitenkanals. Nach links entfernt sich die Frauengestalt, biegt um eine Ecke und ist verschwunden. Ich bleibe stehen und sage: »Die kenne ich.«

»Wen?« fragt Herr Gassner verständnislos.

»Na, die, die eben hier vor uns herging. Das war Signora Lanzotti.«

»Wer ist denn das?«

»Habe ich heute kennengelernt. Was die wohl hier tun mag?«

»Vielleicht wohnt sie hier.«

»Nee, die wohnt in einem Palazzo.«

»Vielleicht hat sie hier Bekannte besucht.«

Ich drehe mich um und schaue in den dunklen Durchgang zurück. »Hier? Wer soll denn hier wohnen?«

»Hier wohnen überall Leute.«

»Kann ich mir kaum vorstellen.«

Herr Gassner betrachtet mit Mißfallen das verlassene Gäßchen. »Auf jeden Fall stimmt der Weg nicht. Auf diese Weise kommen wir nie zum Rialto. Ich denke, wir gehen zurück zum gelben Rock und versuchen es von dort aus noch einmal.«

»Ich denke, es wird am besten sein, Sie führen mich wieder ins Hotel. Falls Sie das jemals wiederfinden sollten.«

Ehe wir zurückgehen in den dunklen Tunnel, trete ich zwei Schritte vor und gucke in den Kanal hinein. »Eklig, nicht? Und nicht mal ein Geländer. Wenn hier einer im Dunkeln kommt, und er hat es eilig, oder er ist vielleicht blau, so wie Sie gestern abend, da landet er glatt in der Brühe. Sicher gibt's da Ratten.«

»Wer war blau? Ich?«

»Wer sonst? Dunkelveilchenblau.«

»Da haben Sie wieder mal einen völlig falschen Eindruck gewonnen, Pony. Ich war stocknüchtern.«

»Ja, so nüchtern wie heute ein vollendeter Fremdenführer. Gehen wir?«

Als wir durch den Tunnel zurückgehen, versuche ich an der kleinen Tür das Namensschild zu entdecken oder irgend so etwas. Aber erstens ist es zu dunkel, und zweitens ist wirklich nichts da.

»Komisch«, sage ich.

»Was ist komisch?«

»Na, was die hier gemacht hat.«

»Was soll sie schon gemacht haben? Vielleicht wohnt hier ihre Schneiderin. Schneiderinnen wohnen immer an entferntesten Ecken. Weiß ich von Lola.«

Wahrscheinlich ist es die Erinnerung an Lola, die Herrn Gassner veranlaßt, stehenzubleiben und mich in die Arme zu schließen.

»Pony!« flüstert er dabei gefühlvoll. Und dann gelingt es ihm doch wahrhaftig, einen Kuß zu plazieren.

Gestern war er blau, das konnte man als Entschuldigung gelten lassen. Heute ist er es nicht. Also scheint es sich bei ihm um eine feste Angewohnheit zu handeln.

»Oha!« sage ich, als ich wieder Luft kriege. »Für ein

halbes Ehepaar auf Hochzeitsreise benehmen Sie sich sehr merkwürdig.«

»Pony, du gefällst mir«, versichert mir der Junior aus Mannheim und will weiterküssen.

Ich weiche aus und sage: »Das glaub' ich Ihnen gern. Aber an Ihrer Stelle würde ich jetzt mal eine kleine Fastenzeit einlegen. Wenn Sie immer so 'rangehen, dann wird bald die nächste Verlobung fällig sein. Ihr armer Papa kann mir leid tun.«

»Papa wäre entzückt von dir, Pony.«

»Glaub' ich weniger. Lola benahm sich wenigstens gesittet. Das tue ich selten. Fragen Sie Herrn Federmann.«

»Wer ist das?«

»Mein Stiefvater. Und jetzt kommen Sie endlich hier raus aus dem finsteren Loch. Ich graule mich. Hier werden wir am Ende noch gekidnappt.«

»Daß Sie so gar keine Romantik haben«, seufzt Herr Gassner. »Wenn man doch nun mal in Venedig ist...«

»Sie machen mir Spaß. Sie haben sich wohl vorgenommen, in Venedig was zu erleben. Da würde ich mich aber lieber an eine Venezianerin halten. Wennschon, dennschon.«

So, jetzt sind wir wieder unter Menschen. Nun werde ich mal die Führung übernehmen. Da drüben an dem Schuhgeschäft sind wir auch schon ein paarmal vorbeigekommen, vielleicht sollte man da mal längsgehen. Und siehe da, eine Ecke, dann ein Platz, und dann haben wir die Treppe zum Rialto vor uns.

»Na, wir haben uns schön dumm benommen«, stelle ich fest. »Wir waren immer dicht dabei und sind dran vorbeigelaufen. Wo ist nun Ihr Café?«

Jetzt geht die Sucherei von vorne los. Natürlich findet dieser halbgare Junior das Café nicht. Ist aber egal, hier gibt es Cafés genug. Ich entscheide, daß nicht weitergesucht wird und daß wir jetzt mal einkehren. Cassata gibt es hier überall, und irgendwann müssen wir ja auch mal zurück. Bridge her und Bridge hin, Marlise hat mich sicher schon vermißt.

»Was machen Sie denn für ein Gesicht?« frage ich Herrn Gassner, als wir endlich an der Cassata löffeln.

Er seufzt. »Ich bin unglücklich. Niemand liebt mich.«

»Aber ja doch«, tröste ich ihn. »Ihr Vater liebt Sie, und Lola hat Sie geliebt, und eine neue Braut wird Sie eines Tages bestimmt ganz wahnsinnig lieben.«

»Aber Sie lieben mich nicht, Pony.«

»Nicht im Moment. Aber ich finde Sie ganz drollig.«

»Drollig!« Er starrt mich beleidigt an.

»Ganz nett, meine ich. Sympathisch. Würde ich sonst mit Ihnen hier herumziehen?«

»Sie finden mich wirklich sympathisch?«

»Klar doch.« Kein Zweifel, daß Lola ihn sitzenließ, hat doch einen Stachel in seinem Herzen zurückgelassen. Man weiß ja, wie eitel die Männer sind. Was er braucht, ist eine neue Liebe. Muß ja nicht gleich wieder eine Verlobung sein. Vielleicht sollte ich nicht so abweisend zu dem armen Kerl sein.

»Schmeckt es?« frage ich freundlich.

»Gut. Ihnen auch?«

»Prima.«

»Wollen Sie noch eine?«

»Nee, sonst wird mir wieder schlecht.«

»Grappa?«

»Nee, erst recht nicht.«

»Einen Vino?«

»Von mir aus. Einen Vino können wir noch trinken. Aber nur einen, dann müssen wir zurück.«

Diese rote Lanzotti fällt mir wieder ein. War sie es wirklich? So genau konnte ich das Gesicht nicht sehen. Es war nur irgend etwas an der Haltung und im Gang, und dann das rote Haar, das mich an die Frau vom Nachmittag erinnerte. Was hat Marlise gesagt? Frau von einem Rechtsanwalt. Und der Conte hat gesagt: Mitarbeiterin meines Vaters. Amelita hat abweisende Augen gehabt und hat gesagt, ihr Bruder wäre ständig mit der Frau zusammen. Amelita ist jetzt allein dort in dem alten Gemäuer, in ihrem großen ungemütlichen Zimmer. Allein und unglücklich. Eingeladen oder nicht, ich werde sie morgen wieder besuchen. Ob die so was wie ein Telefon haben?

»Woran denken Sie, Pony?« fragt mich Herr Gassner.

»Ich dachte an die Frau, die wir vorhin getroffen haben.«

»Kennen Sie sie wirklich?«

»Ich weiß es nicht genau, ob es die war, die ich kenne.«

»Und wer sollte das sein?«

Ich erzähle ihm von unserem Besuch im Palazzo und von Amelita. Wie wir Amelita und ihren Bruder im Zug kennengelernt haben, und eben überhaupt alles, was ich über die Familie Ceprano weiß.

»Aha, so ist das«, meint Herr Gassner am Ende meines Berichtes. »Kann man schon verstehen, daß sich das Mädchen verlassen vorkommt. Vielleicht können wir sie mal auf einen Abendbummel mitnehmen.«

»Da ist aber nichts für Sie drin, Teuerster. Amelita ist verliebt.«

»Das haben Sie mir ja gerade erzählt. Ich habe auch durchaus nicht die Absicht, mich in Amelita zu verlieben.«

»Kann man bei Ihnen nie so genau wissen.«

»Sie haben einen vollkommen falschen Eindruck von mir. Außerdem bin ich ja verliebt.«

»Schon wieder mal. In wen denn nun?«

»In dich, Pony.«

»Ach richtig, hatte ich ganz vergessen.«

Er seufzt wieder mal herzerweichend. »Du machst es mir schwer, mein Kind.«

»Kann ich nicht finden. Nachdem wir uns erst 24 Stunden kennen, wie Sie vorhin ganz treffend bemerkten, sind wir uns doch schon recht nahe gekommen.«

»Lieben Sie mich doch ein bißchen, Pony?«

»Sagen Sie mal, kennen Sie auch noch andere Vokabeln außer amore?«

Nicht viel später begeben wir uns auf den Rückweg. Einen weiteren Vino habe ich standhaft abgelehnt. Ich kann schließlich nicht jeden Abend blau im Hotel landen. Nachher steht wieder bei uns in der Zeitung, die Deutschen benehmen sich schlecht im Ausland.

Wie ich richtig vermutet habe, sitzt Marlise beim Bridge. Vermißt hat sie mich dennoch.

»Wo steckst du denn?« fragt sie mißtrauisch.

»Bißchen spazieren. Schöne Luft draußen.«

Dann entdeckt sie im Hintergrund Herrn Gassner und sagt verständnisvoll: »Ach so.« Nicht mal strafend. Offenbar erscheint ihr der junge Herr aus Mannheim gar kein so unpassender Umgang.

Herr Brettschneider, der Dicke, blickt von seinen Karten auf. »Kann ich nicht finden«, sagt er, »daß hier schöne Luft ist. Ich finde, es stinkt.«

»Aber Otto«, sagt seine Frau, »das ist doch wirklich übertrieben.«

»Es stinkt«, beharrt Herr Brettschneider mit Nachdruck und Lautstärke. »Kein Wunder bei dem dreckigen Wasser überall.«

Vom Umgang mit Männern und Erbstücken

Als wir am nächsten Tag zum Lido ziehen, sind wir schon eine ganze Karawane. Brettschneiders, drei Mann hoch, haben uns abgeholt, und Herr Gassner gesellt sich bereits auf dem Motorboot zu uns. Er wird vorgestellt und stillschweigend akzeptiert, quasi als mein ›ständiger Begleiter‹, wie es in Filmkreisen so hübsch heißt.

Herr Brettschneider, der Dicke, droht mir neckisch mit dem Finger. »Jaja, die venezianische Atmosphäre. Das wirkt auf junge Damen.« Und dann stellt er befriedigt fest: »Nun gliedert sich unsere Gesellschaft aber bestens. Drei rechts, drei links.«

Denn auf meine Schwester scheint die venezianische Atmosphäre auch zu wirken. Herr Brettschneider, der Schlanke mit dem Künstlerkopf, ist mittlerweile ganz offensichtlich zu Marlises Kavalier avanciert, und sie girrt und lacht wie eine Turteltaube. Was nützt ihr ganz Venedig, wenn niemand sie bewundernd anschaut und ihren Badebeutel trägt. Dieser Fall wäre nun auch zur Zufriedenheit geklärt.

Wir ziehen also friedlich im Standbad ein und gehen erst mal ins Wasser. Herr Gassner und ich schwimmen ein Stück hinaus, aber nicht so weit wie gestern.

»Ganz günstig, wie?« fragt er, das eine Auge listig zugekniffen.

»Was denn?«

»Daß Ihre Schwester jetzt einen Betreuer hat. Da ist sie wenigstens beschäftigt.«

So bei mir, ganz heimlich, still und leise, habe ich das auch schon gedacht. Allerdings nicht gerade im Hinblick auf Herrn Gassner. Obwohl – vielleicht, es ist auch im Hinblick auf ihn ganz nett. Bißchen jedenfalls.

»Ich dachte, meine Schwester gefällt Ihnen.«

»Tut sie auch. Mächtig sogar. Aber was hat es für einen Zweck, mit einer verheirateten Frau zu flirten.«

Na, der ist wenigstens ehrlich. Und offenbar an praktisches Denken gewöhnt. Und wie es scheint, nicht nur aufs Verlieben, sondern justament aufs Heiraten versessen. Kann sein, er will auch seiner Lola mal zeigen, was eine Harke ist.

Wahrhaftig schwer ist das nicht. Wenn ich wollte, könnte ich von Venedig als neue Gassner-Braut abreisen. Wäre eigentlich eine hübsche Story. Sitzengelassener Bräutigam auf halber Hochzeitreise in Venedig und bringt sich von da gleich eine neue Braut mit. Direkt ein Romanstoff. Während wir wieder zum Strand schwimmen, denke ich angestrengt darüber nach, wie ich mich als Hauptfigur in dem Treatment ausnehmen würde. Vielleicht gar nicht mal so übel. Und ein Gutes hätte die Sache mal bestimmt. Ich wäre ein für allemal der Fuchtel von Mama und Herrn Federmann entronnen. Stell' ich mir schon sehr angenehm vor. Dann würde keiner mehr an mir herumerziehen und mich bekritteln. Ich könnte endlich mal machen, was ich wollte. Mit Gassner würde ich schon fertig. Den würde *ich* dann erziehen. »Warum machen Sie so ein finsteres Gesicht, Pony?« fragt mich das künftige Erziehungsobjekt.

»Finster? Wieso finster? Ich mache ein nachdenkliches Gesicht.«

»Ach so. Das müssen Sie aber dazuschreiben.«

»Hören Sie mal, wenn Ihnen mein Gesicht nicht gefällt, brauchen Sie ja nicht hinzugucken.«

»Es gefällt mir so gut, daß ich immerzu hingucken muß.«

»Und vielleicht«, füge ich hinzu, »macht man unwillkürlich ein finsteres Gesicht, wenn man beim Schwimmen nachdenkt.«

»Hm. Das kann natürlich sein. Ich habe noch nie beim Schwimmen gedacht.«

»Wann denken Sie denn?«

»Hm.« Jetzt macht auch er ein nachdenkliches Gesicht. »Na, bei den verschiedensten Gelegenheiten. Hauptsächlich doch wohl beim Arbeiten, nicht?«

»Beim Arbeiten können Sie höchstens über Ihre Arbeit nachdenken. Oder Sie sollten es jedenfalls. Mal müssen Sie aber doch an Ihr Privatleben auch einen Gedanken verschwenden.«

»Das tue ich sogar mit Vorliebe.«

»Na, sehen Sie. Und wann und wo?«

Jetzt runzelt Herr Gassner sogar die Stirn und schluckt Wasser, so eifrig ist er am Nachdenken. »Wann und wo? Überall und nirgends. Wann es eben gerade was zu denken gibt.«

»Und warum dann nicht beim Schwimmen?«

»Stimmt auch wieder. Warum nicht beim Schwimmen?«

»Übrigens, bloß zu Ihrer Information: Sie machen kein finsteres Gesicht, sondern ein dämliches, wenn Sie denken.«

»Woher wollen Sie das denn wissen?« fragt er verblüfft.

»Habe ich eben gesehen. Sie haben doch eben darüber nachgedacht, wann und wo Sie nachdenken, wenn Sie nachdenken. Dabei habe ich Ihr Gesicht beobachtet.«

»Aha.« Er wirft mir einen mißtrauischen Blick zu. »Sind Sie sicher, Pony, daß das kein Existentialismus ist, was wir hier treiben?«

»Und wenn? Haben Sie was dagegen? Ich beschäftige mich gelegentlich ganz gern damit«, behaupte ich kühn.

Jetzt hat es ihm aber den Atem verschlagen. »So. Hätte ich gar nicht gedacht.«

»Sie halten mich wohl für beschränkt?«

»Da sei Gott vor. Ich halte Sie für ein außerordentlich intelligentes Mädchen.«

»Das will ich meinen«, sage ich befriedigt. Nun habe ich den Mund zu weit aufgerissen und bekomme ihn voll Wasser. Prustend spucke ich es aus.

»Geht's noch?« fragt er besorgt. »Soll ich Sie retten?«
»Danke, ich rette mich immer selber.«
Eine Weile schwimmen wir schweigend nebeneinanderher, dann sagt er: »Ich halte Sie für ein ebenso kluges wie hübsches, wie reizendes und liebenswertes Mädchen. Und sehr unterhaltend. Wirklich, mir kommt es vor, als wenn wir uns schon eine Ewigkeit kennen würden.«
Auch so ein Schmus. Die Sprüche kennen wir.
»Sie gehen reichlich leichtsinnig mit Ewigkeiten um«, sage ich tadelnd. An dem jungen Mann ist wirklich noch eine ganze Menge zu erziehen. Wäre eigentlich eine lohnende Aufgabe.
Wir sind angelangt. Ich schwinge mich auf den hölzernen Badesteg und lasse mich dann an seinem Rand nieder, die Beine im Wasser.
Herr Gassner plaziert sich neben mich.
Ich habe ihm wohl ziemlich imponiert, denn er bemerkt nach tiefsinnigem Schweigen: »Es ist wirklich interessant, sich mit Ihnen zu unterhalten, Pony.«
Ich nicke überzeugt: »Das glaube ich. Haben mir schon mehr Leute gesagt.«
Wieder Schweigen. Dann fragt er: »Nun würde mich doch eines interessieren. Worüber haben Sie denn eben im Wasser nachgedacht?«
Ja, worüber habe ich nachgedacht? Das ist mir ganz entfallen.
»Weiß ich nicht mehr.«
Doch, jetzt fällt es mir ein. Ob ich mich mit Herrn Gassner verloben soll, darüber habe ich nachgedacht. Besteht eigentlich kein zwingender Grund. Aber immerhin, wenn ich wollte, könnte ich. Man kann ja mal so ein bißchen auf dem Gedanken herumhüpfen.
»Wie heißen Sie eigentlich mit dem Vornamen?« frage ich meinen Nachbarn.
»Rolf«, antwortet er erstaunt. »Das wissen Sie doch.«

»Ich hab's vergessen«, sage ich. »Schön. Ich werde Sie Rolf nennen. Sie sagen ja auch Pony zu mir.«

Nun strahlt er über das ganze Gesicht, packt meine Hand und drückt einen feuchten Kuß darauf. »Aber Pony, das finde ich reizend. Was für ein entzückender Einfall! Freut mich schrecklich. Haben Sie darüber vorhin im Wasser nachgedacht?«

Ich sehe ihn erstaunt von oben bis unten an, die eine Braue so ein bißchen hochgezogen, wie Marlise es immer macht. »Darüber? Darüber brauche ich nicht nachzudenken. Das sind so spontane Einfälle von mir. Geboren aus der Stimmung, dem Augenblick, der Landschaft...« Ich mache eine weite kreisende Armbewegung über die Adria vor uns. »Wunderbar«, freut er sich. »Ich hoffe, Sie werden noch öfter so spontane Einfälle haben.«

»Schon möglich. Davor sind Sie nie sicher«, sage ich und gebe ihm einen halben lächelnden Blick aus den Augenwinkeln, verheißungsvoll und sehr verführerisch, wie ich hoffe. Dem werde ich mal ein bißchen einheizen.

»O Pony«, sagt er beglückt, greift wieder nach meiner Hand und streichelt sie zärtlich.

Ich lasse ihm eine Weile den Spaß und halte still. Dann nehme ich meine Hand wieder an mich, stehe auf und sage: »Jetzt will ich den nassen Badeanzug loswerden, und dann möchte ich einen Campari und eine Zigarette.«

»Ja, natürlich«, er springt diensteifrig auf, geleitet mich zu meiner Badekabine, und wie ich zu unseren Liegestühlen komme, hat er den Campari schon geholt.

Hm. Das geht ganz gut. Wichtig ist anscheinend, daß man Ansprüche an Männer stellt, sie ein bißchen hin und her schickt. Sonst nehmen sie einen nicht ernst. Die lieben braven Frauen, die alles selber machen und ihm die Hausschuhe und die Pfeife herbeischleppen, werden meist vernachlässigt und betrogen. Eine andere aber, die sich verwöhnen und bedienen läßt, hat einen verliebten und treuen Mann. Ich bin schon auf dem richtigen Wege. Ich lehne mich in meinen Liegestuhl zurück, kreuze anmutig die Beine, trinke einen Schluck Campari und sage lässig: »Zünden Sie mir eine Zigarette an, Rolf? Und würden Sie mal schauen, ob Sie meine Sonnenbrille finden? Entweder in der Tasche von meiner Badejacke oder da drüben in der Strohtasche.« Eine Sekunde später habe ich beides, die Zigarette und die Brille, und er grinst noch begeistert übers ganze Gesicht, daß ich ihn mit Aufträgen beehre. Marlise hat mir einen erstaunten Seitenblick zugeworfen. Jetzt sagt sie: »Einen Campari würde ich auch ganz gern trinken.« Springt doch dieser Rolf bereitwillig auf. Schließlich ist er mein Kavalier. Marlise hat selber einen.

Nun fragt er auch noch: »Hat sonst noch jemand Appetit?«

Ja, sie haben. Die ganze Brettschneider-Sippe. Und der gute Rolf schleppt für alle die Flaschen und Gläser herbei. Dabei würde es dem dicken Brettschneider mit seinem Bauch gar nicht schaden, wenn er sich mal ein bißchen bewegte.

Wir trinken und rauchen, palavern ein bißchen und dösen in der Sonne. Aber das wird mir bald zu langweilig. Ich richte mich auf und schaue mal eben umher. Und was sehe ich da? Ein paar Meter entfernt, am Ende der Badekabine, steht Amelita, schlank und zierlich in einem weißen Badeanzug.

»He!« schreie ich begeistert, springe auf und bin bei ihr. »Hallo, Lita, das ist fein, daß du da bist.«

Sie lacht mich an und sagt: »Hallo, Pony, dich suche ich gerade.«

»Das ist eine gute Idee. Komm mit zu uns.«

Sie blickt etwas scheu hinüber zu unserer Gesellschaft, die neugierig herüberstarrt. Marlise hat sich vorgebeugt und redet mit wichtiger Miene. Wahrscheinlich erzählt sie den anderen, daß dort eine leibhaftige Contessa steht.

»Das sind aber viele Leute«, meint Lita zögernd.

»Komm nur, die beißen nicht. Bist du allein? Ist dein Bruder nicht hier?«

Sie schüttelt den Kopf und kriegt wieder das melancholische Gesicht. »No. Ich bin ganz allein.«

Wir gehen hinüber. Amelita muß alle Hände drücken, die Herren haben sich feierlich erhoben, und der gute Rolf hat schon wieder seinen neugierigen Glimmerblick. Die Frau möchte ich sehen, in die der nicht bereit wäre, sich zu verlieben.

Eine Weile reden wir so. Brettschneider, der Schlanke, versucht mit seinen mageren italienischen Kenntnissen zu protzen, gibt es aber nach einer Weile auf, weil Amelita nicht viel von dem zu verstehen scheint, was er da italienisch zusammenbastelt.

Brettschneider, der Dicke, gibt ein paar weise Worte über New York zum besten, das er kürzlich persönlich heimgesucht hat. Amelita lächelt höflich und schweigt, blickt dann etwas verloren aufs Meer hinaus.

»Hast du schon gebadet?« frage ich sie.

»Nein. Aber ich möchte gern.«

»Ich komme noch mal mit. Das Wasser ist prima.«

»Gute Idee«, sagt Rolf. »Ich schließe mich an.«

Kein Mensch hat ihn aufgefordert, aber das ist mal wieder so typisch Mann. Ich werde doch lieber die Finger davon lassen. Der würde mich schon betrügen, ehe wir verlobt sind.

Aber Amelita hat auch keine schlechte Methode, Männer zu behandeln. Geschickt überhört sie den Einwurf des Herrn Gassner aus Mannheim und sagt zu mir: »Gehen wir erst ein bißchen promenieren?«

Wir promenieren also am Strand entlang.

»Ich war in deinem Hotel und habe dich gesucht«, erzählt Amelita. »Der Portier sagte, du seist zum Lido gefahren.«

»Du bist meinetwegen herübergekommen?« staune ich.

Sie lächelt mich von der Seite an, dieses weiche, ein wenig scheue und so überaus liebenswerte Lächeln. »Ja. Ich fühlte mich ein wenig einsam. An sich wollte mein Bruder mit mir heute zum Avvocato gehen; wegen des Testaments und des Schmucks. Aber wir mußten es auf morgen verschieben, irgendein Termin kam dazwischen. Dann ist mein Bruder fortgegangen, und ich war mit dieser Frau allein im Haus. Sie ist mir unheimlich. Sie sieht mich immer so seltsam an, so von der Seite. Sie hat – wie sagt man? – *mal occhio* – den bösen Blick.« Und dabei funkeln nun sogar Amelitas sanfte dunkle Augen ganz bedrohlich.

Die Sache mit dem bösen Blick überrascht mich. In Italien hat sich dieser Begriff wohl immer noch erhalten. Daß aber eine moderne junge Dame, die noch dazu in Amerika aufgewachsen ist, auch noch damit operiert, wundert mich offen gestanden.

»Na ja«, sage ich.

»Du kannst mir glauben«, beharrt Amelita, »sie hat den bösen Blick, auch wenn sie immer lächelt. Sogar ihr Lächeln ist böse. Und immer geht sie mir nach. Wenn ich ein verschlossenes Zimmer ansehen will, behauptet sie, das sei nicht möglich. Gestern wollte ich die unteren Räume mal besichtigen, da kam sie mir nach und hinderte mich daran. Schließlich ist es das Haus meines Vaters, nicht wahr?«

»Es ist sogar dein Haus«, betone ich. »Es gehört doch jetzt dir und deinem Bruder. Hast du eigentlich noch mehr Geschwister?«

»Nein, nur Francesco.«

»Na also. Da gehört euch beiden nun der ganze Plunder, ich meine, der Palazzo und alles, was da ist. Was will denn diese komische Frau von dir?«

»Ich verstehe das auch nicht. Sie hat die Schlüssel und verfügt einfach über alles. Ich frage mich oft, warum kein Diener oder Mädchen im Haus ist. Mein Vater hat immer Bedienung gehabt. Als Francesco diesen Morgen fortging, war ich ganz allein mit dieser Pia. Ich kann sie nicht leiden.«

»Pia heißt sie?«

»Sí. Pia Lanzotti. Und ich bin sicher, daß sie die Frau ist, die mit meinem Vater gelebt hat. Aber was will sie nun noch? Was will sie von mir? Und was will sie von Francesco? Vor allem aber verstehe ich nicht, warum Francesco ihr plötzlich so nahesteht. Er hat mir doch einmal geschrieben, daß er diese schreckliche Person nicht ausstehen kann.«

Ja, das hat sie mir gestern schon gesagt. Diese ganze komische Affäre von Vater und Bruder scheint die arme Amelita sehr zu beschäftigen. Vermutlich kann sie sich da nicht hineindenken. Sicher ist sie sehr behütet aufgewachsen und hat keine Ahnung, was so alles auf der Welt passiert.

»Hm«, sage ich, »und was hat dein Bruder sonst noch geschrieben?«

»Eigentlich nichts Besonderes. Ich habe den Verdacht, Zia Paola hat ihm mitgeteilt, er soll mich mit dieser Geschichte nicht inkommodieren.«

Inkommodieren! Wo sie das nun wieder her hat? Klingt verdächtig nach Sprachschule.

»Wo hast du eigentlich Deutsch gelernt, Lita?«

»Im College. Und dann mit Hans natürlich. Seinetwegen bin ich dann noch in einen Abendkursus gegangen. Ist mein Deutsch sehr schlecht?«

»Im Gegenteil. Es ist ganz prima. Und wird täglich besser. Wenn du jetzt viel mit mir sprichst, wird dein Hans staunen, wenn du zurückkommst.«

»Ja. Das wäre fein. Seinetwegen wollte ich überhaupt mit dir sprechen. Ich möchte ihn heute abend in New York anrufen. Kann ich bei dir im Hotel telefonieren?«

»Klar. Ist was Besonderes?«

»Nein. Ich will nur seine Stimme hören.«

»Ach so.« Es muß doch schön sein, jemanden zu lieben.

»Vielleicht kann ich ihn fragen, was ich tun soll. Wegen dieser Frau.«

»Das weiß *er* doch nicht. Er kennt doch eure Familienverhältnisse nicht so genau.«

»Nicht besser als ich.«

»Siehst du. Ich wäre dafür, daß du lieber mit deiner Tante telefonierst. Die weiß sicher besser Bescheid und kann dir raten.«

»O nein, ich darf Zia Paola nicht aufregen. Sie ist nicht gesund. Sie hat es mit Herz.« Sie legt ihre schmale, gebräunte Hand auf die linke Brust. »Sie hat viel Sorgen gehabt, mich allein fahren zu lassen. Aber sie kann das Fliegen nicht vertragen. So mußte ich allein kommen, um den Schmuck zu holen. Aber Francesco wird mich nach New York zurückbegleiten.«

»Schmuck?« frage ich erstaunt. »Was für ein Schmuck?«

»Das ist eben die Geschichte.« Amelita sieht mich sorgenvoll an.

»Setzen wir uns doch ein bißchen«, schlage ich vor und deute auf den Badesteg, auf dem ich vorhin mit Rolf gesessen habe.

Wir setzen uns nebeneinander und lassen die Beine ins Wasser hängen.

»Meine Familie ist nicht mehr reich«, beginnt Amelita, »früher waren die Ceprano wohlhabend und mächtig. Jetzt aber ist nicht mehr viel da. Der Palazzo ist alt. Die Kunstschätze sind verkauft, und auch das Landgut hat mein Vater nach und nach veräußert. Der Faschismus und der Krieg, du verstehst, das hat die Verhältnisse weiter verschlechtert. Das meiste, was wir jetzt besitzen, sind Schulden. Die einzigen Wertstücke sind nur die Rubine.«

»Ein Rubinschmuck?«

»Si. Eine Kette, ein Diadem und alles, was dazugehört, Armband, Ohrringe und Ring; es sind alte, sehr gute Rubine, mit Brillanten und in schweren Goldfassungen. Eine ziemlich kostbare Angelegenheit. Meine Familie hat den Schmuck von einem Dogen bekommen, genauer gesagt war es Giulietta Ceprano, eine meiner Vorfahrinnen, die sich um Venezia großes Verdienst erworben hat. Seither ist der Schmuck in der Familie geblieben. Nun wollen Francesco und ich den Schmuck verkaufen. Zio Carlo ist Juwelier und hat ein großes Geschäft in New York, durch ihn können wir den Schmuck vielleicht am besten zu Geld machen. Eventuell muß man ihn umarbeiten lassen, in Amerika es gibt reiche Leute, Frauen von Millionäre, die kaufen gern so etwas; Francesco und ich wollen mit Geld alle Schulden bezahlen und Teile des Landgutes zurückkaufen, damit Francesco später hier eine Heimat hat.«

»Aha, ich verstehe. Francesco will zunächst mit dir nach Amerika fahren und die Rubine hinüberbringen.«

»Sí. So war es verabredet.«

»Und wo ist der Schmuck jetzt?«

»Im Safe. Unser Avvocato hat den Schlüssel, und nur Francesco und ich zusammen können den Schmuck ausgehändigt bekommen. Du verstehst? Wir müssen beide dabeisein, wenn der Avvocato ihn übergibt. Das war überhaupt der Grund meiner Reise nach hier.«

Allerhand Theater wegen des alten Lamettas, finde ich. Das Zeug muß schon einen guten Batzen wert sein. Wenn ich das richtig kapiert habe, ist es das einzige, was von der ganzen Ceprano-Pracht übriggeblieben ist. Den letzten Rest der Barschaft wird der alte Conte sicher mit der roten Pia verjuxt haben. Land verkaufen und Schulden machen, den Dreh kennen wir.

»Sag mal, angenommen, diese – diese Pia ist wirklich die Geliebte von deinem Vater gewesen, was hat sie denn geerbt?«

»Gar nichts. Sie gehört doch nicht zur Familie.«

»Na, irgend etwas wird er ihr schon vermacht haben.«

Plötzlich geht mir ein Seifensieder auf. »Und wenn nicht, dann ist die Sache überhaupt klar. Angenommen, sie hat nichts gekriegt, dann ist sie erst recht scharf darauf, im Spiel zu bleiben. Darum hat sie sich an deinen Bruder rangemacht. Du kannst Gift darauf nehmen, daß die beiden was miteinander haben. Deshalb ist auch dein guter Francesco so komisch zu dir.«

Ich halte erschrocken inne, denn Amelita sieht mich so entsetzt an, als hätte ich gesagt, sämtliche Teufel der Hölle trieben ihr Spiel in dem ollen Palazzo.

»O no«, stammelt sie, »no, no, das kannst du nicht ernst meinen.«

Ist mir ja unangenehm, aber ich meine es durchaus ernst. Man weiß ja, wie Männer sind. Und der kleine Conte mit seinem weichen schwarzen Blick ist sicher den Verführungskünsten einer raffinierten Frau nicht gewachsen.

»So was gibt's, Lita«, sage ich so schonend wie möglich. »Sieh mal, und jetzt ist das deinem Bruder dir gegenüber peinlich. Wahrscheinlich möchte er nicht, daß du etwas davon merkst, und darum benimmt er sich so ulkig.«

»Er kann doch diese Person nicht lieben. Sie ist schlecht, grundschlecht.«

»Und weißt du was«, ich komme jetzt erst richtig in Schwung, mein Kopf beginnt zu schalten, »die süße Pia will von dem Schmuck was abhaben. Wahrscheinlich war sie schon immer scharf darauf. Und jetzt denkt sie sich, wenn Francesco den Schmuck hat und in sie verliebt ist, wird er ihr vielleicht was davon abgeben; den Ring oder das Armband.«

»Oh, no«, protestiert Amelita heftig. »Er kann nicht einen Teil des Schmucks weggeben. Das darf er nicht, weil er mir genauso gehört wie ihm.«

Das stimmt schon, klar. Aber was will diese Pia dann? Irgendeine Absicht verbindet sie bestimmt damit, daß sie sich im Palazzo eingenistet hat. Und daß zwischen ihr und Francesco eine Verbindung besteht, ist doch sonnenklar. Denn wenn er sie nicht leiden könnte, würde er sie nicht im Palazzo dulden. Das ist schon eine dunkle Geschichte, und ich will meine Strohschuhe fressen, wenn da nicht irgend etwas im Gange ist.

Ich betrachte mir die zarte, kleine Amelita von der Seite. Wäre doch wirklich besser gewesen, wenn die Zia mitgekommen wäre. Wie soll sie sich da zurechtfinden, wenn alle ihr etwas vorlügen, angefangen bei dem sauberen Herrn Bruder. Es ist schon eine Gemeinheit von dem Kerl. Als wenn er keine andere Freundin finden könnte.

»Du brauchst keine Bange zu haben«, sage ich zu Amelita. »Ich werde dir schon helfen. Ich passe auf dich auf. Und deinem Bruder werden wir den Kopf waschen.«

Amelita greift dankbar nach meiner Hand. »Du bist so gut. Wir kennen uns kaum, und du willst mir helfen. Es ist so lieb von dir.«

»Ich bin doch keine Fremde, das habe ich dir schon erklärt. Dein Hans und mein Robby sind Freunde, das genügt doch, nicht?«

Wir schauen uns in die Augen, und uns ist ganz feierlich zumute, als ich Amelitas Hand fest drücke und sage: »Ich verspreche, daß ich dir helfen werde. Du mußt mir alles erzählen, und dann überlegen wir gemeinsam, was zu tun ist.«

»Ich habe dir alles erzählt, was ich weiß. Was können wir jetzt tun?«

»Vor allem müssen wir deinen Bruder von dieser Pia trennen. Du mußt mit ihm sprechen, ganz ernst und vernünftig, und er soll dir ehrlich und offen alles sagen. Schließlich solltest du ihm mehr wert sein als dieses Frauenzimmer.«

So ganz überzeugt bin ich aber nicht von dem, was ich sage. Wenn ich mir's genau überlege, dann war mir dieser Conte von Anfang an nicht besonders sympathisch. Der glimmerige Blick und das Bärtchen, die öligen Haare und das ewige Grinsen; nee, mein Fall wäre der nicht.

Nicht mal im Dunkeln. Und dann, wenn man es mal ganz einfach auf einen Nenner bringt: An einem Mann, der auf so was wie diese Pia hereinfällt, kann nicht viel dran sein. Es gibt doch wahrhaftig genug hübsche und nette Mädchen. Zugegeben, diese Pia sieht toll aus, so richtig vampig. Aber kann das einem Mann wirklich so viel bedeuten? Ich weiß ja nicht. Immerhin, dem alten Conte hat sie auch gefallen, vielleicht hat der Sohn den gleichen Geschmack. Und mindestens zwei Ehemänner hat die sich auch schon gekapert. Nein, da kann mir einer sagen, was er will: Männer sind was Blödes.

»Wie kann ich denn sprechen mit mein Bruder, wenn dieses Weib immer da ist?« fragt Amelita kläglich.

»Na, du wirst doch auch mal mit ihm allein sein?«

»Nicht mehr, seit wir in Venezia sind.«

»Hm. Geht sie denn nicht mal aus?«

»Nein. Sie ist immer da.«

Die Begegnung der vergangenen Nacht fällt mir ein. »Aber gestern abend ist sie doch fortgegangen, nicht?«

»Gestern abend?« fragt Amelita erstaunt.

»Ja«, ich erzähle ihr von der Frau, die ich in dem dunklen Durchgang und dem kleinen Gäßchen gesehen habe. Beschwören kann ich zwar nicht, daß es Pia war, aber ich bin ziemlich sicher.

Amelita zweifelt daran.

»Du kannst dich täuschen«, meint sie, »du hast sie doch nur einmal gesehen.«

»Stimmt. Aber ich hab' sie mir sehr gründlich angesehen. Täuschen kann ich mich natürlich.«

»Nun ja, auch wenn es stimmt, hätte ich mit meinem Bruder nicht sprechen können. Er war auch fort. Er wollte einen Freund besuchen, sagte er mir.«

»Und wenn er fortgeht, bist du dann mit Pia ganz allein im Haus?«

»Ganz allein.«

»Ist wirklich sonst niemand im Haus, kein Mädchen oder Diener?«

»Niemand. Nur am Morgen kommt eine Frau zum Saubermachen, die geht bald wieder.«

»Und der Bursche, der uns gegondelt hat?«

»Das ist alles gemietet, Gondel und Gondoliere.«

Schöner Verhau. Und wir haben uns eingebildet, wir fahren in einer echten Conte-Gondel. Und daß in dem Palazzo nicht viel saubergemacht wird, das habe sogar ich gesehen.

»Ich habe gehofft, Teresina zu treffen«, erzählt Amelita, »sie war schon im Haus, als ich geboren wurde. Damals war sie noch jung. Und als meine Mutter starb, nahm sie bei mir deren Stelle ein. Jedesmal, wenn Francesco mir schrieb, bestellte er mir Grüße von ihr, oder sie schrieb ein paar Zeilen darunter. Und als ich vor drei Jahren hier war, hat Teresina vor Freude geweint, und ich auch. Sie war zwar schon ein bißchen alt, aber doch nicht so sehr, daß man sie hätte nach Hause schicken müssen. Vor allem, warum sollte sie gerade jetzt gegangen sein, wenn ich herkomme? Noch vor vier Wochen hat Francesco mir geschrieben, daß Teresina sich furchtbar auf meinen Besuch freut. Und nun ist sie nicht da. Ich kann das wirklich nicht verstehen.«

Ich, ehrlich gesagt, auch nicht. Und wenn hier nicht was faul ist im Staate Venezia und im Hause Ceprano ganz besonders, dann will ich gleich nachher den ganzen Canale Grande entlangschwimmen. Ohne Badeanzug.

»Du mußt unbedingt mit deinem Bruder sprechen, und zwar allein. Und wenn er nicht spurt, ich meine, wenn er dir ausweicht oder sich häßlich benimmt, dann müssen wir uns etwas anderes überlegen.«

»Sì«, seufzt Amelita.

Ja, was anderes! Aber was?

Wir sitzen nebeneinander und starren sorgenvoll aufs Meer hinaus. Auf einmal tönt eine Stimme über unseren Häuptern: »Störe ich die Damen?«

Freund Rolf. Der war ja schon lange fällig. An unseren

abwesenden Gesichtern sieht er, daß er wirklich stört. Etwas betreten fragt er: »Ich dachte, Sie wollten schwimmen gehen?«

»Wollen wir auch«, brumme ich ihn an. »Später.«

»Es ist gleich Mittagszeit«, wendet er ein.

»Wirklich?«

Aber auch durch Sarkasmus ist er nicht einzuschüchtern. Unbekümmert setzt er sich neben mich. »Pony, Sie sehen wieder einmal so aus, als ob Sie nachdenken.«

»Nachdächten«, berichtige ich ihn mechanisch.

Sein blödes Gesicht ist sehenswert.

»Wie?« macht er.

»Wenn Sie schon den Konjunktiv verwenden müssen«, belehre ich ihn, »dann sollten Sie auch die richtige Konjugationsform des Verbs gebrauchen.«

»Sie sind wirklich mächtig gescheit«, seufzt er etwas kleinlaut. »Vermutlich liegt das daran, daß Sie noch nicht lange aus der Schule sind.«

»Na, so alt sind Sie nun auch wieder nicht, daß Sie das bißchen Grammatik schon verschwitzt haben.«

»Dann habe ich da sicher gefehlt. Auf den Konjunktiv kann ich mich gar nicht mehr besinnen.«

»Wahrscheinlich hatten Sie da gerade die Masern«, helfe ich freundlich.

»Sicher. So wird's gewesen sein.«

»Und außerdem«, füge ich hinzu, »vergessen Sie eines nicht: Mein Vater war Schriftsteller.«

»Na ja – dann!«

Wir schweigen alle drei. Aber ich denke, daß mir der Kopf raucht. Amelita macht mir wirklich Kummer. Wenn ich daran denke, daß sie in dieser halbverfallenen Familienhütte hausen muß, in alleiniger Gesellschaft ihres pflichtvergessenen Bruders und dieser falschen, rothaarigen Hexe, die bestimmt etwas im Schilde führt, wird mir direkt Angst.

Und der Schmuck! Was geschieht, wenn sie die Rubine von dem Avvocato übernommen haben? Ich könnte mir glatt vorstellen, daß diese Pia Bruder und Schwester vergiftet und mit dem Familienschmuck abhaut. Oder sie vergiftet bloß Amelita und klemmt sich Schmuck und Bruder unter den Arm. Mir wird ganz übel, wenn ich nur daran denke.

»Eins steht jedenfalls fest, Lita«, sage ich, »die Rubine dürfen vorest nicht ins Haus kommen. Das mußt du verhindern.«

Amelita sieht mich erschrocken an. »Warum?«

Hm, warum? Ich möchte ihr nicht sagen, daß ich um ihr Leben fürchte. Vielleicht sehe ich die Dinge auch zu dramatisch. Auf jeden Fall will ich ihr aber nicht mehr Angst machen, als sie ohnehin schon hat.

»Warum?« fragt sie noch einmal, und Rolf sieht mich von der Seite an, als ob ich schwachsinnig wäre. Er versteht natürlich kein Wort.

»Weil«, sage ich, »weil wir erst herausbekommen müssen, was hier gespielt wird. Dein Bruder muß Farbe bekennen, und Pia muß aus dem Haus. Schlimmstenfalls schmeißt du sie hinaus. Schließlich bist du dort der Chef und nicht sie.«

»Pony«, erkundigt sich Rolf besorgt, »ist Ihnen etwa zu heiß? Sie waren wohl zu lange in der Sonne.«

»Ach«, sage ich, »und dann Lita, mußt du mit deiner Tante oder deinem Onkel sprechen. Wenigstens mußt du sie fragen, wie die Freundin deines Vaters geheißen hat, das werden sie doch wissen. Du kannst ja sagen, daß du hier jemand getroffen hättest, von dem du glaubst, sie könnte es sein. Irgend so was mußt du sagen, dann beunruhigt sich keiner. Und dann mußt du auch an Teresina schreiben. Oder noch besser«, ich wirbele vor Begeisterung über den guten Einfall das Wasser mit den Beinen auf, ha, ich komme in Fahrt, »wir fahren hin. Weißt du, aus welchem Dorf sie stammt?«

Amelita nickt.

»Sie haben doch einen Wagen, Rolf?« wende ich mich an meinen Nachbarn. »Sie fahren uns ganz einfach hin, und da werden wir schon erfahren, was hier gespielt wird.«

»Ganz nebenbei«, sagt Rolf, »das würde mich auch interessieren.«

Amelita sieht mich halb ängstlich, halb bewundernd an. »Das ist eine großartige Idee. Du bist wirklich klug, Pony.«

So was hört man natürlich gern. Und dieser dußlige Rolf hat es auch mitgekriegt.

»Ja, so machen wir's. Und jetzt gehen wir erst mal schwimmen.«

»Aber der Schmuck?« fragt Amelita. »Wie soll ich verhindern, daß er übergeben wird?«

»Du sagst morgen einfach, daß dir nicht gut ist und du nicht zum Avvocato gehen kannst. Du mußt ja dabeisein, nicht? Und wir fahren morgen schon Teresina besuchen, dann bist du eben nicht da.«

Wird schwierig sein, Marlise beizubringen, daß ich wegfahren muß.

»Du mußt dir jeden Tag einen anderen Grund ausdenken, warum du nicht zum Avvocato mitgehen kannst. Und wenn die frech werden oder dich etwa zwingen wollen, weißt du, was wir dann machen?«

Meine Einfälle werden immer besser. »Dann lädst du mich einfach ein, und ich ziehe zu euch in den Palazzo, schließlich bist du dort die Hausherrin und kannst einladen, wen du willst. Ist das gut?«

Amelita ist sprachlos, und der gute Rolf auch. Er kann sich keinen Vers auf diese Melodie machen.

»Pony!« ruft Marlise. Sie steht am Strand und winkt. »Wir wollen essen gehen.«

»Gleich, ich will nur noch schnell schwimmen gehen.« Ich lache Amelita vergnügt an. »Ist das 'ne Idee? Siehst du, so rauscht's bei uns zu Hause, wenn wir erst mal eine Sache in die Hand nehmen. Und nun sause ich mal eben und ziehe mir den Badeanzug an.«

Ha, wäre ja gelacht, das wollen wir erst mal sehen, ob

die Pony aus Düsseldorf in Germany es nicht mit so einem süßsauren Conte mit klapprigen Augendeckeln und so einem Nachtschattengewächs wie der rothaarigen Pia aufnehmen kann. Das werden wir ja sehen.

Lagebesprechung

Amelita geht nicht mit uns zum Essen. Sie meint, daß es besser wäre, nach Hause zu gehen. Es könne auffallen, wenn sie zu lange ausbliebe. Ist auch vielleicht richtig. Besser, man merkt nicht, daß sie begonnen hat, sich Gedanken zu machen. Wir verabreden, daß sie abends zu mir ins Hotel kommt.

»Wird schwierig sein«, sagt sie, »am Abend wegzugehen. Aber ich versuche es.«

Beim Essen komme ich natürlich nicht dazu, mit Rolf die Lage zu besprechen. An seinem fragenden Gesicht sehe ich aber, daß er reichlich neugierig ist.

»Nettes Mädchen, die Contessa«, sagt er, als wir uns zu Tisch setzen.

»Sehr nett«, bestätige ich mit Nachdruck. »Aber schon in festen Händen, wie ich Ihnen bereits sagte.«

»Das interessiert mich nicht im geringsten. Sie müssen mich für einen ziemlichen Windhund halten, Pony. Habe ich Ihnen nicht gesagt, daß Sie das Mädchen sind, das mich Tag und Nacht beschäftigt.« – »Ehrt mich kolossal«, antworte ich, und dann widme ich mich den Spaghettis. Ich kann jetzt schon gut damit umgehen.

Nach Tisch machen wir einen Spaziergang entlang des Lungomare, und dabei erzähle ich Rolf den ganzen Salat. Es wirkt irgendwie klärend in meinem Kopf, die Geschichte mal im Zusammenhang darzustellen.

»Na ja«, meint Rolf skeptisch, als ich am Ende bin, »das sind alles wohl mehr oder weniger Produkte Ihrer lebhaften Fantasie, Pony. Im Grunde genommen wissen Sie weder, ob diese Pia wirklich die Freundin des alten Conte war noch ob sie heute die Freundin des jungen ist. Sie haben auch keinen Beweis dafür, daß der junge Conte etwas gegen seine Schwester vorhat. Daß die Geschwister einander fremd geworden sind, ist ja kein Wunder. Sicher werden sie sich besser verstehen, wenn sie einige Zeit zusammen sind. Und daß die Contessa dieser Pia gegenüber feindlich eingestellt ist – nun, auch das ist verständlich. Man weiß ja, wie Frauen sind.«

»Einmal ist Amelita keine solche Gans, und außerdem ist es genau umgekehrt: Pia ist Amelita gegenüber feindlich eingestellt.«

»Ich denke, die ist so liebenswürdig?«

»Mensch, Rolf, sei doch nicht so dußlig. Das merkt man doch, ob jemand wirklich liebenswürdig ist oder nur so tut.«

»Hm, ich versuche ja auch nur, deinen Gründen Gegengründe entgegenzuhalten.«

»Warum duzen Sie mich eigentlich schon wieder?«

»Aber Pony, Liebste, du hast damit angefangen.«

»Ich?«

»Ja, du sagtest mit dem dir angeborenen Charme: ›Mensch, Rolf, sei doch nicht so dußlig.‹ Das klang wirklich hübsch.«

Dieser Mensch kann einen wahnsinnig machen.

»Können Sie nicht mal eine kleine Weile seriös und vernünftig sein?«

»Ich kann ganz unbeschreiblich seriös und vernünftig sein, obgleich es mir an deiner Seite schwerfällt.«

»Haben Sie die Absicht, mich weiterhin zu duzen?«

»Wenn es irgendwie möglich sein sollte, mit Wonne.«

Na schön, per Du unterhält es sich leichter, das ist wahr.

»Meinetwegen«, erwidere ich so kurz und brummig wie möglich.

»Pony!« Er bleibt stehen, breitet die Arme aus und will mich an sich ziehen. Ich weiche zurück.

»Hö, immer langsam, was soll denn das?«

»Ich wollte dir einen Kuß geben, Pony, Süße.«

»Aber doch nicht hier.«

Erst als ich das gesagt habe, merke ich, daß es die verkehrte Antwort war. Denn er strahlt wie ein Honigkuchenpferd und fragt:

»Später? Wenn wir allein sind?«

»Mensch, nun sei doch wirklich vernünftig. Wenn es partout ein Kuß sein muß, bitte.« Ich hebe ihm gravitätisch meine Hand entgegen. Er ergreift sie gehorsam und drückt einen langen, gefühlvollen Kuß darauf.

»Für den Anfang«, bemerkt er dazu völlig überflüssigerweise.

Ich verzichte auf eine Antwort und setze mich wieder in Bewegung. »Nun los«, sage ich, »kommen wir zur Sache.«

»Ja«, sagt er eifrig, »zur Sache. Wenn ich richtig verstehe, willst du mich zu deinem Verbündeten machen, meine Süße.«

»Schließlich muß man mit einem Mannsbild auch mal was besprechen können.«

»Kannst du. Also, fassen wir die Tatsachen zusammen: Contessa Amelita, in Amerika aufgewachsen, kommt nach dem Tode ihres Vaters nach Europa, um zusammen mit ihrem Bruder Francesco das Erbe anzutreten. Das Erbe besteht aus einem alten, verwahrlosten Palazzo in Venedig und einem verschuldeten Landgut. Darin wohl Inventar, Möbel, Bilder und so weiter, Bargeld ist nicht vorhanden, Wertpapiere vermutlich auch nicht. Das einzige Erbstück von Wert, und zwar von erheblichem Wert, ist ein alter Familienschmuck, von dem sich der alte Conte trotz seiner beschränkten Verhältnisse, wohl aus Gründen der Pietät, nicht getrennt hat. Es handelt sich um einen mehrteiligen Rubinschmuck, der niemals im einzelnen oder an ein einzelnes Familienmitglied vererbt werden kann, sondern weiterhin im Besitz der Familie bleiben soll. Deshalb erben Bruder und Schwester den Schmuck gemeinsam. Und wer soll ihn eigentlich tragen?« unterbricht Rolf seine Ausführungen.

»Weiß ich auch nicht. Vermutlich die Dame des Hauses. Die Contessa. Also in diesem Falle Francescos Frau, wenn er mal eine hat.«

»Dann könnte er den Schmuck also allein erben?«

»Tut er aber nicht.«

»Wenn er aber nicht heiratet, wäre die Tochter des Hauses möglicherweise berechtigt, den Schmuck zu tragen.«

»Schon möglich.«

»So wie die Dinge nun aber liegen, ist diese Frage völlig unerheblich, denn der Schmuck soll ja nicht weiter in der Familie bleiben, sondern verkauft werden. Wenn man Schulden hat und leben muß, ist Bargeld nützlicher als ein alter Schmuck.«

Gar nicht so dumm, dieser Rolf. Alles, was er sagt, hat Hand und Fuß. Ich bitte ihm in Gedanken manches ab. Er ist gar nicht so albern, wie er manchmal tut. Gassner senior wird sicher noch viel Freude an dem Jungen haben.

»Dazu kommt«, fährt Rolf fort, »daß der junge Conte künstlerische Ambitionen hat. Was macht er gleich?«

»Er studiert Musik. Ich glaube, er will Pianist und Komponist werden.«

»Siehste wohl, schöne Sache, aber nicht sehr einträglich, jedenfalls solange man noch ein Unbekannter ist. Und ob er großes Talent hat, ist noch die Frage. Wie sieht er denn aus?«

»Na ja, wie man's nimmt. Nicht sehr groß, schlank, mit so einem dunklen gefühlvollen Blick, schwarze Haare, schwarzes Bärtchen, so ein bißchen gelbliche Haut. Wie eben so ein Italiener aussieht. Ich hab' zwar schon hübschere gesehen. Mein Typ ist er jedenfalls nicht. Aber er ist gewandt, man könnte sagen, glatt. Man weiß nicht recht, wie man ihn beurteilen soll.«

»Macht er auf dich den Eindruck eines Künstlers?«

»Gott, eigentlich nicht. Ich stelle mir einen Künstler ein bißchen anders vor. Mehr Kopp, verstehst du.«

»Mehr Kopp?«

»Na ja, ich meine einen bedeutenden Künstlerkopf oder so was.«

»Er ist ja noch jung. Der Kopf kann ihm noch wachsen.«

»Kann ich mir schwer vorstellen. Aber, na ja, das kann man vielleicht nicht immer von außen sehen.«

»Schön. Lassen wir das beiseite. Der Knabe will also Musiker werden, was der Familientradition in keiner Weise entspricht. Der Alte war dagegen, der Junge ließ sich aber nicht dreinreden, haute ab und begann zu studieren. In Rom, sagtest du, nicht wahr?«

»Ja, in Rom.«

»Gut. Kostet schließlich auch Geld. Er muß dort leben, muß für sein Studium bezahlen und so weiter. Die Frage ist: Hat der Alte ihm Geld gegeben oder nicht?«

»Keine Ahnung.«

»Er kann ihm etwas gegeben haben. Schließlich kann er seinen einzigen Sohn nicht verkommen lassen. Vielleicht ist es nicht gerade viel gewesen.«

»Ich kann mir auch denken, daß er über den Ungehorsam des Sohnes so erbost war, daß er ihm gar nichts gegeben hat. Um ihn zu zwingen, verstehst du?«

»Da hast du recht. Auf jeden Fall kann man annehmen, daß auch der junge Conte allerhand Schulden auf dem Hals hat. Man weiß ja, wie die Sprößlinge alter Familien leben, vor allen Dingen in Italien. Und Künstler ist er auch noch. Er braucht also Geld, um es kurz zu machen, und ist deshalb bereit, den Familienschmuck zu verkaufen und die künftige Contessa mit Modeschmuck zu schmücken. Amelita ist es ebenfalls egal, sie ist der Familientradition seit ihrer Kindheit entwachsen, ist verliebt oder gar schon verlobt und hat ein ganz anderes Leben im Sinn. Wenn sie erst junge Arztfrau in Deutschland ist, kann sie die Patienten ihres Mannes nicht mit einem Rubindiadem auf dem Kopf ins Wartezimmer führen. Sie sind eben beide Kinder unserer Zeit: Rubine hin und Tradition her, gute harte Dollars sind ihnen lieber als der ganze alte Familienplunder. Soweit ist alles ganz plausibel.«

Jetzt muß ich ihm aber doch mal ein kleines Kompliment machen. »Prima, Rolf. Wie du das so hinkriegst. Du bist wirklich ein patenter Boy.«

Er kriegt rote Ohren. »Danke, Pony.« Beflügelt durch mein Lob, fährt er fort: »Nun erscheint eine dritte Person in der Story, eine schöne, gefährliche Frau: Pia Lanzotti. Amelita weiß nicht, wer sie ist. Wir wissen es auch nicht. Es ist aber zu vermuten, daß sie die Geliebte des alten Conte war, die der Familie Anlaß zu Ärger gegeben hat. Vor allem der Sohn hat Anstoß an dem Verhältnis seines Vaters zu dieser Frau genommen, möglicherweise hat es auch darüber Streit zwischen Vater und Sohn gegeben, ein anderer Grund, weshalb Francesco sich selbständig gemacht hat. Amelita weiß nichts Genaues darüber. Man hat ihr die Sache verheimlicht. Nur andeutungsweise weiß sie aus Gesprächen zwischen Onkel und Tante in New York davon. Nun kommt sie hierher und findet in ihrem Vaterhaus eine Frau, die ungefähr dem Bild, das sie sich über die Freundin ihres Vaters gemacht hat, entspricht. Wir können wohl berechtigt annehmen, daß diese Pia dem Vater tüchtig dabei geholfen hat, den letzten Rest des Geldes zu verpulvern. Aber das alles sind nur Vermutungen von uns. Der einzige, der weiß, ob Pia diese Dame ist oder nicht, wäre Francesco. Entgegen seiner früheren Einstellung ist er mit dieser Frau nun gut Freund und stellt sie als Mitarbeiterin seines toten Vaters vor, beziehungsweise als die Frau des Anwalts, dessen Klient der alte Conte war. Das ist natürlich durchaus möglich. Ich halte es sogar für wahrscheinlich.«

Ich schüttele energisch den Kopf. »Ich glaub's einfach nicht. Da steckt was anderes dahinter.«

»Euch erscheint die Frau verdächtig, irgendwie unbürgerlich. Amelita hat eine unbegründete Furcht vor ihr, du verdächtigst sie sogar des geplanten Mordes. Das alles ist doch völlig unlogisch. Wenn diese Pia wirklich die Geliebte des alten Conte war, dann lügt Francesco und hätte seine ursprüngliche Meinung über sie radikal geändert. Dafür gäbe es aber nur eine Erklärung: Er ist in sie verliebt. Amore, amore. Wäre auch zu verstehen. Sie ist zwar nicht mehr ganz morgenfrisch, wie du sagst, aber im übrigen rassig genug, um einen Mann einzufangen. Leuchtet dir das ein?«

»Ja, doch«, gebe ich zu. »So könnte es schon sein.«

»Tja«, seufzt Rolf. Dann weist er auf eine Bank. »Setzen wir uns ein bißchen?«

Wir setzen uns auf die Bank, zünden uns Zigaretten an und starren mal wieder nachdenklich auf das Meer hinaus. »So weit wären wir also«, fährt Rolf nach einigen Zügen aus seiner Zigarette fort. »Was wir also unbedingt herauskriegen müssen, ist die Antwort auf die Frage: Wer ist Pia? Die Freundin des alten Conte oder nicht? Wenn ja, warum ändert Francesco seine Meinung, und wie steht er zu der Frau? Wenn sie es aber nicht ist, wer ist sie? Wie steht Francesco zu ihr, und was tut sie im Palazzo?«

»Ach«, seufze ich, »das ist ja ein ganzer Eimer voll. Wie soll man das je herausfinden?«

»Ja, das ist die Frage. Es wäre vielleicht nicht so schwierig, wenn man einige Leute der guten Venezianer Gesellschaft kennen würde, die wissen zweifellos Bescheid. Vielleicht aber auch nicht. Der Alte kann mit seiner Freundin außerhalb Venedigs gelebt haben. Dabei fällt mir ein: Amelita sollte sie auch kennen, sie war doch vor drei Jahren hier, nicht wahr?«

»Damals war sie auf dem Landgut, hat sie mir gesagt.«

»Und dort hat sie keine Frau bei ihrem Vater getroffen?«

»Nein. Sie hat nichts davon gesagt.«

»Hm. Das ist wirklich eigenartig. Angenommen, Pia wäre wirklich eine Freundin des Hauses und die Mitarbeiterin des Vaters gewesen, dann hätte Amelita sie ja sicher damals kennengelernt. Aber sie taucht jetzt erst auf. Dabei fällt mir die alte Kinderfrau wieder ein, diese Teresina, die Amelita so vermißt. Die war damals da, heute ist sie verschwunden, es befindet sich überhaupt keine Dienerschaft in dem großen Palazzo. Ich weiß nicht, Pony, wenn ich mir die Geschichte richtig betrachte, kommt es mir so vor, als sei dein Verdacht wirklich nicht ganz unbegründet. Wo ist denn nun diese Teresina geblieben?«

»Siehst du«, sage ich befriedigt.

»Ja, ich sehe. Und dein Vorschlag, diese Teresina zu besuchen, erscheint mir goldrichtig. Morgen fahren wir hinaus. Es soll ja nicht weit sein, nicht?«

»Nein. Irgendein kleines Dorf, knapp hundert Kilometer von hier, sagte mir Amelita.«

»Kleine Angelegenheit, sind wir schnell draußen. Also morgen. Ich bin jetzt selber neugierig.«

»Rolf, du bist prima.«

Er sitzt ohnehin schon ziemlich dicht neben mir, rutscht aber nun ganz eng heran, legt den Arm hinter mich auf die Banklehne und fragt leise, nahe bei meinem Ohr: »Wirklich, Pony?«

Zum erstenmal wird mir in seiner Nähe ein wenig warm. Vorsichtig sehe ich ihn von der Seite an. Eigentlich ist er ganz nett, stelle ich fest; mit seinem offenen, klaren Gesicht, den fröhlichen blauen Augen, den ordentlich gekämmten Haaren, die oben am Wirbel ein bißchen hochstehen. Hm – eigentlich, im Vergleich zu dem komischen Conte, ist er ein recht netter Kerl. Mir jedenfalls gefällt er viel besser. Trotzdem!

»Na ja«, schwäche ich mein Lob ab. »Ich meine nur.«

Aber er legt die Hand um meine Wange und biegt mein Gesicht sanft zu sich herum. Ohne ein weiteres Wort zu sagen, küßt er mich. Nicht so wie gestern abend. Es ist ein richtiger zärtlicher und gleichzeitig männlicher Kuß, bei dem man unwillkürlich die Augen schließt, bei dem einem – o verflixt, ich mache die Augen schnell wieder auf und mache einen steifen Hals. Nun mal langsam, Pony. Bloß nicht gleich den Kopf verlieren.

»Nun hör mal, Rolf«, sage ich. Ich muß mich räuspern, meine Stimme ist etwas belegt, und ich versuche, ihr Festigkeit und Energie zu verleihen. »Jetzt laß mal diesen Unsinn. Wir haben schließlich anderes zu besprechen, und überhaupt – ich meine, überhaupt, das geht nicht.«

»Nein?« fragt er leise. »Wirklich nicht?«

Und jetzt nimmt er beide Arme, legt sie um mich, zieht mich dicht zu sich heran und küßt mich wieder. Lange, sehr lange.

Und ich – ja, ich halte still. Eigentlich ist es doch sehr schön, und mein Herz klopft auf einmal auch.

Als er mich endlich losläßt, sehe ich ihn unsicher an. Er streichelt leicht über meine Wange.

»Pony, liebe, kleine Pony, weißt du eigentlich, wie süß du bist? Gerade jetzt – mit diesen verwirrten Augen und diesem weichen Mund. Du siehst ganz anders aus als vorher. – Viel hübscher – noch viel hübscher. Kleine Pony.« Er umarmt mich wieder und – na ja, wir küssen weiter. Aber dann kommt jemand und setzt sich auf die Bank nebenan.

»Schade«, sagt Rolf.

Beinahe hätte ich ja gesagt. Ich kann mich gerade noch rechtzeitig abfangen und frage statt dessen lieber: »Kann ich noch eine Zigarette haben?«

»Gern.« Er bietet mir eine an, nimmt sich ebenfalls eine, und eine Weile rauchen wir schweigend, wobei er seine Hand durch meinen Arm geschoben hat und mich leise streichelt. Hübsches Gefühl.

Ich muß mich wieder mal räuspern. Kommt von dem vielen Rauchen. »Na schön«, sage ich, »und wie geht's weiter?«

Er sieht mich an und lächelt. »Genauso, wie's angefangen hat.«

Ich werde rot. »Sei nicht albern. Ich meine die Sache mit Amelita.«

»Ach so. Das hatte ich ganz vergessen.«

»Nein, Rolf, das darfst du nicht vergessen.«

»Also schön. Kehren wir vorübergehend ein bißchen zu Amelita zurück. Wir haben gesagt, daß wir morgen zu Teresina fahren.«

»Und wie stellst du dir das vor?«

»Ganz einfach, wir setzen uns in meinen Wagen und gondeln los.«

»Das meine ich doch gar nicht. Das Problem ist: Wie kommt Amelita heraus, und wie bringe ich es Marlise bei, daß wir einen Trip machen?«

»Amelita ist ja heute auch herausgekommen, nicht? Offiziell geht sie eben wieder baden. Und du sagst deiner Schwester, daß wir einen Ausflug machen. Wir drei, was ja auch genau stimmt. Wenn Amelita dabei ist, wird Marlise doch nichts dagegen haben, oder?«

Ich ziehe die Schultern hoch. »Das ist so eine Sache. Meine Schwester ist ein bißchen pütterich. Außerdem bildet sie sich ein, sie müsse auf mich aufpassen. Sie spielt sich ganz gern als große Schwester auf.«

»Das ist sie ja schließlich auch. Einer muß doch auf dich aufpassen. Jetzt tue ich das ja. Das kommt ganz von selber. Bei dir hat man das Gefühl, einer müsse auf dich aufpassen. Nebenbei bemerkt: eine hübsche Aufgabe.«

Ich ziehe es vor, darauf nicht näher einzugehen. Mit Aufpassern habe ich es nicht besonders. Obwohl – in diesem Fall, so wie er das meint, kommt mir zum erstenmal die Idee, daß Aufpassen eigentlich ganz was Nettes sein könnte. Daß es einem geradezu wohltun kann. Ulkig, wie sich die Perspektiven manchmal ändern.

»Wenn Marlise aber merkt, wie wir – ich meine, wie wir jetzt so...«

»Wie wir jetzt zueinander stehen«, hilft er mir weiter.

»Ja, eben. Dann läßt sie mich bestimmt nicht fahren.«

»Wir brauchen es ihr ja nicht gerade auf die Nase zu binden.«

»Nö«, sage ich, »besser nicht.«

Was er für weiche, zärtliche Hände hat! Es ist wirklich ein verteufelt angenehmes Gefühl, wenn er mir so leicht über den Arm fährt. Das hat der komische Jürgen nie getan. Na, der ist ja auch bloß ein dummer Junge. Dieser Rolf ist zwar auch nicht viel älter, aber immerhin doch ein bißchen. Das macht schon was aus. Und dann war er auch mit dieser Lola verlobt, bei der wird er schon was gelernt haben. Ist auch kein Fehler. Aber es ist wirklich sehr nett, sehr, sehr nett, daß er jetzt allein auf dieser Hochzeitsreise ist.

Der Conte macht sich unbeliebt

Der Zufall kommt uns zu Hilfe. Als wir später wieder mit unserer Gesellschaft zusammentreffen, stellt sich heraus, daß Marlise und ihre Bekannten inzwischen auch Pläne geschmiedet haben. Brettschneiders haben angeregt, morgen mal ein bißchen längs der Adria zu fahren und anderswo zu baden. Gerade wie ich überlege, wie ich unsere Absichten am besten zur Sprache bringen könnte, sagt Rolf ruhig und in ganz selbstverständlichem Ton: »Das trifft sich großartig. Wir haben morgen auch einen Ausflug vor.« – »Wir?« fragt Marlise erstaunt und bedenkt mich mit einem prüfenden Blick. Ob sie gemerkt hat, daß ich kein bißchen Lippenstift mehr auf dem Mund habe?

»Ja«, fährt Rolf freundlich fort. »Wir drei: Pony, Contessa Amelita und ich.«

»So?« macht Marlise erstaunt. »Davon weiß ich ja gar nichts.«

Rolf lächelt sie gewinnend an. »Der kleinen Contessa zuliebe, gnädige Frau. Sie möchte gerne eine alte Freundin besuchen, und ich habe versprochen, sie hinzufahren. Hier in Italien kann eine junge Dame aus guter Familie nicht einfach mit einem fremden Mann losfahren; deshalb haben wir ausgemacht, daß Fräulein Pony mitkommt; als Anstandswauwau sozusagen.«

»Wir dachten zuerst, du würdest vielleicht auch mitfahren«, füge ich scheinheilig hinzu. »Aber wenn du schon was vorhast...«

»Ja, dann«, fällt Herr Brettschneider, der Dicke, ins Gespräch, »genügt es ja, wenn wir mit einem Wagen fahren. Wenn wir nur zu viert sind, haben wir bequem Platz.«

Wir trinken Espresso, unterhalten uns noch ein bißchen. Im stillen erstaunt es mich ja, daß Marlise keinen Widerspruch erhoben hat. Entweder hat sie ernstlich an Brettschneider, dem Schlanken, Gefallen gefunden und findet es ganz angenehm, wenn ich aus dem Weg bin, oder Rolf macht einen so guten Eindruck auf sie, daß sie mich ihm ruhig anvertraut.

Ulkig. Ist eigentlich ganz hübsch, ein bißchen erwachsener zu sein. Und Männer sind nett. Und Küssen ist überhaupt was Großartiges. Verdammt, ich möchte in meinem Leben noch viel küssen. Was hat Rolf gesagt? Verwirrte Augen und einen weichen Mund. Habe ich wirklich verwirrte Augen gehabt? Kann ich mir gar nicht vorstellen.

»Na, wie hab' ich das gemacht?« fragt mich Rolf, als wir kurze Zeit später nach Venedig zurückfahren.

»Bestens. Und was wird nun mit Amelita?«

»Sie kommt heute abend ins Hotel, hast du doch gesagt.«

»Ja, wenn es ihr gelingt, zu Hause auszubüchsen.«

»Sie soll sich nicht so tyrannisieren lassen. Schließlich ist sie doch mehr Amerikanerin als Italienerin.«

»Gott sei Dank! Ich glaube, sie wird sich nicht allzuviel gefallen lassen.«

Und wirklich kommt Amelita am Abend. Aber nicht allein. Elegant, in einem hellgrauen Anzug, hat sie das liebe Brüderchen an der Seite. Daß sie ärgerlich ist, merke ich gleich. Ihre sanften, dunklen Augen funkeln, und das Lächeln, mit dem sie uns alle begrüßt, ist flach und gezwungen.

Wir sind mit dem Essen fertig und sitzen in der Halle. Brettschneiders sind auch gerade gekommen, ihr Hotel ist ja gleich nebenan. Marlise will heute abend mit ihnen ausgehen, angeblich soll es ein besonders hübsches Ristorante geben, mit einem erstklassigen Wein und netter Musik. Brettschneiders haben es entdeckt, und dahin wollen sie Marlise heute abend mitnehmen.

Während der Conte vorgestellt wird, flüstert Amelita

mir zu: »Er wollte mich nicht gehen lassen. Wir haben uns gestritten. Ich sagte ihm, daß ich mit dir verabredet bin und daß er mich nicht kann einsperren. Ich bin doch kein Kind mehr. Da ist er mitgekommen.«

»Aha«, sage ich.

Dem Conte merkt man von dem Streit nichts an. Charmant und verbindlich wie immer plaudert er bei einer Tasse Espresso mit Marlise und Brettschneiders. Wir drei anderen hören schweigend zu. Amelita und ich sitzen nebeneinander auf einem der rosasamtenen Sofas; Rolf hat sich in seinen Stuhl zurückgelehnt und beobachtet den Conte mit kritischen Blicken.

»Wie machen wir es jetzt mit dem Telefongespräch nach New York?« frage ich Amelita leise.

Sie hebt verzagt die Schultern. »Das ist unmöglich, wenn er dabei ist.«

»Wir können ja in mein Zimmer hinaufgehen«, sage ich eifrig, »da merkt keiner was. Würde mir Spaß machen, mit New York zu telefonieren. Habe ich noch nie gemacht.«

»Nein«, Amelita schüttelt den Kopf. »Es geht nicht.«

Schade. So wichtig war es wohl auch nicht. Der gute Hans wird ihr kaum helfen können. Es hätte ihr halt gutgetan, seine Stimme zu hören.

Brettschneiders wollen jetzt gehen. Man bekomme sonst dort keinen Platz mehr, sagen sie. Rolf und ich hatten eigentlich vorgehabt, uns dünnezumachen und allein ein bißchen zu bummeln. Amelita zuliebe verzichten wir darauf und schließen uns den anderen an.

»Also komm«, sage ich zu Amelita. »Fein, daß wir mal zusammen ausgehen.«

Der Conte hält sie zurück. »Ich fürchte, wir können nicht mitkommen«, sagt er entschuldigend. »Ich habe Amelita nur herbegleitet, weil sie mit Ihnen verabredet war, Signorina. Wir haben heute abend noch wichtige Dinge zu besprechen, da wir morgen zu unserem Anwalt gehen.«

»Ach, wegen der Erbschaftsangelegenheit«, sage ich vorlaut.

Er macht ein indigniertes Gesicht. »Sehr richtig.«

Ich sehe ihm gerade in die Augen. »Werde ich diesen tollen Schmuck einmal zu sehen kriegen?«

Er kneift die Augen zusammen und sieht mich abweisend an. »Meine Schwester hat Ihnen von dem Schmuck erzählt?«

»Ja. Warum nicht? Ist es ein Geheimnis?«

Er gibt keine Antwort, blickt jetzt Amelita an, die neben mir steht und rot geworden ist.

»Du bist sehr vertrauensselig«, sagte er mit Betonung zu ihr. Dann spricht er auf italienisch weiter; ein paar Sätze nur, aber sie klingen hart; hart und unfreundlich. Doch gleich darauf wendet er sich mit einem Lächeln zu mir zurück. »Kein Geheimnis, Signorina. Wenn der Schmuck Sie interessiert, werde ich versuchen, ihn einmal Ihnen zu zeigen. Nur wird der Schmuck kaum bei uns zu Hause sein. Sobald er unter Aufsicht des Notars aus dem Safe genommen und offiziell übergeben wird, in Gegenwart des Bankdirektors, wird er sogleich dort wieder eingeschlossen. Es ist zu gefährlich, solche Wertstücke mitzunehmen. Sie müßten sich dann schon einmal in die Bank bemühen, Signorina.«

»Au ja«, sage ich. »Wann denn?«

Marlise unterbricht mich. »Gott, Pony, sei doch nicht so aufdringlich. Wovon redest du eigentlich?«

»Von den Rubinen der Guilietta«, erwidere ich feierlich. »Klingt hübsch, nicht? So romantisch. Hat der Schmuck eine Geschichte?«

»Allerdings«, antwortet der Conte kurz.

»Werden Sie mir die einmal erzählen?« frage ich und strahle ihn mit meinem charmantesten Lächeln an.

Er lächelt auch, aber ein wenig gezwungen. »Ich kenne sie selber nicht sehr gut.«

»Ich werde sie dir erzählen«, sagt Amelita. »Ich habe in der Familienchronik darüber gelesen.«

»Der alte Kram hat mich nie besonders interessiert«, sagt der Conte.

»Aber den Schmuck kennen Sie doch schon, nicht wahr?« frage ich.

Der Conte zögert mit der Antwort. »Ich kann es nicht genau sagen, ob ich ihn schon einmal gesehen habe.«

»Doch, du mußt dich erinnern«, sagt Amelita. »Ich habe ihn an Mama einmal gesehen, das mußt du noch wissen, du warst doch schon größer als ich.«

»Es ist so lange her«, sagt er.

»Und die ganze Zeit ist der Schmuck nicht getragen worden?« frage ich.

»Wohl kaum«, erwidert der Conte. »Wer hätte ihn tragen sollen?«

Es juckt mich, zu sagen: Pia Lanzotti vielleicht? Nicht offiziell natürlich, das war wohl nicht möglich. Aber wie ich sie kenne, hat sie doch sicher den Wunsch gehabt, die Rubine einmal anzulegen.

»Ja, was ist nun?« fragt Herr Brettschneider ungeduldig. »Gehen wir? – Entschuldigen Sie, Conte, die Sache mit dem Schmuck ist sicher recht interessant, aber wir haben ja keine Ahnung, worum es geht.«

»Selbstverständlich nicht«, sagt der Conte mit einer kleinen Verbeugung. »Verzeihen Sie, Signore, wenn das Thema Sie langweilt, aber Signorina Pony hat davon angefangen.«

Alle sehen mich an, ein wenig tadelnd, wie mir scheint. Doch ich sage kühn: »Ich interessiere mich brennend für alte Familiengeschichten, besonders venezianische.«

»So?« macht Marlise erstaunt. »Seit wann denn?«

Wir stehen jetzt vor dem Hoteleingang. »Also, dann wollen wir mal«, meint Herr Brettschneider.

»Wir dürfen uns wohl verabschieden«, sagt der Conte höflich.

Amelita sieht mich verzweifelt an. Ich schiebe meinen Arm unter den ihren und rufe laut: »Nein. Amelita kommt mit. Ich habe mich so darauf gefreut, sie dabei zu haben. Wenn Sie keine Zeit haben, Conte, dann gehen Sie ruhig. Wir bringen Amelita dann schon nach Hause, oder sie schläft bei mir im Hotel.«

Der Conte sieht mich an, als ob ich übergeschnappt wäre. »Ich fürchte, das wird nicht gehen, Signorina.«

»Ich denke, das geht doch«, sage ich. Wir stehen uns gegenüber und blicken uns gerade an, und nun ist offene Feindseligkeit in unseren Blicken. Er macht ein Gesicht, als würde er mich am liebsten hier über die Brüstung ins Wasser schmeißen.

»Ihre Schwester ist kein kleines Kind mehr«, sage ich unbeirrt. »Sie wird ja wohl in der Begleitung von eins, zwei, drei...« – ich deute bei jeder Zahl mit dem Finger auf einen von unserer Gesellschaft, zuletzt auf mich – »vier, fünf, sechs Personen mal ausgehen dürfen. In Amerika ist sie schließlich auch ausgegangen.«

»Wir sind hier nicht in Amerika«, erwidert der Conte kalt.

»Das ist mir bekannt«, sage ich noch kälter. »Aber das 20. Jahrhundert dürfte mittlerweile auch hier bereits angebrochen sein.«

»Pony«, ruft Marlise tadelnd, »du benimmst dich wieder mal unmöglich.«

Auch die Brettschneiders machen betretene Gesichter. Sie können natürlich den Sinn des Duells, das hier ausgetragen wird, nicht verstehen.

Rolf kommt mir zu Hilfe. Er lacht versöhnlich und sagt: »Nun seien Sie mal kein Spielverderber, Conte, und kommen Sie beide auf eine Stunde mit. Verderben Sie Ihrer Schwester nicht die Freude.«

Der Conte ist jetzt blaß vor Wut. Man sieht ihm an, daß er sich nur mühsam beherrscht. Er wendet sich an Amelita: »Du weißt doch, daß wir einiges zu besprechen haben.«

Amelita schüttelt ruhig den Kopf. »Ich denke, wir haben alles besprochen.«

Er fragt nervös: »Du willst also unbedingt mitgehen?«

Amelita nickt, trotzig jetzt auch. »Si.«

Der Conte ist in die Enge getrieben. Rings um sich sieht er erwartungsvolle Gesichter auf sich gerichtet. Wenn er nicht als komplettes Scheusal dastehen will, kann er nicht gut nein sagen.

»Nun gut«, sagt er. »Aber nur auf eine Stunde.«

»Bravo«, ruft Rolf überschwenglich, »man hat mir immer gesagt, daß die Venezianer ein gutes Herz haben. Also kommen Sie, Conte.« Er legt seinen Arm auf den des Conte und drängt ihn langsam, aber sicher in die vorüberspazierende Menschenkette hinein. »Ich wollte Sie sowieso etwas fragen. Ich interessiere mich nämlich für alte venezianische Glasmalereien. Sie können mir doch sicher sagen, wo ich ein paar wirklich gute Stücke sehen kann.«

»Ich fürchte, nein«, höre ich den Conte sagen. »Ich habe lange nicht hier gelebt. Und mein Interesse liegt auf anderem Gebiet.«

»Jaja, ich weiß. Sie sind Musiker. Oh, Sie werden lachen, auch davon verstehe ich ein wenig. Ich spiele selbst Klavier, nur als Dilettant, versteht sich. Und als junger Kerl habe ich Saxophon geblasen. Wir hatten als Schüler da so eine Band. Wissen Sie, das war so...«

Rolf kommt außer Hörweite. Ist auch unwichtig, was er mit dem Conte palavert. Er will ihn ja bloß ablenken, damit ich ungestört mit Amelita sprechen kann. Ich habe Amelita untergehakt. Wir lassen auch Marlise und die Brettschneiders vorangehen und schlendern langsam hinterdrein.

»Es gab also Krach?« frage ich.

»Ja«, erwidert Amelita. »Zuerst machte mein Bruder mir Vorwürfe, weil ich heute allein fortgegangen bin. Ich wollte baden gehen, sagte ich. Bin ich eine Gefangene in diesem Haus? Ich gehe heute abend auch fort.

Ich treffe Pony in ihrem Hotel. Nein, sagt er, du gehst nicht, du bleibst hier. Ich gehe doch, sage ich. Und so wir hatten Streit.«

»War sie dabei?«

»Natürlich. Sie ist immer dabei. Sie sitzt da, lächelt und raucht. Und sieht mich an. So. Immer so.« Amelita senkt ein wenig den Kopf und blickt spöttisch unter halbgesenkten Lidern hervor. »Böser Blick, ich sagte es dir schon.«

»Und dann?« frage ich.

»Dann er sagt: Ich verbiete dir zu gehen. Du bleibst zu Hause. Ich sage: Ich lasse mir nichts verbieten. Ich kann gehen, wohin ich will. Wenn du mich schlecht behandeln willst und einsperren, dann ziehe ich in ein Hotel. O Pony, es war schrecklich. Er ist doch mein Bruder. Ich habe immer gedacht, wir lieben uns. All die Jahre habe ich nur in Liebe an ihn gedacht und wäre nie auf die Idee gekommen, daß es bei ihm anders sein könnte. Warum ist er mein Feind? Pony, warum?«

Sie ist stehengeblieben, hat mich am Arm gefaßt und sieht mich unglücklich mit ihren schönen dunklen Augen an. Was soll ich sagen? Ich lege meinen Arm um ihre Schultern und gebe ihr einen Kuß auf die Wange.

»Sei nicht traurig, Lita. Ihr werdet euch schon wieder vertragen. Brüder sind eben manchmal komisch, besonders italienische. Und wenn sie adlig sind, vielleicht ganz besonders. Man liest ja so was manchmal. Wenn ihr dann zusammen auf der Reise sein werdet und dann bei deiner Tante in New York, dann wird sicher alles gut sein. Pia kommt doch nicht mit?«

»Oh, no, no«, ruft Amelita temperamentvoll. »Zia Paola würde sie hinauswerfen.«

Ich schaue nach den anderen aus, die schon weit vor uns sind. Ich sehe gerade noch Rolfs blonden Schopf und Marlises Nerzstola. Die affige Ziege kann es ja auch nicht über sich bringen, den alten Hund zu Hause zu lassen. Dabei ist es doll warm, richtig schwül. Ich habe nicht die geringste Lust, mich jetzt in so eine stickige Kneipe zu setzen. Am liebsten würde ich baden gehen. Aber wichtig ist nun vor allem, Amelita zu trösten.

»Wenn ihr Pia erst mal los seid«, sage ich, während wir uns wieder in Bewegung setzen, »wird alles in Ordnung sein. Ulkigerweise scheint sie ja allerhand Einfluß auf deinen Bruder zu haben. Vielleicht meint er auch, er muß den großen Bruder spielen und möglichst angeben, wenn sie dabei ist. Männer entwickeln manchmal so einen fehlgelenkten Ehrgeiz.«

»Fehlgelenkten Ehrgeiz?« wiederholt Amelita fragend meine elegante Formulierung. »Was ist das?«

»Weiter nichts Besonderes. Typisch männlicher Fehler. Ja, was ich noch sagen wollte, weißt du, vielleicht ist dein Bruder auch so nervös, weil er kein Geld hat. Sicher hat er Schulden. Wenn ihr erst den Schmuck verkloppt habt, wird er umgänglicher sein. Verkauft«, füge ich hinzu, weil sie mich wieder verständnislos ansieht. »Der Schmuck kommt also nicht ins Haus, wie ich vorhin hörte, er bleibt im Safe.«

»Francesco sagt es.«

Es ist wirklich nicht so einfach, mit der Geschichte klarzukommen. Der Schmuck wird offiziell im Beisein des Anwalts oder Notars oder wer das immer ist übergeben, bleibt im Banksafe und gehört dann den Geschwistern. Gut. Und wer hat dann den Zutritt dazu? Auch nur beide zusammen? Oder kann dann der Conte allein ran?

Meine Gedanken sind weitaus weniger optimistisch als meine Worte. Ich möchte Amelita nur nicht noch mehr beunruhigen. Auf jeden Fall hat sich der Conte eben komisch benommen. Sympathischer ist er mir dadurch nicht geworden. Und kein bißchen gut sah er mehr aus, als er die Augen zusammenkniff und mir so giftig antwortete. So ein feiner Mann ist der wirklich nicht, nee, kann mir keiner einreden. Der alte Conte hat es da wohl doch ziemlich an der Erziehung fehlen lassen. Der hätte sich lieber um seinen Sprößling kümmern sollen als um rothaarige Frauen.

Und die Sache mit dem Schmuck ist einfach mysteriös, ich kann mir nicht helfen. Irgend etwas stinkt bei dieser Geschichte, stinkt ganz gewaltig. Sonst würde er sich nicht so aufführen, dieser Lackaffe.

»Wie ging's denn weiter?« frage ich Amelita. »Ich meine, wie hast du ihn überredet, daß du doch noch fortgehen konntest, wenigstens in seiner Begleitung?«

»Nicht ich, Pia. Sie sagte, als wir stritten: Aber Conte, Ihre Schwester hat recht. Sie können sie nicht einsperren. Und warum soll die Contessa nicht ihre kleine deutsche Freundin besuchen? Wenn Sie nicht sie gehen lassen wollen allein, dann gehen Sie mit.« Während Amelita das erzählt, ahmt sie die Signora Lanzotti so treffend nach, daß es verblüffend ist. Den Kopf schräg zurückgelehnt, einen imaginären Rauch nach oben blasend, die Lippen spöttisch gekräuselt. »Und als sie hat das gesagt, Francesco änderte plötzlich seine Meinung, er lächelt höflich und sagt zu mir: gut, gehen wir zusammen deine Freundin besuchen. Was sollte ich machen, Pony? Ich konnte nicht sagen, daß ich telefonieren wollte.«

»Macht nichts. Telefonieren wir ein andermal. Offen gestanden, sehe ich auch gar nicht ein, warum du deinen armen Hans beunruhigen willst. Er macht sich nur unnötig Sorgen um dich. Wir werden das Ding hier schon schaukeln. Übrigens, ich habe Rolf alles erzählt, Herrn Gassner, meine ich. Es macht dir doch nichts aus?«

»No«, sagt Amelita zögernd und nicht ganz überzeugt.

»Weißt du, einen Mann kann man immer gut gebrauchen. Du siehst ja, er hat jetzt deinen Bruder schon feste mit Beschlag belegt, damit wir ungestört zusammen sprechen können. Und nun wollen wir auch gleich alles für morgen verabreden. Wir haben gedacht, daß wir morgen zu Teresina fahren.«

»Morgen?« ruft Amelita erschrocken. »Morgen geht es nicht. Du hörst doch, daß wir morgen zum Avvocato gehen. Und Francesco würde nie erlauben, daß ich mit euch wegfahre.«

»Du Schaf, das darfst du ihm gar nicht sagen«, fährt es mir heraus, doch ich verbessere mich gleich: »Entschuldige, ich meine, daß darf niemand bei dir wissen. Du sagst einfach, du gehst wieder zum Baden. Genau wie heute.«

»Das wird nicht gehen«, meint Amelita und schaut mit gesenktem Kopf vor sich hin. »Du hast ja gehört, was wir morgen vorhaben. Und überhaupt, er läßt mich nicht fort.«

»Dann büchst du eben heimlich aus.«

»Büchsen?« wiederholt sie fragend.

»Ja. Ausreißen. Weglaufen. Wenn du nicht da bist, könnt ihr nicht zum Avvocato gehen. Du siehst, daß du so früh wie möglich aus dem Haus kommst. Wenn ich noch in meinem Zimmer bin, kommst du zu mir hinauf. Ich sage dem Portier Bescheid.«

Amelita schüttelt verzagt den Kopf. »Das ist unmöglich.«

»Quatsch. Gar nichts ist unmöglich. Willst du nun Teresina besuchen oder nicht?«

Sie nickt. »Ja. Ich will. Ich möchte sie so gern sprechen. Aber morgen geht es nicht.«

»Morgen wäre aber richtig. Je früher, um so besser. Morgen klappt es auch bei mir gut, weil meine Schwester einen Ausflug macht. Und von Teresina werden wir endlich erfahren, wer diese Pia eigentlich ist. Weißt du jetzt den Namen von dem Dorf, in dem sie wohnt?«

»Ja, Ronchiote. Es ist in der Gegend von Udine. So ungefähr. Genau weiß ich es nicht.«

»Ronchiote. Wir werden es schon finden.«

»Fahrt ihr allein, wenn ich nicht kommen kann?« fragt Amelita bittend.

»Hat doch keinen Zweck. Wir können ja nicht Italienisch.«

Unsere Gesellschaft hat jetzt vor einer Tür haltgemacht, über der eine glitzernde Leuchtschrift flimmert, in Rot, Grün und Gelb. Muß ein schöner Bums sein. Ich sehe, wie Rolf immer noch mit wedelnden Händen auf den Conte einredet. Der ist bestimmt nicht dazu gekommen, sich nach uns umzusehen.

»Also sieh zu, daß du kommen kannst«, sage ich eilig, »wir warten auf dich im Hotel.«

»Ich will es versuchen«, flüstert Amelita. »Aber ich nicht will kommen in große Feindschaft zu meinem Bruder. Und er ist – wie sagt man? Er ist Oberes von Familie.«

»Oberhaupt«, murmele ich. »Schönes Oberhaupt, dieser falsche Kerl. Braucht sich eure Familie nichts darauf einzubilden.«

Überraschende Begegnung

Am nächsten Morgen fahren Brettschneiders und Marlise gleich nach dem Frühstück los.

»Wollt ihr nicht doch lieber mitkommen?« fragt Marlise noch einmal, ehe sie das Motorboot besteigt. »Ich weiß nicht recht, Pony ...« Sie wirft Rolf einen zweifelnden Blick zu und betrachtet dann mich besorgt. Anscheinend drückt sie das Gewissen, daß sie mich allein läßt.

»Du weißt doch, daß wir mit Amelita verabredet sind«, sage ich.

»Sie können ganz beruhigt sein, gnädige Frau«, sagt Rolf. »Fräulein Pony ist bei mir bestens aufgehoben. Ich passe schon auf, daß sie nichts anstellt.«

»Pöh«, mache ich und kneife ihn in den Arm. »Das hat mir gerade noch gefehlt.«

»Glaubst du denn, daß Amelita kommen wird?« fragt Marlise. »So wie sich ihr Bruder gestern aufgeführt hat? Eigentlich hat er sich komisch benommen, nicht?«

»Reichlich komisch. Der soll sich bloß nicht so aufmöbeln, dieser bankrotte Contesproß.«

»Und was sollte das eigentlich heißen mit diesem Schmuck? Ich habe kein Wort verstanden. Wir kamen gestern abend gar nicht mehr dazu, darüber zu sprechen.«

»'n altes Erbstück«, sage ich. »Halb so wichtig.«

Dann sind sie endlich weg. Rolf und ich sitzen eine Weile auf der Terrasse vor dem Hotel, dann wird es uns zu heiß, und wir ziehen uns in die Halle zurück. Aber Amelita kommt nicht.

»Sie könnte wenigstens anrufen«, meint Rolf.

»Kann sie vermutlich nicht. Sicher haben sie kein Telefon in der alten Räuberburg. Und wenn, dann hört immer einer zu.«

Gegen Mittag sind wir beide ziemlich gelangweilt. Wir haben uns gegenseitig unsere Lebensgeschichte erzählt, soweit sie noch nicht bekannt war. Dann habe ich wieder mal eine blendende Reportage über die Ereignisse in Franzenshöh zum besten gegeben. Dazu haben wir Camparis getrunken und diverse Zigaretten geraucht.

»Und nun?« frage ich. »Was machen wir?«

»Weiß ich auch nicht. Wir wissen ja, wie das Dorf heißt. Hat aber wenig Zweck, wenn wir allein fahren. Wir können ja nicht mit den Leuten reden. Eigentlich könnten wir das Warten aufgeben und zum Lido rüberfahren.«

»Ja, ein Schwimm wäre nicht schlecht«, sage ich.

Aber dann beschließen wir doch, lieber zu bleiben und im Hotel Mittag zu essen.

»Wollen wir allein ein Stück in die Gegend fahren?« fragt mich Rolf, als wir gegessen haben.

»Nö«, sage ich, »gehen wir baden.«

Wir fahren also zum Lido, schwimmen ausgiebig, liegen eine Weile im Sand, schwimmen noch mal und gehen dann wieder auf die Promenade, wo wir gestern waren.

»Wir könnten uns ein bißchen auf unsere Bank setzen«, meint Rolf in harmlosestem Ton. »Der Blick aufs Meer ist dort so hübsch.«

Ich habe nichts dagegen. Ein paar zärtliche Worte würden mir ganz guttun. Aber damit ist heute nichts. Es ist viel später als gestern, nicht mehr die Siesta-Stunde, die Promenade ist belebt, auf jeder Bank sitzen Leute. An ein ruhiges Gespräch ist nicht zu denken.

»Schade. Nicht, Pony?« sagt Rolf und küßt mich im Gehen leicht auf die Wange.

»Hm«, sage ich. »Eigentlich schon.«

Arm in Arm schlendern wir dahin, wie zwei gute alte Freunde. Soweit wäre alles ganz hübsch und gut, nur das Problem Amelita haben wir nicht gelöst.

Wir fahren zurück ins Hotel. Marlise ist noch nicht zurück.

»Was nun?« fragt Rolf. »Trinken wir einen Campari?«

»Der wievielte wäre das denn?« frage ich. »Mir ist inwendig schon ganz rötlich.«

»Bißchen spazierengehen?«

»Bei der Hitze?«

»Auch wieder wahr. Machen wir lieber abends. Aber wieder allein, nicht, Pony?«

»Hm. Kino gibt's hier wohl nicht?«

»Bei der Hitze?«

»Auch wieder wahr.«

Rolf deutet hinaus auf die Lagune. »Fahren wir doch mal hinüber zu dieser Insel.«

»Was ist denn das?«

»Isola di San Giorgio. Berühmte Sache. Wenn du willst, hole ich meinen Reiseführer runter und lese dir mal vor, was darüber drinsteht.«

»Nicht nötig. Wir können's uns auch so angucken. Ist es sehenswert, merken wir's auch ohne Reiseführer. Sieht ganz hübsch aus von hier.«

Wir nehmen also den nächsten Steamer und gondeln zu besagter Insel hinüber. Ist wirklich ganz hübsch, eine Kirche, 'ne Art Kloster oder was das sein soll (wir hätten doch im Reiseführer nachgucken sollen), dahinter scheint so eine Art Marineschule zu sein, dann kommt ein sehr hübscher Park. Friedlich, Hand in Hand, schlendern wir dahin. Es ist verhältnismäßig leer hier. Und Rolf nutzt die Gelegenheit aus, die wir vorhin auf der Lidopromenade nicht hatten. »Hübscher Nachmittag«, meint er.

Dagegen läßt sich nicht viel sagen.

Am äußersten Ende der Insel ist eine Art Amphitheater, ganz modern und wirklich hübsch anzusehen. Lauter weiße Steinbänke, zwischen denen grüne Hecken angepflanzt sind. Weit und breit ist kein Mensch zu sehen.

»Wozu das wohl sein soll?« wundert sich Rolf.

»Wozu denn schon? Zum Theaterspielen natürlich. So ähnlich muß es bei den alten Griechen ausgesehen haben.«

»Größer«, meint er.

»Na bitte, vielleicht größer. Manchmal. Die werden wohl auch große und kleine Häuser gehabt haben.«

»Wieso Häuser? Das ist eine Freilicht-luft-bühne.«

»Man sagt doch so. Großes Haus für großes Theater, kleines Haus für kleines Theater. Weißt du wieder nicht. Wahrscheinlich habt ihr in eurem ulkigen Mannheim nur eins.«

»Kein Wort gegen Mannheim. Das ist eine bildschöne Stadt. Wird dir schon gefallen. Und von wegen nur ein Theater. Wir haben mindestens – warte mal«, er überlegt.

»Siehste, nicht mal das weißt du. Vielleicht fragst du mal bei Lola an, falls die noch mit dir verkehrt, wenn sie jetzt ein Star ist.«

»Wirst du mich mein ganzes Leben lang mit Lola ärgern? Ich hab' sie schon vergessen.«

»Überschrift: die große Liebe.«

»So groß war sie eben nicht«, sagt er versonnen.

»So kann man sich täuschen.«

»Nein, so verändern sich die Proportionen, wenn man dem richtigen Mädchen begegnet.«

Er schaut mir gefühlvoll in die Augen, seufzt, küßt mich, seufzt wieder und beginnt feierlich: »Hör mal, Pony, ich muß mal ernsthaft mit dir reden...«

Der wird mir doch hier nicht am hellen Tag einen Heiratsantrag machen? Mitten im Theater. Das wäre mir aber peinlich.

»Soll ich dir mal was vorspielen?« frage ich hastig. Und schon bin ich aufgestanden von der Bank, auf der wir uns niedergelassen haben, sause die Stufen hinunter und klettere auf das Bühnenplateau. Ziemlich heiß hier. Und was spiele ich denn nun mal gleich? Ich überlege krampfhaft. Was könnte ich denn noch zusammenbringen? Was hat Feli immer deklamiert? Aus Maria Stuart. ›Eilende Wolken, Segler der Lüfte...‹

Probieren wir es mal.

Ich breite die Arme aus und lege los.

Rolf hat sich verblüfft vorgebeugt, jetzt legt er beide Hände hinter die Ohren und schreit: »Lauter! Ich verstehe nichts.«

Ich beginne also nochmals von vorn, mit vermehrter Lautstärke. Mikrofon haben die hier wohl nicht.

Gerade als ich im Fortissimo schmettere: Ich bin gefangen, ich bin in Banden... erscheinen oben am Rande der Zuschauerreihen zwei Gestalten. Die werden sich wundern. Schiller auf San Giorgio wird nicht jedem geboten. Ich ende mit einem Aufschrei, der einer Duse Ehre machen würde. (Vielleicht sollte ich doch Schauspielerin werden? Hab' ich mir schon immer gedacht), und da antwortet mir von oben ein noch lauterer Schrei. Jemand wedelt mit den Armen, und dann kommt eine zierliche Mädchengestalt mit einem hellblonden Lockenschopf im Eiltempo die Stufen herabgestürmt und schreit dabei: »Pony! Pony!«

Ich traue meinen Ohren nicht, und dann nicht meinen Augen. Was da auf mich zugesaust kommt, ist niemand anders als Margit. Meine Freundin Margit aus dem Pensionat Franzenshöh.

Ich hopse von der Bühne runter, und wir fallen uns in die Arme.

»Mensch, Margit, wo kommst du denn her?«

»Pony! Nein, so eine Überraschung. Ausgerechnet hier treffen wir uns.«

»Ich hab' ewig nichts von dir gehört.«

»Du hast auch nicht geschrieben.«

»Wie geht's dir denn?«

»Und dir?«

»Was macht denn Ina?«

»Hast du von Feli mal was gehört?«

So geht es eine Weile weiter. Wir reden, als wenn wir's

bezahlt kriegen. Bis ich Margits Begleiter erkenne, der langsam herangekommen ist. Jetzt bleibt mir die Spucke weg. Es ist Kellermann. Der kleine Kellermann, unser Lateinpauker von Franzenshöh.

Ich starre ihn verblüfft an, weil der mich ganz vergnügt angrinst, als sei es die selbstverständlichste Sache von der Welt, daß er hier mit meiner Freundin und seiner Schülerin auf San Giorgio herumkraucht.

»Margit!« flüstere ich. »Was tust du hier mit Kellermann? Du führst ja einen ganz schönen Lebenswandel.«

Margit biegt sich vor Lachen, und Kellermann, der jetzt vor mir steht und mir die Hand entgegenstreckt, lacht auch.

»Aber Fräulein Pony«, sagt er, »immer noch so eine wilde Fantasie?«

»Na, wissen Sie«, sage ich, »Sie sollten sich schämen. Sie als Lehrer. Mit Ihrer Schülerin. Wirklich. Alles, was recht ist. Wir haben Sie immer für einen wohlerzogenen jungen Mann gehalten.«

»So schlecht erzogen bin ich auch gar nicht«, meint er. »Womit verdiene ich das harte Urteil?«

»O Pony, du Schaf«, lacht Margit. »Wir sind doch verheiratet. Richtiggehend verheiratet. Ganz ohne Lebenswandel.«

»Verheiratet?« frage ich entsetzt.

»Ja. Seit genau fünf Tagen. Und das ist unsere Hochzeitsreise.«

Zur Bestätigung streckt sie mir ihre Hand entgegen, an der ein funkelnagelneuer Ehering blitzt. Und Kellermann hält auch noch seine Rechte daneben. Wie Kinder sind sie. Zwei verliebte glückliche Kinder.

»Na, weißte«, sage ich. Ich gucke mir die beiden an und schüttele mein weises Haupt. »Gleich heiraten. Wo Margit so jung ist. Sie sollten sich schämen, Herr Kellermann.«

»Aber warum denn nun wieder?« fragt er erstaunt. Und hat wieder das harmlose blonde Bubengesicht, das er damals schon hatte. Wir haben ihn ja nie ganz ernst genommen, aber wir mochten ihn gern. Und Margit war damals schon in ihn verknallt, das ist wahr.

»Du bist schön dumm«, sage ich zu Margit. »Mit neunzehn heiraten. Mensch, was du alles verpaßt.«

»Was soll ich denn verpassen?« fragt Margit mit strahlenden Augen. »Wenn ich den Richtigen eben schon jetzt gefunden habe, muß ich ihn doch behalten.«

»Kannst du noch gar nicht beurteilen, ob es der Richtige ist. Ohne Vergleichsmöglichkeiten.«

»Pony, bitte«, ruft Kellermann, »ich kann mich an Ihr loses Mundwerk gut erinnern. Machen Sie mir meine Frau nicht rebellisch. Bis jetzt war sie so brav.«

»Das wird sich schon ändern«, sage ich. »Seid ihr wirklich richtig verheiratet?«

»Ganz richtig.«

Rolf ist herangekommen und hört neugierig unsrer Unterhaltung zu.

»Und Hochzeitsreise nach Venedig«, fahre ich fort. »Was anderes ist euch auch nicht eingefallen. Sehr fantasievoll. Seit fünf Tagen?«

Sie nicken beide.

Ich sehe mir Margit an und frage: »Na und? Bist du zufrieden? Ist es nett, verheiratet zu sein?«

Sie wird rot, doch dann nickt sie entschieden. »Es ist nicht nur nett. Es ist wunderbar.«

»Sieh mal an«, sage ich und komme mir ein bißchen zurückgeblieben vor.

»Bravo«, sagt eine Stimme aus dem Hintergrund. Die von Rolf. Er findet wohl, es sei Zeit, ihn ins Gespräch zu ziehen. »Das war die richtige Auskunft für dich, Pony.«

Margit und Kellermann drehen sich nach ihm um, und ich sage boshaft: »Dies ist Herr Gassner. Er muß es wissen. Er befindet sich nämlich auch auf der Hochzeitsreise.«

»Ach!« stößt Margit rasch hervor. »Mit dir, Pony?«

»Da sei Gott vor«, erwidere ich würdevoll und amüsiere mich über Rolf, der rot geworden ist.

Aber er fängt sich rasch wieder. »Noch nicht«, sagt er, »aber ganz demnächst in diesem Theater.«

»Interessant«, sage ich, »vergiß nur nicht, mich rechtzeitig zu informieren, wann es losgeht, damit ich vorher zum Friseur gehen kann.«

Margit und Kellermann schauen ein bißchen dußlig drein. Rolf schüttelt den Kopf. »Ein schreckliches Mädchen«, sagt er.

Kellermann lacht. »Das war sie immer schon. Seien Sie gewarnt.«

»Zu spät«, seufzt Rolf.

»Seid ihr verlobt?« fragt Margit neugierig. Anscheinend kann sie nicht mehr in anderen Bahnen denken.

»In keinster Weise«, sage ich. »Uns vereint nur ein lockeres Verhältnis. Ein sehr lockeres.«

Die Gesichter der jungen Eheleute sind sehenswert. Rolf schüttelt abermals den Kopf. Das kann er gut. »Du benimmst dich, Pony. Ich fürchte, dir fehlt es wirklich noch an der sittlichen Reife.«

»Das macht ja gerade meinen besonderen Charme aus«, kläre ich ihn auf.

Kellermann, der Pädagoge, hält es anscheinend nun für angemessen, die Formalitäten zu erledigen. Er macht eine artige, kleine Verbeugung und murmelt: »Kellermann.«

»Sehr erfreut«, sagt Rolf. »Gassner.« Und dann schütteln sie sich die Hände. Kellermann fügt überflüssigerweise hinzu: »Meine Frau.« Und auch Margit bekommt einen Mannheimer Händedruck.

»Meinen herzlichen Glückwunsch, gnädige Frau«, sagt Rolf. »Erst fünf Tage, dann ist es noch angebracht.«

»Gratuliere lieber ihm«, sage ich, »Margit ist nämlich was Liebes.«

»Das sieht man«, meint Rolf galant. Dann gucken wir uns alle vier an und lachen.

»Auf den Schreck müssen wir eine Zigarette rauchen«, sage ich. »Setzen wir uns.« Ich weise auf die Plätze. »Erster Rang, wenn's beliebt.«

»Bist du denn fertig mit deiner Darbietung?« fragt Margit.

»Restlos. Ich wußte sowieso nicht weiter.«

Nun geht ein großes Palaver los. Margit muß mir alles erzählen, nachdem ich Rolf kurz aufgeklärt habe, woher wir uns kennen. Er weiß ja Bescheid, ich habe ihm erst heute morgen die Geschichte von Franzenshöh erzählt. Ja also, Margit und Kellermann blieben in Verbindung, auch nachdem Margit wieder bei ihrer Mutti war und dort weiter in die Schule ging. Sie schrieben sich ab und zu, und als er das nächstemal Ferien hatte, kam er angetanzt. Ihm war es ernst, und ihr war es ernst, und als Margit mit der Schule fertig war, haben sie geheiratet. Aus. Ganz einfache Sache.

»Und du hast trotzdem noch das Abi gemacht?« staune ich. »Warum denn?«

Sie lächelt. »Wenn ich so einen gescheiten Mann kriege, kann ich doch nicht dumm bleiben.«

»Na, ihr werdet eure Kinder doch nicht in lateinischer Sprache aufziehen wollen«, sage ich.

»Aber Pony«, meint Margit und wird über und über rot. Ob sie noch gar nicht weiß, daß man Kinder kriegen kann, wenn man verheiratet ist?

Ich frage, wie es ihrer Mutti geht, und da bekomme ich noch eine große Neuigkeit zu hören.

»Mutti geht es gut«, sagt Margit mit leuchtenden Augen, »sogar sehr gut. Mein Vater ist zurückgekehrt.«

»Ach nee«, sage ich. »Wirklich? Und sie hat ihn wieder genommen?«

Margit nickt. »Ja. Du weißt, sie hat nie aufgehört, ihn zu lieben.«

Na ja, so was gibt's. Er hat Margits Mutter zwar wegen

einer anderen Frau verlassen, wegen der schönen, verführerischen Valeska, die ich damals so bewundert habe. Und dann war er in Südamerika, nachdem Valeska ihn sitzenließ. Aber nun ist er wieder da. Wenn man es aus der Nähe betrachtet, das Klügste, was er machen konnte.

»Er hat jetzt eine gute Stellung«, berichtet Margit. »Und Mutti ist sehr glücklich.«

»Also Happy-End auf der ganzen Linie«, sage ich. »Nur Valeska mußte sterben.«

Später fahren wir nach Venedig hinüber und begießen unser Wiedersehen mit einem Campari. Für den Abend verabreden wir uns zu einem Bummel.

Vorher frage ich Kellermann noch: »Und was macht die Dichterei?«

Diesmal errötet er holdselig, aber Margit sagt stolz: »Er schreibt zur Zeit an einem Roman.«

»Auch das noch«, sage ich. »Schreiben sowieso schon viel zuviel Leute. Nichts als Konkurrenz.«

»Wieso?« fragt Kellermann. »Schreiben Sie denn auch, Pony?«

»Jetzt noch nicht. Später. Aber dann nur Bestseller.«

Palazzoballade

Ein Tag so strahlend wie der andere, nicht die kleinste Wolke am Himmel. Ein Wetter haben die Italiener, das ist sagenhaft. Drum sind sie auch alle da, aus Düsseldorf, Bremen, Köln, Frankfurt, Stuttgart und München und aus den verschiedenen Orten, die noch dazwischen liegen. Nur darum machen sie alle die weite Fahrt, bringen die gute Deutsche Mark her und zerbröseln sie hier in lauter kleine unübersichtliche Lirescheine. Ich habe es längst aufgegeben zu rechnen. Mathematik war nie meine starke Seite. Wenn das Geld alle ist, werden wir es schon merken. Dann muß Eugen Nachschub schicken, beziehungsweise er muß uns auslösen. Zunächst hat sich sein Kommen verzögert. Seine Verhandlungen ziehen sich hin. Er hat angerufen, daß er erst in drei, vier Tagen kommen kann.

Marlise scheint gar nicht einmal sonderlich betrübt darüber zu sein. Na ja, sie ist jetzt vier Jahre verheiratet, und so übermäßig attraktiv ist der gute Eugen wirklich nicht. Der Herr Architekt Brettschneider hingegen, mit den schlanken Künstlerhänden, dem rassigen Profil und der schwarzen Haarmähne, hat schon so was Gewisses. Ein weitgereister Mann, und mit Frauen umzugehen versteht er augenscheinlich gut. Marlise wird täglich hübscher, sie ist gar nicht mehr steif und kühl, sie lacht soviel wie sonst nie, sie klappert mit den Augendeckeln und kokettiert sich ganz munter durch die Landschaft. Da sieht man wieder mal, auch in scheinbar kühlen Damen steckt doch allerhand Temperament, wenn das richtige Echo vorhanden ist. Meinen Segen hat sie. Für mich bedeutet das mehr Freiheit. Und ich war schon immer ein freiheitsliebender Mensch.

Unsere Gesellschaft hat sich nun noch um Margit und

Kellermann vermehrt. Wir sind ein ganz stattlicher Verein, wenn wir uns in die Wellen der Adria stürzen.

Margit findet meine Schwester charmant. »Wie schön sie ist«, sagt sie neidlos. »Und so liebenswürdig. Du hast immer erzählt, sie sei hochmütig und eingebildet. Kann ich nicht finden.«

»Jaja«, sage ich, »die Zeiten ändern sich. I tempi mutarsi.«

Kellermann muß so lachen, daß er den Mund voll Sand bekommt. »Das kann doch wohl nicht wahr sein, Pony. Sie sprechen sogar noch lateinisch?«

»Gelegentlich. Falls Sie das übersehen haben sollten, soo lange bin ich schließlich noch nicht aus der Schule.«

Marlise hat Margit und Kellermann wirklich mit außerordentlicher Liebenswürdigkeit begrüßt. Als sei es ihr das größte Vergnügen der Welt, eine Schulfreundin von mir und deren neugebackenen Ehemann kennenzulernen. Ich habe den stillen Verdacht, es ist ihr ganz lieb und wert, daß ich dadurch reichlich Gesellschaft habe und mich ohne ihre Beaufsichtigung verlustieren kann.

Nach dem zweiten Bad ist uns wohler. Am Abend zuvor haben wir nämlich ganz schön gebummelt und diverse Vino inhaliert. Aber jetzt schmeckt der Campari schon wieder. So weit wäre alles schön und gut, ich hätte gegen meinen Lebenslauf nichts einzuwenden. Das einzige, was mich beunruhigt, ist Amelita. Am gestrigen Abend habe ich sie wirklich zeitweise ganz vergessen. Aber jetzt, am Vormittag, denke ich immerzu an sie. Ich kann überhaupt nicht ruhig in meinem Liegestuhl bleiben, ständig schaue ich mich in der Gegend um, weil ich mir einbilde, sie müßte auftauchen.

»Was machen wir nun?« frage ich Rolf gegen Mittag.

Er weiß es auch nicht. »Sie könnte ja mal was hören lassen«, findet er. Damit hat er nicht ganz unrecht. Möglicherweise haben die Geschwister Ceprano mittlerweile das Rubinerbstück vereinnahmt und sich selig damit zur Ruhe gesetzt.

Aber nein, ich kann mir nicht vorstellen, daß Amelita so sang- und klanglos von der Bildfläche verschwindet. Es war echte Sympathie zwischen uns. Und echt war auch ihr Unbehagen, ihre Angst.

Nach dem Mittagessen sage ich zu Rolf: »Ich fahre zurück in die Stadt.«

Er kapiert sofort, was ich meine.

»Und?« fragt er.

»Ich gehe einfach mal hin. Ist doch nichts dabei.«

»Ich komme mit«, sagt er.

Marlise hat nichts dagegen, daß wir uns selbständig machen. Sie will am Nachmittag mit ihrem Amico zum Tanzen gehen. Irgendwo hier am Lido ist so eine Art Fünfuhrtee.

»Gar nicht unflott«, sage ich. »Vielleicht kommen wir dann wieder rüber.«

Margit und Kellermann fahren mit uns nach Venedig zurück. Sie wollen etwas für ihre Bildung tun und die Galleria Franchetti besuchen.

»Wir haben bis jetzt jeden Tag ein Museum oder eine Ausstellung besichtigt«, erklärt Margit stolz.

»Das ist was Feines«, sage ich. »Gehört sich auch so für eine Lehrersgattin. Man zu, erzählst mir nachher, was es da zu sehen gibt.«

»Willst du nicht mitkommen?«

»Nee, ich bin der Ungebildetsten eine. Ich besichtige grundsätzlich niemals nicht irgend etwas.« Ich mache ein geheimnisvolles Gesicht und füge dunkel hinzu: »Ich gehe statt dessen auf Menschenjagd.«

Margit sieht mich an, als ob die Sonne Venedigs mein Hirn verbrannt hätte. »Was soll das nun wieder heißen?«

»Seltsame Dinge gehen vor in dieser Stadt. Warst du schon mal in einem alten Palazzo? Mit echten Contes drin? Hast du schon mal von den blutroten funkelnden Rubinen gehört, den Rubinen der Giulietta? Ah, mein liebes Kind, das ist lebendige Geschichte, lebendig bis zum heutigen Tag.«

»Die Rubine der Giulietta?« wiederholt Kellermann versonnen. »Das klingt gut. Was ist das?«

»Das klingt zwar gut«, sage ich sachlich, »aber es stinkt.« Und dann muß ich den beiden natürlich die ganze Geschichte erzählen.

Margit kriegt ganz rote Wangen vor Aufregung. Kellermann ist skeptisch.

»Na, Pony«, sagt er, »das ist bisher hauptsächlich Ihre eigene lebhafte Fantasie, aus der sich diese Geschichte zusammensetzt. Ich würde mich an Ihrer Stelle nicht hineinmischen. Das ist eine Familienangelegenheit.«

»Ich mische mich gar nicht ein«, sage ich, »ich besuche jetzt bloß meine reizende Freundin Amelita.«

»Und wie lautet nun die Geschichte der Giulietta?« will Kellermann wissen.

Da muß ich ihn leider enttäuschen. Die kenne ich selber nicht.

»Vielleicht fragen Sie mal so einen Museumsmann«, rege ich an. »Wenn es eine echte Historie ist, weiß es vielleicht einer.«

»Ich habe sogar einen Bekannten hier«, sagt Kellermann, »der arbeitet in der Biblioteca Nazionale. Wir stehen noch in Briefwechsel.«

»Ach?« fragt Margit interessiert. »Das weiß ich ja gar nicht.«

Es klingt direkt eifersüchtig.

Kellermann lächelt sie an und streichelt zärtlich ihre Hand. Verliebte sind schon was Putziges.

»Habe ich dir nicht davon erzählt, Spatz?« sagt er. »Das ist ein junger Venezianer, der zwei Semester in Deutschland studiert hat. Gerade damals, zu meiner Zeit. Wir hatten uns ganz gut angefreundet. Er hat von mir Deutsch gelernt und ich von ihm Italienisch.«

»Ach, darum sprechen Sie so prima Italienisch«, sage ich. Denn mir ist schon aufgefallen, wie spielend und fließend Kellermann sich verständigt.

»Nun, es geht«, sagt er bescheiden. »Einigermaßen. Für einen Lateiner ist es nicht schwer.«

»Na, ich danke. Schließlich habe ich auch Latein gelernt.«

»Wirklich?« fragt er ein wenig boshaft.

Aber ich kontere gleich. »Kann sein, es lag an meinen Lehrern, wenn ich nichts Gescheites gelernt habe. Ich hatte mal einen, der hieß Kellermann. Der schrieb lieber Theaterstücke und flirtete mit einer seiner Schülerinnen. Das hat bei mir eine gewaltige Bildungslücke hinterlassen.«

»Sie hatten wirklich Pech mit Ihren Lehrern, Pony«, sagt Kellermann gut gelaunt. »Ein Glück, daß Sie von Natur aus so ein begabtes Kind sind.«

»Kann man wohl sagen«, erwidere ich.

An Land gegangen, verabschieden wir uns und verabreden uns später zum Espresso. Ich gehe ins Hotel, um meinen Stranddreß mit einem Kleid zu vertauschen. Beim Portier frage ich zuvor, ob jemand angerufen hat. No, niente. Rolf und ich fahren dann ein Stück mit einem Vaporetto, und kurz ehe der Palazzo Ceprano aus den Fluten steigt (hübsch gesagt, nicht?), verlassen wir das Schiff und gehen zu Fuß weiter.

Aber so einfach ist es gar nicht, sich hier zurechtzufinden. Das Gewirr der tausend Gassen macht jede Orientierung unmöglich. Wir kommen viel zu weit landeinwärts und müssen einen großen Bogen machen, um wieder zum Canale Grande zurückzufinden. Und dann sind wir schon weit über die Cepranoburg hinaus. Leider kann man ja am Ufer nicht entlanggehen, das wäre einfacher. Also wieder hinein in die Gassen und versuchen, irgendwo einen Weg zu finden, der zum Palazzo führen könnte. Das hält uns eine ganze Weile auf. Aber schließlich schaffen wir es. Wir stehen vor einem kleinen stinkenden Seitenkanal, und auf der anderen Seite sehen wir den Palazzo Ceprano von hinten; ziemlich verwahrlost sieht er übrigens von hier aus.

Wie kommen wir nun hinüber? Die haben sich schon was zusammengebaut hier. Wir schlagen also nochmals eine Volte, landen dann auf einem kleinen Platz mit drei verdorrten Bäumen und sechs schlafenden Miezekatzen, und von hier aus führt eine Seitengasse zu einem schmalen Steg über den kleinen Kanal, und so müßte man ja schließlich bei den Cepranos vorsprechen können.

»Reichlich umständlich«, sage ich.

»Ist eben nicht üblich, auf dem Landweg hier Besuche zu machen«, meint Rolf. »Ordentliche Leute kommen mit der Gondel vorgefahren. Vermutlich ist das so eine Art Dienstboteneingang.«

»Du wirst lachen, die haben gar keine Dienstboten.«

»Na, früher werden sie wohl welche gehabt haben. Vielleicht hat die Dame des Hauses auch auf diesem Weg ihren Liebhaber empfangen.«

»Liebhaber! Wo die hier so sittenstreng sind.«

»Liebes Kind, du hast eine Ahnung! Je sittenstrenger sich die Leute geben, um so lockerer ist ihr Lebenswandel. War schon immer so. Wer lose Reden führt, ist meist sehr tugendhaft.«

»Na, dann bin ich der Tugendhaftesten eine. Herr Federmann wird sich freuen, wenn er das erfährt.«

»Nicht nur er. Ich freue mich auch. Ich habe mir immer ein tugendhaftes Weib gewünscht.«

»Du solltest dir vielleicht lieber eine kalte Kompresse wünschen. Die Sonne Venedigs scheint dir das Hirn geröstet zu haben.«

Wir schauen uns liebevoll in die Augen. Solch zärtliche Dialoge liegen uns besonders gut.

»Du wartest am besten hier auf dem Platz«, sage ich. »Ich schau mal, ob ich den Eingang von dem Liebhaber finde.«

»Willst du allein gehen?«

»Klar. Die werden mich schon nicht in den Kanal schmeißen.«

Der Fußsteig an den Seitenarmen des Kanals ist so schmal, daß gerade einer da entlanggehen kann. Unheimlich. Rolf hat wohl recht, die Hausbewohner und Gäste kommen vornherum, über den Canale Grande.

Dann stehe ich vor einem schmalen Pförtchen, das aussieht, als sei es seit Jahrhunderten nicht mehr benutzt worden. Eine kleine Eingangstür, grün und flekkig, vom Zahn der Zeit benagt. Eine Klingel oder ähnliche neumodische Errungenschaften sind natürlich nicht vorhanden. Hier macht mir bestimmt keiner auf. Ich muß mich doch wohl vorn auf dem Seeweg heranmachen, wenn ich Cepranos besuchen will. Doch dann sehe ich etwas, das mich überrascht. Ein Spinnennetz, das rechts oben über dem Winkel zwischen Tür und Mauer gespannt gewesen sein muß, ist zerrissen und hängt, im leichten Luftzug zitternd, über die Türangel herab. Die Spinne sitzt daneben auf der Mauer und wundert sich. Das kann eigentlich noch nicht lange kaputt sein. Sonst wäre das Netz schon neu gesponnen. Offenbar ist hier also doch jemand aus oder ein gegangen. Probeweise drücke ich auf die Klinke. Und kriege zunächst mal einen Riesenschrecken. Die Tür geht nämlich auf.

Ich bleibe zögernd stehen. Schließlich kann man nicht unangemeldet in anderer Leute Palazzo eindringen. Aber dann denke ich mir: Warum nicht? Wenn sie die Tür schon offenlassen, haben sie sicher nichts dagegen. Amelita wird schön überrascht sein, wenn ich so plötzlich auftauche wie ein altes Palazzogespenst.

Also los, mal gucken, was dahinter ist. Ich gehe durch die Tür und wäre beinahe auf die Nase gefallen. Da geht es zunächst mal ein paar Stufen nach unten. Und als ich die Tür hinter mir zugezogen habe, ist es zappenduster. Ob ich lieber Rolf zu Hilfe hole? Nee, das geht nicht. Er ist schließlich ein Fremder. Ob noch mehr Stufen kommen? Runter kann es eigentlich nicht mehr gehen, höchstens rauf. Soviel ich weiß, stehen ja diese alten Palazzi auf Pfählen; tiefe Keller können da kaum vorhanden sein. Sicher ist das ein Gang, der nach oben ins Haus führt. Ob sie so was wie Beleuchtung hier haben? Sehr zweifelhaft.

Ich taste mich vorsichtig weiter, beide Hände rechts und links an die feuchte Mauer gestützt und immer einen Fuß vorsichtig vorschiebend. Ein Stück weiter geht es rechts um die Ecke, und da wird es auch ein bißchen heller, ein winziges, vergittertes Fenster ist ungefähr in Höhe meiner Stirn in die Mauer eingebaut. Ich stelle mich auf die Fußspitzen und versuche rauszugucken. Das einzige, was ich sehe, ist dreckiges Wasser. Liegt direkt am Kanal. Was machen die eigentlich, wenn mal Hochwasser ist? Dann plätschert es hier vermutlich gemütlich rein. Also, alles was recht ist, ich bin bestimmt ein Wasserliebhaber, aber mitten im Wasser zu wohnen, das wäre nicht mein Geschmack.

Der Gang geht weiter, es wird wieder dunkler. Ich kann gerade noch sehen, daß der Gang in einen großen, eckigen Raum mündet. Kinder, ist das ein altes Gemäuer hier. Und saukalt ist es. Mich schaudert es in meinem ärmellosen dünnen Kleid. Und was nun? Ich glaube, ich kehre besser um.

Plötzlich flitzt etwas an meinen Füßen vorbei, ich erkenne einen kleinen dunklen Schatten. Nun trifft mich aber gleich der Schlag. Mäuse? Oder gar Ratten? Pfui Deibel noch mal, nichts wie raus hier. Sicher Ratten. Wo Wasser ist, gibt es meist Ratten. Ist überhaupt leichtsinnig von mir, hier einfach loszulaufen. Vielleicht kommt gleich ein Loch, und ich falle auf Nimmerwiedersehen in den Canale Grande. Früher hatten sie ja eine Vorliebe für solche architektonischen Finessen. Bei uns in Germany habe ich mal eine alte Ritterburg besichtigt, da hatten sie auch so eine Konstruktion. Ein Loch im Boden, ein tiefer Schacht, der ganz, ganz tief unten in den Fluß am Fuße des Burgberges mündete. Der Führer warf einen brennenden Papierknäuel hinunter, und man konnte sehen, wie er schließlich ein winziges Fünkchen wurde und immer noch weiter fiel. So tief ging es hinab. Dahinein schmissen sie in grauer Vorzeit Leute, deren Nasen ihnen nicht gefielen oder auf deren Geldbeutel sie es abgesehen hatten. Die lieben guten alten Rittersleut, so kamen die zu ihrem Money und zu Ruhm und Ehren.

Ehrlich, ich graule mich. Muß wohl doch nicht der richtige Weg sein, um bei Cepranos Besuch zu machen. Aber warum war bloß die Tür offen? Ich schaue mich um. Meine Augen haben sich an die Dunkelheit gewöhnt. Dieses Geviert, in dem ich stehe, ist gar nicht so klein, aber niedrig. Dicht über mir ist die schwere lastende Decke. Lieber Gott, hier unten wäre man wirklich verloren. Kein Mensch würde einen hören. Dann entdecke ich, daß der Gang gegenüber weitergeht, und auf der linken Seite, wohl nach dem Hausinneren zu, ist auch ein schwarzes Loch. Wo es da wohl hingeht?

Ganz vorsichtig erforsche ich das Gelände weiter. Wahrhaftig, da ist noch ein Gang. Da gehe ich aber nicht rein, da finde ich bestimmt nicht mehr raus. Meine Hand tastet ein Stück an der Mauer entlang. Ich habe richtig Angst. Womöglich springt mir gleich eine Ratte an den Hals. Plötzlich ist die Mauer zu Ende, da scheint eine Vertiefung in der Wand zu sein. Fühlt sich an wie Metall. Eisen vielleicht. Ich kratze vorsichtig mit dem Fingernagel daran, und plötzlich, mir bleibt bald das Herz stehen, höre ich ein Kratzen und Scharren, eine Bewegung, ein Geräusch. Da ist jemand. Allmächtiger Gott, jetzt werde ich gleich abgemurkst.

Schnell wie der Wind weiche ich zurück, wieder in den großen Raum hinein und drücke mich hier an die Wand. Vielleicht gibt es hier Gespenster. Wäre ich bloß schon wieder draußen. Ich halte den Atem an und lausche. Nichts mehr.

Eine Ewigkeit, wie es mir scheint, bleibe ich unbeweglich stehen. Tiefe Stille. Dann schleiche ich auf Fußspitzen an der Wand entlang weiter. Wieder huscht es über meine Füße. Wie angenagelt bleibe ich stehen. Jetzt fehlt nicht mehr viel, und ich fange an zu heulen. Wo geht's denn nun bloß hinaus? Da, jetzt hört die Mauer auf. Da muß ich zurück. Aber ich bin kaum drei Schritte gegangen, da stolpere ich und fliege vornüber. Meine Hände treffen auf eine Stufe. Aua, das hat weh getan. Hab' ich mir direkt das Handgelenk verknackst. Benommen bleibe ich einen Moment kauern. Hier führt also eine Treppe hinauf. Das muß der Weg ins Haus sein.

Aber mein Interesse an einem Besuch bei Contes hat nachgelassen. Ich will raus. Ich krabbele zurück, taste mich weiter an der Mauer entlang. Meine Zähne klappern jetzt vor Furcht und Kälte. Nach jedem Schritt bleibe ich stehen und lausche. Ob da einer im Dunkeln steht und auf mich lauert? Das habe ich von meiner Vorwitzigkeit. Nie mehr in meinem Leben werde ich uneingeladen in fremde Häuser eindringen. Was gehen mich überhaupt diese Leute an? Wenn Amelita was von mir will, soll sie mich besuchen. Sie weiß ja, wo ich wohne.

Weiter. Wo ist der Ausgang? Hier. Das muß der richtige Gang sein. Erleichtert gehe ich langsam vorwärts, aber nach einer Weile bleibe ich wieder stehen. Das stimmt nicht. Das stimmt auf keinen Fall. Es ist wieder stockdunkel um mich. Und in dem Gang, durch den ich hereingekommen bin, war das kleine Fenster. Es müßte ganz im Gegenteil jetzt heller werden. Kein Zweifel, ich habe mich verlaufen. Ich weiß überhaupt nicht mehr, wo vorn und hinten ist. Auf alle Fälle mal zurück. Von dem größeren Raum ging der richtige Weg ab. Das Fenster am Kanal muß ich wiederfinden, und dann kommt gleich die Tür ins Freie.

Der nächste Gang, den ich erwische, ist der richtige. Da ist das Fenster. Es kommt mir jetzt so hell vor wie eine Tausendkilowattbirne. Tageslicht ist doch was Schönes.

Und gerade, wie ich zum Endspurt ansetzen will, höre ich, wie vor mir die Tür geöffnet wird, sie quietscht ein wenig in den Angeln, dann trifft mich ein Luftzug, und dann kommen Schritte den Gang entlang auf mich zu.

Entsetzt, wie gelähmt bleibe ich stehen. Und dann, ohne zu überlegen, gehe ich wieder zurück. In diesem schmalen Gang, wo man mit nur leicht erhobenen Händen an beiden Seiten die Mauer berühren kann, kann ich mich nicht verstecken. Und wie sollte ich erklären, daß ich hier bin?

Gut, daß ich dünne Sandalen mit flachen Absätzen trage, mich hört keiner. Derjenige, der durch den Gang herankommt, muß eine diejenige sein, denn ich höre das Stakkato hoher Absätze. Ob es Amelita ist? Das wäre ja nicht so schlimm.

Jetzt bin ich wieder in dem großen Raum angelangt und lausche. Die Schritte sind schon ganz nah, und dann sehe ich den dünnen Lichtstrahl einer Taschenlampe. Natürlich, eine Lampe muß man hier schon haben. Gerade, ehe die Herankommende da ist, habe ich einen Seitengang gefunden und drücke mich atemlos an die Wand.

Eine helle Gestalt geht quer durch den Raum. Der Lichtschein der Lampe tastet vor ihr her, ich kann sogar die Füße sehen, hochhackige rote Pumps. Kommen mir bekannt vor. Es muß diese Person sein, diese Lanzotti.

Sie durchschreitet rasch den Raum und steigt drüben seelenruhig die Stufen empor, über die ich vorhin gefallen bin. Klapp, klapp, klapp, machen ihre Absätze. Dann wird ein Schlüssel gedreht, eine Tür geht auf und zu, dann ist es still.

Ich atme auf. Das waren aufregende Minuten. Aber es ist genauso, wie ich gedacht habe. Drüben, über die Stufen, geht es ins Haus hinauf. Und vermutlich benutzt man diesen Weg hier, wenn man eben schnell mal was besorgen will. Es ist einfach idiotisch von mir, sich so anzustellen. Eine ganz harmlose, verständliche Sache. Man kann doch nicht extra eine Gondel bestellen, wenn man drei Brötchen kaufen geht. Oder ein Viertelpfund Butter. Irgendwo müssen ja die Leute auch trockenen Fußes aus dem Hause kommen. Bloß eine Beleuchtung sollten sie sich mal anschaffen, das wäre nicht gerade der äußerste Luxus. Die Treppe nach oben zieht mich magisch an. Ich kann jetzt so gut sehen wie eine Katze. Leise und behutsam steige ich den Pumps nach, eine Hand tastend vorgestreckt. Bis ich an die Tür stoße. Vermutlich kommt man hier in die Küche oder in die Speisekammer, falls es hier so was gibt.

Ich lege mein Ohr an die Tür und lausche. Nichts zu hören. Ich taste, bis ich eine Klinke finde, und drücke sie vorsichtig hinunter. Verschlossen. Na ja, auch wieder zu verstehen. Schließlich kann man nicht alle Türen offenstehen haben. Besser, ich begebe mich wieder nach draußen, berichte Rolf, und wir versuchen es mal vornherum. Immerhin weiß ich jetzt, daß jemand zu Hause ist.

Ich klettere also die Treppe wieder hinunter, überquere geradewegs das Geviert, jetzt habe ich mir nämlich gemerkt, wo es hingeht. Mein Gang liegt gerade gegenüber der Treppe. Da ist das kleine Fenster, noch ein Stück, dann bin ich draußen.

Denkste! Ich will die Tür aufmachen, und die Tür ist zu. Da, wo ich hineingekommen bin, kann ich nicht mehr raus. Abgeschlossen.

Nun verläßt mich allerdings mein Humor. Was mache ich jetzt bloß? Pia hat die Tür hinter sich geschlossen. Ganz logisch. Es war Zufall, daß sie vorhin offen war. Und ich stehe hier im Dunklen vor einer verschlossenen Tür und kann nicht raus. Im Keller von so einem ollen Palazzo eingeschlossen. Mensch, Pony! Wenn Hochwasser kommt, muß ich ersaufen. Aber wahrscheinlich bin ich verhungert, ehe das nächste Hochwasser kommt. Die Ratten fallen mir ein und das komische Geräusch in dem einen Gang.

Ich beiße mich in den Finger und versuche, meine aufsteigende Panik zu bezwingen. Nun mal ruhig, Pony! Notfalls kann man immer noch über die Treppe aus dem Haus. Angenommen, ich klopfe da oben an der Tür, die ins Haus führt, dann wird man mich schon hören. Vielleicht geht auch wieder mal jemand einkaufen. Peinlich wäre es allerdings, wenn man mich hier findet. Was soll ich dann bloß sagen?

Aber wie komme ich hinaus? Hier von innen an die Tür zu bummern, hat wenig Zweck. Rolf sitzt auf dem kleinen Platz, über dem Kanälchen drüben. Er kann es nicht hören. Sicher wundert er sich schon, wo ich bleibe.

Ich lehne mich mit dem Rücken an die Tür und überlege. Eine verzwickte Lage. Und kalt ist mir. Als wenn ich in Sibirien wäre und nicht in Italien. Ich werde einen schönen Schnupfen kriegen.

Eine ganze Weile stehe ich da, reglos, Verzweiflung im Herzen. Das kommt davon, wenn man sich in anderer Leute Angelegenheiten mischt. Margit hat gleich gesagt, ich soll das nicht tun. Recht hat sie. Und wie sie recht hat.

Eine Episode aus meiner bewegten Vergangenheit fällt mir ein. Ich habe schon einmal ein fremdes Haus beschattet und wollte hinein. Damals war ich aber noch ein braves Kind und traute mich nicht. Und dann kam Stephan Jorgen mit Arco und lud mich zum Tee ein. Das war ein schöner Tag. Noch heute kann ich mich an jedes Wort erinnern, das wir damals gesprochen haben.

Kopf klar, Pony! Jetzt ist nicht die Stunde, von Stephan Jorgen zu träumen. Jetzt gilt es, einen Entschluß zu fassen und eine Tat zu vollbringen. Raus muß ich hier. Ich kann nicht ewig hier stehenbleiben. Und bewegen muß ich mich, sonst erfriere ich noch.

Ich schleiche lustlos den Gang wieder hauseinwärts, am Fenster vorbei, in den größeren Raum. Komme mir schon ganz zu Hause hier vor. Da drüben geht's hinauf in die Wohnung, rechts ist ein Gang, links ist ein Gang. Ganz regelmäßig und sternförmig angelegt. Nur die Länge der Gänge muß verschieden sein. Hier auf der rechten Seite kann es nicht weit gehen, da kommt der Kanal.

Ich versuche den rechten Gang ein Stück, und wirklich, es ist genauso, wie ich angenommen habe. Er endet ganz einfach an der Mauer, und oben ist wieder so ein winziges Stück Fensterloch. Vergittert natürlich. Ich rüttle stürmisch an dem Gitter, aber das rührt sich nicht. Hier komme ich nicht raus. Und wenn ich schreie? Sicher hört mich keiner. Dazu ist es draußen zu laut. Selbst hier unten höre ich, jetzt unter diesem Loch hier, das Tuten und Pfeifen und Lärmen der Boote auf dem Canale Grande.

Mit dem Fuß taste ich an der Mauer. Schließlich finde ich eine Unebenheit, wo ich den Fuß hinsetzen und mich am Gitter hochziehen kann. Aha, vor mir ist das kleine seitliche Plateau, wo wir neulich mit der Gondel angelegt haben. Also muß zur Linken der Eingang ins Haus sein. Es beruhigt mich irgendwie, daß ich wieder etwas Verbindung zur Außenwelt gefunden habe.

Plötzlich rutscht mein Fuß von der bröckligen Mauer ab, ich plumpse hinunter. Mein Knie ratscht schmerzhaft an der Mauer entlang. Die Nase bumse ich mir auch noch an. Verflixt! Wie ich mein Knie im Dämmerlicht betrachte, ist es bildschön aufgeschürft und blutet. Wie in seligen Kinderzeiten, wenn man hingeflogen war. Jetzt netze ich den alten Palazzo auch noch mit meinem Blut.

Jetzt langt es mir aber. Ich will raus. Ich will raus. Ich will einen Campari trinken oder einen Espresso oder artig mit Marlise zum Fünfuhrtee gehen oder meinetwegen auch mit Margit und Kellermann in die Galleria oder mich schlimmstenfalls auch mit Rolf verloben, aber ich will raus. Mir ist kalt, und ich habe Hunger und Durst, und ich graule mich, und verbluten muß ich nun auch noch. Alle Vorsicht außer acht lassend, haste ich den Gang zurück. Aber ehe ich den großen Raum erreiche, höre ich ein Geräusch, die Tür oben geht auf, und dann kommt das Absatzgeklapper wieder die Stufen herab. Die Rote kommt zurück. Halleluja. Sie hat was vergessen und geht noch mal einkaufen und wird die Tür wieder offenlassen. Der liebe Gott hat mich nicht übersehen hier unten. Jetzt muß ich nur aufpassen, daß sie mich nicht erspäht.

Ich bleibe im Gang stehen, an die Wand gedrückt, und halte den Atem an. Wieder tastet sich der Lichtstrahl der Taschenlampe über den Boden. Doch nicht geradeaus, sondern nach rechts. Die Signora geht nicht zum Ausgang, sondern hinüber in den anderen Gang, wo ich vorhin das komische Geräusch gehört habe. Ich beuge mich ein wenig vor. Was macht sie denn nun? Sie wird doch nicht etwa auf die Idee kommen, hier drüben bei mir auch noch aufzukreuzen?

Und dann höre ich, wie ein Schlüssel im Schloß gedreht wird, ein großer rostiger Schlüssel muß es sein, denn er kreischt ganz fürchterlich. Ich beuge mich noch weiter vor und sehe, wie der Lichtpfad und die zierlichen Pumps der Signora in der Mauer verschwinden. Und dann höre ich sie reden.

Alle guten Geister, das ist eine Tür. Und dort ist jemand. Und jetzt höre ich eine Stimme, die ihr antwortet, eine Männerstimme. Ich vergesse alle Vorsicht, husche zu dem anderen Gang hinüber und versuche, etwas zu erlauschen. Aber natürlich reden sie Italienisch, und ich verstehe kein Wort. Die Signora redet, rasch, hell und sehr bestimmt. Die Männerstimme schweigt. Das Eisenstück, an dem ich vorhin schabte, muß eine Tür sein. Und dort wohnt jemand. Wenn der ihr sagt, daß vor einiger Zeit jemand an der Tür gekratzt hat, bin ich verloren. Denn im Moment begreife ich alles. Die ganze düstere Geschichte ist mir klargeworden. Dort hat das rothaarige Weib ihren Komplicen versteckt. Und sobald die Geschwister abreisen wollen und der Schmuck im Hause ist, werden sie hinaufsteigen, den Schmuck klauen und Amelita und Francesco vielleicht sogar umbringen. Jetzt ist mir alles klar.

Und wenn der gemerkt hat, daß jemand hier ist,

dann murksen sie mich jetzt auf der Stelle gleich ab. Was mache ich bloß?

Die Tür oben an der Treppe, die ins Haus führt, die dürfte jetzt offen sein. Ob ich schnell hinaufsause und sehe, ob ich da hinauskomme?

Doch ehe ich einen Entschluß fassen kann, geht die Eisentür wieder auf. Ohne zu überlegen, in Windeseile, stürze ich zurück über den freien Platz, in den gegenüberliegenden Gang hinein. Dann höre ich, wie sich der Schlüssel dreht, die Absätze klappern abermals an mir vorbei, die Stufen hinauf. Tür zu, tiefe Stille.

Mein Herz klopft bis zum Hals. Auf was habe ich mich da bloß eingelassen! Kann ich denn nicht ruhig und friedlich meine Ferien in Venedig verbringen? Muß ich unbedingt meine Nase in anderer Leute Geheimnisse stecken? Wie soll ich hier bloß rauskommen?

Ich weiß nicht, wie lange ich hier stehe, an die feuchte Mauer gepreßt, bibbernd vor Angst und Kälte. Die alten venezianischen Bleikammern sind ein Klacks gegen das, was ich hier ausstehe.

Als alles still bleibt, wage ich mich endlich wieder hervor. Ich schleiche noch mal hinüber in den anderen Gang, taste an der Wand, bis ich unter meinen Fingern wieder das Eisen spüre. Es ist eine Tür. Wer mag da drin sein? Ich lege mein Ohr an die Tür und lausche. Stille. Nichts. Aber jetzt! Ein Seufzer. Und dann, heftig hervorgestoßen, ein paar italienische Worte. Das muß Pias Geliebter sein. Sie versteckt ihn dort, damit Amelita und der Conte ihn nicht sehen. Darum darf auch Amelita nie im Haus hingehen, wo sie will. Und Pia becirct da oben mittlerweile den ahnungslosen Francesco, hetzt ihn gegen seine Schwester auf. Ganz begreifen kann ich das alles nicht. Aber es ist unvorstellbar gruselig.

Und aufregend. Zweifellos. Aber am allermeisten regt mich die Unmöglichkeit auf, hier herauszukommen. Ob Rolf mich suchen kommt, wenn ich nicht zurückkehre? Aber was dann? Angenommen, er kommt vorn ins Haus und sagt: ›Entschuldigen Sie bitte, aber meine Freundin Pony ist vor mehreren Stunden da hinten durch das kleine Pförtchen ins Haus gegangen, ich möchte sie gern abholen.‹ Was passiert dann?

Ich gehe langsam wieder in Gang Nummer eins zurück, da, wo ich hergekommen bin, und lande bei der Pforte nach draußen. Als müßte ein Wunder geschehen, und es wäre wieder offen. Aber keine Spur, verschlossen wie zuvor. Ich lasse alle Vorsicht außer acht und rüttle wild an der Klinke. Rolf, der alte Döskopp, hätte ja auch mal ein bißchen näher kommen können. Er muß sich doch schließlich wundern, wo ich bleibe.

Verzweifelt lehne ich mich mit dem Rücken an die Tür. Mit dem Hinterkopf stoße ich an etwas Hartes. Spielt schon gar keine Rolle mehr. Zerschundenes Knie und zerkratzte Nase habe ich schon, kann ich auch noch 'ne Beule am Kopf kriegen. Für 'n altes Palazzokellergespenst bin ich noch lange schön genug.

Aber dann fahre ich herum und betaste das Hindernis mit den Händen. Du ahnst es nicht, es ist ein Riegel! Ein ganz simpler dicker, alter Riegel. Ich ziehe und drücke mit aller Kraft daran herum, aber ich hätte gar nicht soviel Mühe aufwenden müssen, das Ding gleitet bereitwillig zurück, ich drücke auf die Klinke, die Tür geht auf. Das Sonnenlicht schießt mir grell in die Augen.

Gott sei's getrommelt und gepfiffen, die Erde hat mich wieder. Ich ziehe die Tür hinter mir zu und wanke von dannen. Wanken ist der richtige Ausdruck. Meine Knie sind so weich, daß ich auf dem schmalen Steg fast ins Wasser falle.

Wie ich zurückkomme auf den kleinen Platz mit seinen drei kümmerlichen Bäumen, sehe ich weit und breit keinen Rolf. Nur vor dem Mäuerchen, auf dem er gesessen hat, liegt ein Haufen Zigarettenstummel. Dann entdecke ich, zwischen die Mauerritzen geklemmt, einen weißen Zettel.

Ich ziehe ihn heraus und lese: Bin zwei Ecken rechts von hier in der Kneipe.

Der hat die Ruhe weg. Während ich die aufregendsten Stunden meines Lebens verbringe, geht der einen trinken. Einen schönen Ritter habe ich mir da zugelegt.

Zwei Ecken rechts herum ist schon bei uns zulande eine vage Ortsbeschreibung. In Venedig hingegen ist es ein Irrgarten. Hier führen alle Wege im Kreise, scheint es. Ich lande zweimal wieder auf dem Platz und habe keine Kneipe gesehen. Auf dieser Seite des Canale Grande ist die Gegend so armselig und düster, als befände man sich noch in der Eiszeit. Die Häuser sehen aus, als wollten sie jeden Moment zusammenstürzen. Ein paar ungewaschene Kinder spielen auf der Straße, ab und zu kommt mal ein Einheimischer vorbeigeschlichen, und auf Mauern, Fensterbrettern und mitten auf der Straße liegen die Katzen und sonnen sich.

Rolf kann mir gestohlen bleiben. Ich werde jetzt mal sehen, ob ich nicht hier wegkomme, und dann schleunigst ins Hotel zurückkehren. Nicht mal ein paar Lire habe ich dabei, um mit dem Schiff zu fahren. Habe mich ganz auf den alten Burschen verlassen. Ich könnte ja noch eine Weile warten, vielleicht kommt er nochmals zurück, nach mir Ausschau halten. Würde sich eigentlich so gehören.

Und überhaupt fühle ich mich elend und zerschlagen. Ich setze mich auf die Mauer und starre abwesend vor mich hin. Eigentlich müßte ich nachdenken über das, was ich erlebt habe. Nachdenken vor allem über die komische Situation bei Cepranos. Aber im Moment ist mir alles wurscht. Ich bin müde. Und hungrig und durstig. Am allerliebsten möchte ich eine Zigarette haben. Niemals mehr begebe ich mich irgendwohin ohne Handtasche. Das soll wahr sein. Es muß schon allerhand passieren, bis ich einmal meinen Unternehmungsgeist verliere und bis alle Aktivität aus mir verschwunden ist. ›Umgekippt und ausgelaufen‹, sagt Jürgen immer, wenn man ihn nach seinem Verbleib fragt. Ach, Jürgen, dem wollte ich mal eine Karte schreiben, hab' ich ihm versprochen. Und ein paar anderen auch noch. Aber im Moment sitze ich hier auf der Mauer und bin unfähig, irgend etwas zu unternehmen. Hat mich doch sehr mitgenommen, da unten im Keller rumzugeistern.

Langsam wird mir wieder warm. Hier sitze ich bestens. Irgendwann wird Rolf schon mal vorbeikommen, und wenn nicht, ist es mir auch egal. Ich mag auch gar nicht mehr über die Affären derer von Ceprano nachdenken, ist mir gleichfalls egal. Die Sonne scheint mir auf den Bauch, mein blutiges Knie habe ich mit Spucke ein wenig gereinigt, aber es sieht immer noch ziemlich wüst aus. Mein Kleid hat auch einen Fleck abgekriegt, gerade vorne auf dem Rock. Marlise wird sich wundern. Wie meine Nase aussieht, weiß ich nicht, Spiegel ist hier keiner.

Eine schwarze Miezekatze ist neugierig näher gekommen, streicht um meine Beine und springt dann mit einem eleganten Satz auf die Mauer. Als ich beginne, sie am Kopf zu kraulen, läßt sie sich zufrieden schnurrend neben mir nieder.

Wenigstens schnurren die Katzen hier auch. Hört sich nicht anders an als bei uns.

»Aber sonst verstehst du nur Italienisch, wie?« frage ich sie.

Ich weiß nicht, wie lange ich hier so sitze, dann sehe ich plötzlich Rolf drüben über den Platz aus einer Gasse herauskommen. Na endlich!

»Da bist du ja«, sagt er, als er bei mir ist. »Warum bist du denn nicht nachgekommen?«

»Ich weiß doch nicht, wo du steckst.«

»Hast du den Zettel nicht gefunden?«

»Klar. Aber da hättest du einen Stadtplan dazulegen müssen. Ich hab' die dußlige Kneipe nicht gefunden.«

»Wie siehst du denn aus?«

»Wieso?«

»Na, deine Nase blutet. Und dein Knie. Bist du hingefallen?«

Langsam werde ich wieder munter. »Du ahnst ja nicht, was ich erlebt habe.«

»Wieso? Hat dir jemand was getan?«

»Nee, das nicht. Aber ich war drin. Im Palazzo. Und ich kann dir nur sagen: Da gehen seltsame Dinge vor sich.«

»Hast du Amelita getroffen?«

»Nee. Ich war nur im Keller.«

»Im Keller?« Er guckt mich an, als ob ich nicht alle Tassen im Schrank hätte.

»Oder im Basement, oder wie sie so was hier nennen. Und da...«, ich verstumme, mir kommt eine Idee. Wenn ich mit Rolf nochmals hineinginge? Die Tür ist ja offen. Eigentlich hätte ich gedacht, keine zehn Pferde bringen mich dahin zurück. Aber mit Rolf zusammen – das wäre was anderes. Da könnte man mal diese finstere Gestalt da unten im Keller näher besichtigen.

»Paß auf«, sage ich, doch ehe ich weiterreden kann, taucht drüben am anderen Ende des Platzes, da wo ich auch hergekommen bin, eine Gestalt auf. Ein helles Kleid mit roten Haaren darüber. Und das schon wohlbekannte Klappern der hohen Absätze höre ich auch. Pia Lanzotti. Sie kommt geradewegs auf uns zu. Auf just dem Wege, den ich vor ein paar Minuten oder Stunden, ich weiß es nicht mehr, auch gekommen bin. Natürlich hat sie uns gesehen. Und wenn sie wieder zu dem Türchen herausgekommen ist, dann hat sie auch gemerkt, daß die Tür offen war, daß der Riegel, den sie selbst vorgelegt hatte, zurückgeschoben war. Und jetzt sieht sie mich hier.

»Sei still«, kann ich Rolf gerade noch zuflüstern. »Da kommt sie. Kein Wort davon, daß ich im Palazzo war.«

Er macht ein dämliches Gesicht, was man ihm gar nicht übelnehmen kann, und dann ist Pia schon herangekommen.

Sie lächelt strahlend und sagt: »Ah, Signorina. Buona sera. Welche Überraschung!«

»Buono sera«, sage ich auch und grinse über das ganze Gesicht.

»Sie wollen besuchen uns?« fragt sie.

»Ich?« frage ich mit der unschuldigsten Miene, die ich zusammenbringen kann. »Wieso?«

Sie sieht mir gerade in die Augen. Ihr Lächeln verblaßt langsam, die großen schwarzen Augen werden schmal.

»Sie wollen nicht besuchen uns?« fragt sie noch einmal.

»Aber wieso denn?« frage ich erstaunt. »Wohnen Sie hier in der Nähe?«

»Ganz in der Nähe«, sagt sie. Dann blickt sie fragend auf Rolf.

»Herr Gassner«, sage ich, »ein Freund von mir. Signora Lanzotti.«

Rolf macht einen artigen Diener und sagt: »Sehr erfreut.«

Pia bedenkt ihn mit einem anmutigen Kopfnicken und wendet sich dann wieder an mich. »Aber was haben Sie gemacht? Sie haben sich verletzt?«

»Nicht weiter schlimm.« Ich deute vage in die Gegend. »Ich bin da vorn über eine Stufe gestolpert und hingeflogen. Jetzt sitze ich hier, um mich zu erholen. Wir haben uns nämlich verlaufen. Es ist nicht so einfach, sich hier in dem Gassengewirr zurechtzufinden. Neulich abends haben wir uns auch verlaufen. Drüben, in der Nähe vom Rialto. Finden sich denn die Venezianer hier überall zurecht? Ich stelle mir das schwierig vor. Mit all diesen Gassen und Gäßchen – und überhaupt, wissen Sie, wir sind das nicht gewohnt. Bei uns nämlich...« Ich rede und rede, als bekäme ich es bezahlt. Ich bin rot geworden unter dem prüfenden, mißtrauischen Blick der schwarzen Augen, der unverwandt auf mir liegt. Sie weiß genau, daß ich im Haus war. Sie hat die Tür offen gefunden, und nun trifft sie mich hier. Schließlich ist sie ein gerissenes Luder, sie wird sich leicht einen Reim machen können.

Aber sie sagt nur liebenswürdig: »Verlaufen? Das ist schlimm. Ich kann verstehen, daß es nicht ist leicht für einen Fremden, sich zu finden Weg in Venezia. Wenn Sie kommen mit mir, ich werde zeigen Ihnen den Weg.«

»Das ist sehr liebenswürdig«, sagt Rolf. »Vielen Dank.«

Er bekommt ein strahlendes Lächeln und lächelt bereitwillig zurück. Zu dritt gehen wir dann langsam weiter, in eine der kleinen Gassen hinein.

»Wie geht es der Contessa?« frage ich. »Ich habe sie gestern und heute nicht gesehen.«

»Sie ist weggefahren mit ihrem Bruder.«

»Weggefahren?«

»Ja. Auf das Gut hinaus. Es sind auch dort noch einige Dinge zu regeln.«

»Ach so.« Darum hat Amelita nichts hören lassen. »Wann kommt sie denn wieder?«

»Ich weiß nicht«, sagt die Signora. »In einigen Tagen, denke ich. Sie wird Sie dann sicher besuchen.«

Sie bleibt stehen und deutet mit der Hand in eine andere Gasse hinein. »Wenn Sie hier weitergehen und dem Pfeil folgen, kommen Sie zur Anlegestelle von Motoscafo. Sie können sich nicht mehr verlaufen.«

»Vielen Dank«, sage ich. »Kommen Sie nicht mit?«

»Nein, ich habe nur eine kleine Besorgung.«

»Vielen Dank«, sagt auch Rolf, und wir schütteln uns gegenseitig artig das Händchen.

»Einen schönen Gruß an Amelita«, sage ich. »Und sie soll was hören lassen, wenn sie zurück ist.«

»Ich werde bestellen. A rivederci.«

»Ciao«, sagt Rolf wie ein alter Italiener.

Die Signora lächelt noch mal, dann schreitet sie mit wiegenden Hüften von dannen.

Rolf blickt ihr nach. »Ganz flotte Puppe«, sagt er anerkennend.

»Kann man wohl sagen«, meine ich. »Die ist zu haben. Vielleicht verloben Sie sich zur Abwechslung mal mit der.«

Er greift erschrocken nach meinem Arm. »Aber Pony! So meine ich das doch nicht. Ich meinte es nur rein theoretisch. Und warum sagst du Sie zu mir?«

»Warum denn nicht?«

»Pony!« Er nimmt mich an beiden Armen und blickt mir mit Nachdruck in die Augen. »Bitte Pony, sei lieb. Wenn ich mich jemals wieder verlobe, dann nur mit dir.«

»Hochgeehrt«, sage ich. Und dann steigen mir plötzlich Tränen in die Augen. Zu albern. Ich weiß auch nicht, warum. Die Erlebnisse der letzten Stunden, der Aufenthalt in dem ollen Gemäuer da, haben anscheinend mein Nervenkostüm ziemlich zerrüttet. »Das fehlt mir gerade noch«, sage ich unliebenswürdig.

Und nun kullern mir wirklich zwei Tränen über die Wangen.

Rolf nimmt mich in die Arme und küßt mich zärtlich. »Pony, Liebling, was hast du denn? Was ist denn eigentlich passiert? Ich verstehe überhaupt nichts.«

»Ich auch nicht.« Einen Moment lang lege ich mein Gesicht an Rolfs breite feste Schulter. Tut direkt gut. So eine männliche Stütze ist wirklich was Brauchbares. Zum erstenmal kann ich richtig verstehen, warum eigentlich Frauen immer einen Mann wollen.

Ein Italiener, der vorbeigeht, ruft uns lachend etwas zu. Und wie ich aufschaue, sehe ich, daß auch noch andere Köpfe sich neugierig nach uns umdrehen.

»Komm«, sage ich.

»Wohin?« fragt er.

»Ins Hotel«, sage ich. »Auf dem schnellsten Wege. Ich muß mich irgendwohin friedlich in eine Ecke setzen. Ich brauche einen Kaffee oder einen Campari oder meinetwegen auch einen Grappa und vor allem meine Ruhe.«

Ruhige Stunde in der Hotelhalle

Erst nimmt mich Rolf mit in sein Zimmer und wäscht mir mit Kölnisch Wasser meine Nase und mein Knie ab. Brennt abscheulich, aber er meint, das müsse sein, wegen Desinfektion. Und dabei erzähle ich ihm, was ich erlebt habe.

Zunächst schimpft er. »Das ist ja ein himmelschreiender Leichtsinn. Einfach dort im Keller rumzusteigen. Du kannst dir den Hals brechen. Warum bist du nicht zurückgekommen und hast mich geholt?«

»Konnte ich doch nicht. Ich wußte ja auch nicht, daß es dort so dunkel und kompliziert ist. Ich dachte, es ist ein ganz normaler Eingang in das Haus.«

Übrigens hat Rolf die Signora schon vorher gesehen. »Als ich dort auf der Mauer saß und auf dich wartete, kam sie über den Platz. Und sie hat mich angesehen. Ich sie auch.«

»Na, dann glaubt sie mir sowieso kein Wort. Dann weiß sie, daß ich im Haus war. Und sie muß ja schließlich gemerkt haben, daß die Tür offen war.«

»Aber das sind doch alles Hirngespinste, Pony. Glaubst du denn wirklich, daß da unten jemand im Keller war?«

»Glauben? Ich weiß es bestimmt.«

»Aber das ist doch Blödsinn. Warum sollte sich jemand im Keller verstecken?«

»Aber ich sage dir doch, das ist ihr Komplice. Sie haben es auf die Rubine abgesehen. Sie wollen sie klauen.«

»Aber warum soll sie den Mann im Keller verstecken? Und überhaupt jetzt, da der Conte und Amelita verreist sind. Das ist doch unlogisch.«

Ist auch wieder wahr. »Das kommt mir alles reichlich spanisch vor«, murmele ich.

»Venezianisch«, verbessert mich Rolf. »Spanisch kannst du schlecht sagen. Aber wie dem auch sei, wir können nichts unternehmen, ehe Amelita zurück ist. Dann müssen wir ihr das natürlich erzählen.«

»Sollen wir nicht lieber zur Polizei gehen?«

Er guckt mich mitleidig an. »Zur Polizei! Wie denkst du dir das? Erstens können wir uns nicht verständlich machen, zweitens müßtest du dann zugeben, daß du in ein fremdes Haus eingedrungen bist, und drittens halten die bestimmt zu ihren Landsleuten, das kennt man doch. Da kann höchstens Amelita mit ihrem Bruder hingehen. Und bis sie zurückkommen, kann eigentlich nicht viel passieren.«

Das Telefon auf Rolfs Nachttisch klingelt. Es ist der Portier, der ihm mitteilt, daß Besuch in der Halle sei. Signor Kellermann. Peinlich! Jetzt ruft der Portier schon in aller Selbstverständlichkeit bei Rolf an, wenn nach mir gefragt wird. Na ja, er hat uns zusammen raufgehen sehen, er wird bei mir angeläutet haben, und da war keiner.

Rolf, der Knallkopp, sagt auch noch mit größter Ruhe: »Grazie, wir kommen sofort.«

»Das darfst du doch nicht sagen.«

»Was darf ich nicht sagen.«

»Wir. Wir darfst du nicht sagen. Da merkt der doch, daß ich bei dir im Zimmer bin.«

»Na und? Was glaubst du, was dem das ausmacht? Mein liebes Kind, hast du eine Ahnung von der Lebensperspektive eines Hotelportiers.«

»Aber du, was?«

»Gott sei Dank!« Er setzt sich neben mich auf die Sessellehne, schließt mich in die Arme und küßt mich. »Dabei sind wir so brav. Geradezu unanständig brav. Sag mal, Pony, nur eine kleine Frage, fällt mir gerade ein: Bist du schon einmal mit einem Mann allein in einem Hotelzimmer gewesen?«

Zweifellos ist das eine ebenso überflüssige wie unverschämte Frage. Jederzeit sonst hätte ich vermutlich eine kesse Antwort darauf gewußt. Heute, in meinem derangierten Zustand, sage ich schlicht und einfach die Wahrheit. »Nein. Warum?«

»Schon gut. Ich dachte nur gerade...« Er sieht mich an, da von oben, von der Sessellehne her, sehr lieb und zärtlich sieht er mich an. »Pony, Süßes. Liebst du mich?«

Das ist eine Frage! Da sieht man wieder mal, wenn eine Frau nur ein bißchen mitgenommen ist und sich schwach fühlt, gleich will ein Mann Geständnisse aus ihr herausholen.

»Lieben?« sage ich ruppig. »Dir ist wohl nicht gut. Erst muß ich Kaffee trinken. Und überhaupt – so was fragt man nicht.«

»Warum denn nicht?«

»Weil man es eben nicht tut.«

»Wenn ich dich doch aber liebe, Pony? Dann möchte ich doch gerne wissen, was du darüber denkst. Hm?« Er beugt sich herab und küßt mich.

Aber ich schiebe ihn energisch beiseite und stehe auf. »Nun ist Schluß«, sage ich. »Jetzt gehen wir.«

»Es ist doch sehr nett hier.«

»Du hast doch gehört, daß Margit und ihr Mann unten sind.«

»Die können ruhig ein bißchen warten.«

Er legt beide Arme um meine Hüften und zieht mich heran. »Pony! Sag doch mal...«

Aber was immer ich auch sagen sollte, ich könnte es gar nicht. Er küßt mich, daß mir die Luft wegbleibt. Und dann – nein, ich kann das nicht näher beschreiben. Er streichelt mich und wird ein bißchen zu zärtlich, und, lieber Himmel, so was bin ich nicht gewohnt. Ich bin noch nicht so lange erwachsen, und jetzt will ich hier weg.

Ich reiße mich los und rette mich zur Tür.

»Warte doch«, sagt er, »wir müssen noch ein Pflaster

auf dein Knie kleben.« Er kommt mir nach und zieht mich wieder an sich. »Hast du denn Angst vor mir?«

»Angst«, sage ich, »pöh! Warum soll ich denn Angst haben? Aber das – das geht doch nicht.«

»Warum denn nicht? Findest du nicht, daß wir gut zusammenpassen? Ich hab' dich wirklich lieb, Pony.«

»Ja, kann sein. Ich weiß es nicht. Ich weiß überhaupt nicht, ob man so schnell jemanden liebhaben kann. Wo du doch eben erst eine andere heiraten wolltest.«

»Fang doch nicht wieder davon an. Das habe ich längst vergessen.«

»Da siehst du ja, was an deiner sogenannten Liebe dran ist. Komm, wir gehen jetzt.«

»Na schön«, seufzt er. »Aber erst das Pflaster.« Er dreht sich um und beginnt in seinem Koffer zu kramen. »Setz dich.«

Er pappt mir ein Riesending auf mein zerschundenes Knie und dann noch ein kleines Ende auf die Nase. »Na, ich muß ja witzig aussehen«, sage ich und strebe zum Spiegel.

»Goldig siehst du aus. Hübsch wie immer. Bißchen abenteuerlich vielleicht, aber das steht dir gerade. Abenteuer einer jungen Dame in Venedig. Trifft den Mann ihres Lebens und enthüllt düstere Geheimnisse in einem alten Palazzo. Stell dir vor, Pony, noch bei unserer Silberhochzeit können wir unsere Enkel damit unterhalten.«

Unwillkürlich muß ich lachen. Irgendwie gefällt mir dieser Rolf ganz gut. Er hat Witz und Humor, und so betrachtet würden wir vielleicht wirklich ganz gut zusammenpassen. Ich habe es auch ganz gern, wenn er mich küßt. Aber – na ja, genau weiß ich es auch nicht. Auf jeden Fall wird es Zeit, daß ich hier aus dem Zimmer rauskomme. Am Ende verlobe ich mich wirklich noch.

»Enthüllt habe ich noch gar nichts«, sage ich. »Bis jetzt sind die Geheimnisse noch alle sehr geheimnisvoll.«

»Kann sich bloß noch um 'ne Kleinigkeit handeln. Sobald die Geschwister zurück sind, werden wir sie aufklären, das übrige ist dann ihre Sache. Geht uns nichts mehr an. Dann werden wir uns bloß noch überlegen, wohin wir unsere Hochzeitsreise machen. Venedig brauchen wir nicht mehr. Das kennen wir jetzt.«

»Was dich betrifft«, sage ich, »so wäre es vielleicht ganz witzig, wenn du deine Hochzeitsreise das nächste Mal mit einer Frau machst.«

»Pony! Du sagst also ja?«

»Ich? Wer redet denn von mir? Nun komm schon, was soll bloß Margit von uns denken?«

»Margit ist eine glückliche junge Frau. Die kann dir höchstens zureden. Hast du nicht gehört, was sie gestern gesagt hat? Die Ehe ist was Wunderbares.«

»Kann sie gar nicht wissen. Nach fünf Tagen.«

»Sechs.«

»Na schön, sechs. Weiß sie auch noch nichts. Und schließlich ist der kleine Kellermann was Liebes.«

»Ich vielleicht nicht?«

»Du bist ein Filou, fürchte ich.«

»Filou«, sagt Rolf mißbilligend, »solche anrüchigen Fremdwörter möchte ich aus deinem Mund nicht hören. Weißt du denn überhaupt, was das ist?«

»Ich bin ja nicht von gestern.« Damit bin ich endlich an der Tür und mache sie auf. »Entweder du kommst mit, oder ich gehe allein.«

»Ich komme. Aber warte nur, wir werden uns schon noch einig.«

»Sicher. Muß ja nicht gerade heute sein.«

Auf der Treppe fällt mir ein, daß ich mir die Lippen hätte nachziehen sollen, Mädchen ohne Lippenstift an der Seite eines Mannes ist immer verdächtig. Soviel weiß ich auch schon.

Margit und Kellermann sitzen unten und warten geduldig.

»Wo bleibt ihr denn so lange?« fragt Margit vorwurfsvoll.

»Ich habe Pony verarzten müssen«, erzählt Rolf.

»Um Gottes willen, was hast du denn gemacht?« ruft Margit erschrocken und betrachtet mein Pflaster.

»Aufgeschabt«, knurre ich. Marlise wird mich das nachher auch fragen. Muß ich mir noch überlegen, was ich ihr erzähle. »Und nun hör auf davon. Ich muß unbedingt einen Kaffee trinken. Wenn man hier nur einen anständigen Kaffee bekäme, nicht nur das olle schwarze Zeug.«

»Trinken Sie doch einen Cappuccino, Pony«, rät Kellermann, »der schmeckt ganz gut.«

»Ist eigentlich schon zu spät zum Kaffeetrinken«, sagt Margit. »Es gibt gleich Abendbrot.«

»Mir egal. Ich will jetzt endlich Kaffee.«

Rolf bestellt also vier Cappuccino.

Kellermann hat auch was unternommen. »Ich habe meinen Freund Borelli angerufen. Von dem ich euch erzählt habe. Ich treffe ihn morgen abend. Er ist ein echter Venezianer. Vielleicht kann er mir etwas berichten, was Sie interessiert, Pony.«

»Das ist prima. Morgen abend erst? Warum nicht heute?«

»Heute hat er schon was vor. Jetzt sagen Sie mir bloß mal die Namen.« Er zieht ein Notizbuch aus der Tasche und sieht mich erwartungsvoll an. »Also, wie heißen die Leute?«

»Ceprano. Conte Ceprano. Und diese Frau heißt Lanzotti. Pia Lanzotti.«

Kellermann schreibt sich sorgfältig alles auf. »Werden wir mal sehen, was wir da herauskriegen.«

»Rolf kennt sie jetzt auch«, sage ich, »die schöne Pia. Er war ganz entzückt von ihr. Sie ist ganz sein Typ.«

»Pony ist eine unverschämte Lügnerin«, sagt Rolf, »ich werde mich entloben.«

Margit stößt einen begeisterten Juchzer aus. »Seid ihr denn verlobt?« Offenbar erscheint ihr das erstrebenswerteste Ziel auf Erden, wenn nicht verheiratet, dann wenigstens verlobt zu sein.

»Verlobt!« sage ich verächtlich. »Ich verlobe mich überhaupt nicht. So was Spießiges paßt nicht zu mir. Im alleräußersten Notfall verheirate ich mich. Grundsätzlich aber ziehe ich ein Verhältnis vor.«

Alle drei blicken mich mißbilligend an.

»Aber Pony!« meint Margit vorwurfsvoll. »Wie du redest! So etwas sagt man doch nicht. Wenn das jemand hört!«

»Wer ist man?« frage ich. »Soll ich das vielleicht sein? Ich sage immer, was ich denke, ich bin keine Heuchlerin.«

Rolf schüttelt tief bekümmert den Kopf. »Ich bin außer mir«, stellt er fest.

»Da kannst du noch 'ne Weile bleiben. Beguck dich aber genau, damit du siehst, wie du auf die Leute wirkst.«

Kellermann will sich totlachen. »Ein selten freches Stück, diese Pony. Wenn ich denke, daß ich an der Aufzucht pädagogisch beteiligt war, dann müßte ich meinen Beruf eigentlich aufgeben.«

»Trösten Sie sich, Herr Lehrer«, sage ich. »Sie trifft keine sehr große Schuld. Die paar Monate, die Sie mich pädagogisiert haben, fallen gar nicht ins Gewicht. Zumal Sie sich zu jener Zeit vornehmlich mit *einer* Schülerin beschäftigt haben. Mit Ihrer Lieblingsschülerin.« Ich strecke einen spitzen Zeigefinger aus und weise auf Margit.

So geht das Geplänkel zwischen uns noch eine Weile hin und her. Aber wenn ich ehrlich sein soll, dann muß ich zugeben, daß ich nur mit halbem Herzen bei der Sache bin. Die Erlebnisse des Nachmittags haben meine Nerven doch ziemlich angegriffen. Ich fühle mich hundemüde. Am liebsten würde ich postwendend ins Bett gehen. Die Wunden auf meiner Nase und auf meinem Knie brennen. Sehr attraktiv wirke ich sicher nicht mit dem Pflaster auf der Nase. Ich merke, wie die Leute immer darauf schauen.

Natürlich stellt auch Marlise eine erstaunte Frage, als sie kurz darauf erscheint. Ich murmle was von über eine Stufe gestolpert und hingeflogen, und sie macht: »Ts! Wie ein kleines Kind. Ob du wohl mal erwachsen wirst. Komisch, ich fliege ja auch nicht hin.«

»Komm nur wieder runter von dem Kirchturm. Kann dir auch mal passieren. Da haben schon weitaus bedeutendere Leute als du mal die Nase in den Dreck gesteckt.«

»Na ja«, sagt sie schmerzlich, nickt dazu bedeutungsvoll mit dem Kopf wie eine hundertjährige Großmutter und blickt der Reihe nach mit ausdrucksvoller Miene Rolf, Margit und Kellermann an, als müsse sie von ihnen bestätigt haben, was für ein unmögliches Mädchen ich nun mal sei und bleibe.

Rolf grinst, Margit macht ein verlegenes Gesicht, und Kellermann bemüht sich um eine würdige Miene, obwohl er ein Lachen kaum verbeißen kann.

»Ich gehe mich jetzt umziehen«, verkündet meine Schwester hoheitsvoll. »Wir sind heute zum Essen bei Brettschneiders in ihrem Hotel eingeladen. Ich wünsche, daß du mich begleitest.« Und damit entrauscht sie.

Wir schauen ihr alle vier fasziniert nach. Also wirklich, manchmal imponiert sie mir. Ihre Geistesgaben sind bescheiden, aber sie hat eine gewisse Art des Auftretens und ein unnachahmliches Talent, sich in Szene zu setzen und zur Wirkung zu bringen. Ist vermutlich für eine Frau viel wert. Sie kann es noch weit bringen.

Und um ehrlich zu sein: Sie sieht herrlich aus. Die nackten Schultern und das hübsche Gesicht goldbraun verbrannt und dazu das leuchtendblonde Haar. Es würde mich nicht wundern, wenn sie sich eines Tages von dem guten Eugen scheiden läßt und einen Multimillionär heiratet. Der würde zu ihr passen. Und sie würde auch in so ein Leben passen. In so ein Filmleben, meine ich.

Margit sagt in stiller Bewunderung: »Eine bildschöne Frau.«

Kellermann löst seinen Blick von der Fahrstuhltür, hinter der Marlise entschwunden ist, und blickt seine Frau zärtlich an. Er sagt nichts, aber ich weiß, was er denkt. Er denkt: Du gefällst mir besser, kleiner Spatz.

Und auch das hat seine Berechtigung. Es ist ulkig mit den Frauen. Das schöne Bild, der großartige Auftritt allein tun es nicht. Irgend etwas anderes kommt dazu, etwas Unnennbares, Unsichtbares, und das ist es wohl, was ein Mann liebt. Margit hat es ganz bestimmt, auf ihre Weise. Vielleicht habe ich es auch, auf meine Weise eben. Ich weiß nicht.

Ich schaue mir meinen derzeitigen Verehrer an. Er macht ein ausgesprochen dußliges Gesicht. Als er meinen Blick bemerkt, sagt er: »Und ich? Bin ich nicht eingeladen?«

»Es war nicht die Rede davon«, erwidere ich ein wenig boshaft. »Wie es scheint, mußt du deinen Abendbummel heute allein machen. Vielleicht zur Abwechslung mal wieder in treuem Gedenken an Lola.«

Er schaut mich nur vorwurfsvoll an und gibt keine Antwort. Ein bißchen tut er mir leid, aber nur ein bißchen. Man muß die Männer nicht verwöhnen. Er kann ruhig mal wieder einen Abend allein verbringen, schadet ihm gar nichts.

»Tja«, sage ich, »dann werde ich mich mal umziehen gehen. Besonders umwerfend werde ich heute abend sowieso nicht aussehen mit meinen Lädierungen.«

»Schön«, sagt Kellermann, »und wir gehen jetzt auch in unser Hotel, Spatz. Es wird Zeit zum Abendessen.«

»Sehen wir uns morgen am Strand?« fragt Margit.

»Sicher«, sage ich.

»Nein«, sagt Rolf, »morgen fahren wir nach – nach –

wie hieß das Nest doch gleich? Wo diese Teresina jetzt wohnen soll?«

»Fahren wir morgen dahin?« frage ich.

»Auf jeden Fall. Wir hatten es doch vor.«

»Ohne Amelita?«

»Ohne Amelita. Falls sie sich bis dahin nicht meldet. Ich dachte, daß Sie beide uns begleiten könnten«, sagt er zu Kellermann und Margit gewendet, »Sie sprechen doch sehr gut Italienisch, Herr Kellermann, und können sich sicher mit Teresina verständigen. Das, was wir wissen wollen, erfahren wir bestimmt.«

»Ob sie uns das sagt?« zweifle ich. »Schließlich sind wir Fremde für sie.«

»Das werden wir ja sehen. Vielleicht nehmen wir sie einfach mit hierher. Wenn sie Amelita so liebhat, wird sie sie bestimmt gern sehen wollen. Wird sich alles finden. Auf jeden Fall habe ich ganz gern wieder mal eine olle ehrliche Straße unter mir und nicht bloß immerzu Wasser. Willibald wird sich auch freuen, mich zu sehen.«

»Wer ist Willibald?«

»Mein Wagen. Lieber Kerl. Er muß sich schon ganz verlassen vorkommen da auf dem fremden Parkplatz.«

»Kann ich mir vorstellen. Wird mich freuen, Willibalds Bekanntschaft zu machen.«

»Das dürfte ganz auf Gegenseitigkeit beruhen.«

Und so ist also alles abgemacht, das Programm für den nächsten Tag steht fest.

Ausflug nach Ronchiote

Willibald entpuppt sich als ein taubengrauer Mercedes, der von seinem Herrn mit warmen Blicken und zärtlichen Händen begrüßt wird. Es wundert mich geradezu, daß Willibald zur Erwiderung nicht freudig wiehert. Kurz darauf schnurrt er vergnügt und munter und wie es scheint sehr angetan von dem Ausflug über die Brücke nach Mestre hinüber.

Es ergibt sich, daß Ronchiote auf Rolfs Straßenkarte nicht verzeichnet ist. Es muß wohl ein sehr kleines Nest sein. In Mestre gehen wir daher lieber erst mal in den Bahnhof und erkundigen uns, wohin wir fahren sollen. Auch hier hat keiner eine Vorstellung, wo das Dorf nun eigentlich liegt. Bahnstation ist es jedenfalls nicht.

Schließlich ermittelt man, daß es offenbar in dem Gebiet oberhalb Pordenone liegt, in Richtung auf das Gebirge. Möglicherweise auch mehr auf Udine zu.

Mit dieser ungewissen Ortsbeschreibung fahren wir ab.

Die Fahrt macht uns allen Spaß. Rolf fährt sicher und gewandt, in flottem Tempo, doch nicht leichtsinnig, vor allem gleichmäßig und stetig. Das befriedigt mich. Ich finde, man kann einen Menschen sehr gut danach beurteilen, wie er Auto fährt. Wenn man beruhigt und friedlichen Gemütes neben einem Mann sitzen kann, der den Wagen lenkt, dann kann man eigentlich annehmen, daß selbiger Mann auch in den übrigen Situationen des Lebens sicher das Steuer führen wird.

Dann muß ich mich ein bißchen über mich wundern. Was für Gedanken! Es muß diese Hochzeitsreiseatmosphäre von Venedig sein, daß ich auf so blödsinnige Ideen komme. Will ich denn diesen Rolf am Ende wirklich heiraten? Gott bewahre! Ich kenne ihn gerade ein paar Tage. Und überhaupt – erst muß ich mal was vom Leben haben. Zehn Jahre Junggesellenzeit, so habe ich mir das vorgestellt. Na schön, sagen wir fünf oder sechs, langt vielleicht auch. Aber die muß ich einfach haben. Schließlich muß ich mich doch später mit einigem Genuß an meine Jugend erinnern können. Aber so lange wird Rolf sicher nicht warten, der hat es wichtig mit dem Heiraten.

Wartet er eben nicht, auch gut. Jedenfalls kann er nicht von mir verlangen, daß ich auf allen Spaß verzichte. Er hat ja seinen auch gehabt.

Ich sehe ihn verstohlen von der Seite an. Hm, er sieht gut aus, wie er da so sitzt, in lässiger, aber guter Haltung. Sein Profil ist auch ganz gut geraten, die Nase nicht zu klein, die Stirn nicht sehr hoch, aber gerade und gut geformt, die lustigen Mundwinkel, die blauen Augen, die jetzt konzentriert auf die Straße gerichtet sind. Sein blondes Haar weht ein wenig im Wind. Nichts gegen zu sagen. Er gefällt mir eigentlich. Er ist mir sogar schon vertraut. Sein Mund hat mich geküßt. Seine Hände haben mich festgehalten. Es waren beides angenehme Gefühle. Hm, was macht man bloß?

Er hat meinen Blick gespürt, wendet den Kopf ein wenig, und unsere Blicke treffen sich.

»Nun, meine Süße?« fragt er. »Du betrachtest mich so prüfend. Hat irgend etwas dein Mißfallen erregt?«

Ohne zu überlegen, erwidere ich: »Im Gegenteil.«

Es hat ernster geklungen, als er es sonst von mir gewohnt ist. Wohl aus meinen ernsthaften Gedanken heraus. Er schaut mich noch einmal kurz an, fragend und prüfend jetzt auch er, und seine Stirn rötet sich ein wenig. Er sagt nichts mehr. Aber nach einer kleinen Weile, auf einer geraden, freien Strecke, kommt seine rechte Hand, streichelt mein Knie und legt sich dann fest um meine linke Hand.

Das ist einerseits ganz schön und direkt bedeutungsvoll, aber andererseits macht es mir auch wieder angst.

Mein Gott, in was schliddere ich da hinein! So ernst meine ich es ja nun auch wieder nicht. Oder doch? Ich weiß selber nicht. Es ist so furchtbar schwierig, sich über seine eigenen Gefühle klarzuwerden. Vielleicht wenn man eine richtige Frau ist, ich meine, wenn man einen Mann richtig liebt, so mit allem, was dazugehört, vielleicht weiß man es dann genauer. Aus Küssen und Streicheln und fröhlichen Plänkeleien allein addiert sich wohl doch keine Liebe zusammen. Es muß noch etwas hinzukommen.

Jetzt habe ich also wirklich an Liebe gedacht. Nein, das geht entschieden zu weit. Von Liebe ist hier nicht die Rede. Ein wildfremder Mensch. Aber ein Fremder ist so ein Mann anfangs immer. Trotzdem – es wäre ja Blödsinn, wenn ich mir selber nun einreden würde, ich liebe diesen Rolf.

Ich versuche vorsichtig, meine Hand unter seiner fortzuziehen, aber er hält mich fest. Ich gebe nach. Es ist ein hübsches Gefühl. Doch dann kommt eine Kurve, und er muß wieder beide Hände ans Steuer nehmen.

Ich wende mich den beiden zu, die hinter uns sitzen. Na ja, die passen nicht schlecht in meine Gedanken. Sie sitzen ganz ungeniert Hand in Hand dicht nebeneinander, Schulter an Schulter, und Margit sieht so süß und glücklich aus, daß es einen anderen geradezu rühren kann. Sie ist wirklich die leibhaftige Reklame für das Eheleben. Oder für die Liebe. Wie man's nimmt. Von Ehe kann man ja bei den beiden Neulingen noch nicht reden.

»Na, ihr zwei Hübschen«, sage ich, »wie geht's?«

»Wunderbar«, seufzt Margit.

Kellermann, stellt sich heraus, ist doch nicht ganz so wunschlos glücklich wie sein Eheweib. Ein Wunsch schlummert verborgen in seinem Busen, und er offenbart ihn uns jetzt. Einen Wagen würde er auch verdammt gern haben. Es brauchte ja nur ein kleiner zu sein, nicht so ein schöner wie der hier. Aber so ein bißchen rausfahren zum Wochenende und mal eine Reise machen, na und eben überhaupt.

»Das ist doch kein unerfüllbarer Wunsch«, meint Rolf. »Heutzutage auch für einen Lehrer nicht mehr. Und bei Ihnen lohnt sich der Wagen doch. Wenn ich denke, wieviel Ferien so ein Lehrer hat!« Er seufzt sehnsüchtig.

Kellermann lacht und meint, so gewaltig sei es ja nun auch wieder nicht, aber immerhin, es bestände doch immer mal wieder die Möglichkeit, eine kleine Reise zu machen. Es gäbe ja noch so viel zu sehen, so viele Schönheiten böte die Welt, die man nicht kenne. Auch in der Heimat, man brauche gar nicht weit zu fahren. Und da sie doch nun mal in München lebten, in dieser Stadt mit ihrer herrlichen Umgebung von Wäldern, Seen und Bergen, wo sich aus der knappsten Freizeit soviel machen lasse, also, da sei ein Wagen wirklich ein Gottesgeschenk.

Margit blickt ihren Teuren ein wenig zweifelnd, ein wenig bewundernd, aber auch ein wenig eifersüchtig von der Seite an.

»Daß dir soviel daran liegt«, sagt sie mit einem kleinen Vorwurf in der Stimme.

Er lacht etwas verlegen. »Soviel wieder auch nicht, Spatz. Ich meine ja nur. Es ist mir auch deinetwegen. Würde es dir denn keinen Spaß machen? Dein Vater hat doch auch einen Wagen.«

»Na ja, schon. Das halbe Jahr, das ich ihn noch genossen habe. Aber abgesehen davon wäre ein Wagen natürlich ganz nett. Wird sich vielleicht auch machen lassen. Ich habe dir ja gesagt, daß ich arbeiten will. Aber du willst ja nicht.«

»Nein, ich will auch nicht.«

Auf diese Weise erfahren wir nun von dem derzeit einzigen Konflikt, der die Herzen der jungen Liebenden benagt. Kellermann hat eine Stellung an einer Münchner Oberschule für Mädchen. Seit damals schon, seit Pensionat ›Franzenshöh‹ platzte. Er fühlt sich sehr wohl dort,

München liebt er heiß und innig. Obwohl er Norddeutscher ist, möchte er nie mehr weg. »Die Atmosphäre«, schwärmt er, »die wundervolle Oper, die Theater, die Konzerte, überhaupt das kulturelle Leben. Und dann diese lichte, heitere Stadt unter ihrem weißblauen Himmel. Allein wenn man aus dem Hofgarten kommt und auf den Odeonsplatz hinaustritt, im Frühling, wenn der Himmel seidenblau ist und die erste Sonne scheint, die Tauben fliegen um die Theatinerkirche, um diesen herrlichen, festgefügten, so gottseligen Barockbau, wie er eben nur in München, dieser Stadt der Lebensfreude, stehen kann. Und zwischen der Kirche und der Feldherrnhalle schauen die beiden Türme der Frauenkirche wie aufmerksame Hüter herüber. Und wenn man dann nach rechts schaut, in König Ludwigs breite, klarlinige Straße, die heute noch jeden modernen Städtebauer beschämt, wenn man dort steht und nicht weiß, wohin man sich lieber wenden soll, nach links in das geschäftige Treiben der Innenstadt oder nach rechts, um in genußvollem Schreiten das Siegestor vor sich wachsen zu sehen und dahinter dann Schwabings amüsanten Boulevard entlangzuspazieren, ja, allein von diesem Standort aus wächst meine Liebe zu München jedesmal ein Stückchen mehr.«

Wir haben alle drei andächtig gelauscht. Jetzt sage ich: »Man merkt wirklich, daß Sie ein Dichter sind, Kellermännchen. Das war wie aus einem Prospekt über Bayerns Hauptstadt. Übrigens scheint dort durchaus nicht immer die Sonne, und der Himmel ist auch nicht ständig weißblau. Als ich das letztemal dort war, goß es in Strömen.«

Und Margit sagt, schon wieder mal von Eifersucht geplagt: »Du schwärmst ja geradezu, Putz. Was liebst du nun eigentlich mehr? Mich oder München?«

»Vergiß das zukünftige Auto nicht«, werfe ich ein. »Bereits jetzt schon ein dreigeteiltes Herz. Das kann ja heiter werden.«

Aber Kellermann legt den Arm um Margits Schulter,

zieht sie sanft zu sich hinüber und küßt sie auf die Schläfe. »Dich, mein kleiner Spatz. Dich am aller-allermeisten. Doch du verstehst, warum ich München liebe, nicht wahr? Ich habe dir ja schon vieles gezeigt. Und es hat dir doch auch gefallen.«

»Natürlich«, erwidert Margit.

»Und du freust dich, daß wir in München leben, nicht wahr? Hast du doch gesagt.«

»Ich freue mich. Mir gefällt München gut. Es tut mir nur leid, daß ich so weit von Mutti fort bin.«

»Sie kann uns oft besuchen. Sie hat ja jetzt Zeit.«

»Arbeitet deine Mutti nicht mehr?« frage ich.

»Nein«, antwortet Margit. »Aber ich möchte gerne arbeiten. Und das will er nicht.« Sie versetzt ihrem Herrn Gemahl einen leichten Schubs.

»Nein, will ich auch nicht«, bestätigt Kellermann. »Muß ja nicht sein. Es reicht für uns beide, was ich verdiene. So ein Luxusleben führen wir nicht.«

»Wenn du doch aber ein Auto haben willst?...« sagt Margit herausfordernd.

Ja, also darüber streiten sich die beiden Glücklichen. Margit hat das Abitur bestanden. Kurz darauf hat sie geheiratet. So weit, so gut. Sie hätte auch durchaus nichts dagegen, eine Zeitlang nichts zu tun. Aber dann, so hat sie sich das gedacht, könnte sie doch ein bißchen zu ihrem Lebensunterhalt beitragen.

»Das Leben ist so teuer heutzutage«, erklärt sie uns. »Und einmal müssen wir auch eine eigene Wohnung haben. Und die möchte ich mir richtig schick einrichten. Mit allen Schikanen. Nicht auf einmal, aber so nach und nach.« Bis jetzt wohnen sie bei einer älteren Studienratswitwe, an die Kellermann durch einen Kollegen von der Schule geraten ist. Die alte Dame beherbergt nämlich immer nur Kollegen ihres Seligen. Dort haben sie zwei Zimmer.

»Soweit ganz nett und ordentlich«, meint Margit, »nichts gegen zu sagen. Bißchen altmodisch eben.«

»Aber doch gemütlich«, wirft Kellermann ein.

»Sicher doch, gemütlich. Aber altmodisch. Nicht mein Geschmack.«

So ein Lämmchen ist Margit nun wieder auch nicht. Sie hat ihren eigenen Kopf, und wenn etwas drin steckt, dann steckt es drin. Und dann wird sie es auch in die Tat umsetzen. Sie müßte keine Frau sein. Im Geiste sieht sie vermutlich die hübsche eigene Wohnung schon vor sich. Nicht altmodisch, sondern modern und richtig schick eingerichtet. Kann man schon verstehen.

»Aber eine Wohnung ist sehr teuer«, fährt Margit fort. Offensichtlich ist sie bei ihrem Lieblingsthema angelangt. »Ihr wißt es ja selbst, was man so alles zahlen muß. Zuschuß oder Mieterdarlehen, und die Miete ist auch sehr hoch. Zu klein darf sie nicht sein. Putz arbeitet ja viel zu Hause, und Mutti muß auch mal zu Besuch kommen können. Heizung muß natürlich da sein. Und möglichst auch ein Balkon.«

Kellermann wird es wohl angst und bange, denn er wirft beschwörend ein: »Später, Kind, später.«

»Natürlich später«, sagt Margit, »weiß ich ja. Aber nicht so spät, wie du denkst. Wenn ich mitverdienen würde, ginge es schneller.«

»Das finde ich eigentlich auch«, sage ich, »warum soll sie denn nicht arbeiten. Ist sie dafür so lange in die Schule gegangen, daß sie sich jetzt auf die faule Haut legt? Sie wird sich totlangweilen. Soll sie immer nur bei der Witwe in der Küche sitzen und den Klatsch über die Nachbarn hören? Bißchen Zimmer aufräumen, soviel Unordnung werdet ihr ja nicht machen. Essen kochen für zwei Personen ist auch nicht so gewaltig. Socken stopft man heutzutage nicht mehr. Dann kann sie allenfalls noch lesen, konditern gehen oder ins Kino. Kann man auch nicht pausenlos jeden Tag machen. Ich fürchte, lieber Kellermann, Ihre Frau würde sachtemang verblöden bei diesem Lebenswandel. Daran kann Ihnen doch eigentlich nicht liegen.«

»Siehst du, siehst du«, jauchzt Margit beglückt, »genau, was ich immer sage, ganz genau dasselbe. Ich bin so froh, daß ich dich getroffen habe, Pony. Da sieht er wenigstens mal, daß ich nicht allein so denke.« Sie umfaßt mich von hinten, dreht meinen Kopf herum, daß ich meine, sie bricht mir das Genick, und verpaßt mir einen herzhaften Kuß. Rolf neben mir lacht. Er hat bis jetzt in die Unterhaltung nicht eingegriffen, ist nur brav vor sich hin gefahren. Nun sagt er: »Ist schon was dran, Herr Kellermann. Diese Frauen und Mädchen von heute sind mit so ein bißchen Hausfrauendasein nicht ausgefüllt und auch nicht befriedigt davon. Dazu sind sie zu gescheit und aufgeschlossen. Sie wollen zeigen, was sie können, wollen sich bewähren. Und daran sollte man sie vielleicht nicht hindern. Es sei denn, nun ja – es sei denn, man vergrößert die Familie. Dann löst sich dieses Problem von selbst.«

»Das eilt ja nicht so«, wehrt Margit verlegen ab.

Kellermann schaut nachdenklich und ein wenig unzufrieden drein. Seine Vorstellung von einer Margit, die treulich seiner harrend am Fenster steht und ihn in die liebenden Arme nimmt, wenn er nach Hause kommt, ist wohl zu schön, um so rasch abgebaut werden zu können.

»Ich sehe nicht ein, wozu«, knurrt er. »Es reicht für uns beide. Warum soll sich meine Frau im Existenzkampf herumschlagen, all die Schwierigkeiten bestehen, die ihr dort begegnen würden. Ich bin der Meinung, es schadet der Frau, schadet ihrer Weiblichkeit.«

»Na, mit dieser Meinung sind Sie aber noch sehr von gestern«, sage ich. »Das könnte unser Freund, der Conte, gesagt haben. Ich finde immer, den Frauen bekommt es sehr gut, wenn sie was tun. Schauen Sie sich doch die Nur-Hausfrauen mal an. Die berufstätigen Frauen sind meist hübscher. Und amüsanter um sich zu haben sind sie auch. Arbeit und das, was Sie Existenzkampf nennen, hält eine Frau lebendig und jung.«

»Ihre Schwester arbeitet ja auch nicht«, wendet Kellermann ein, »und sie ist doch wirklich hübsch genug.«

Sieh da, auch auf den braven Kellermann verfehlt Marlise ihre Wirkung nicht.

»Hübsch schon. Aber amüsant ist sie ganz gewiß nicht. Und außerdem ist Marlise so eine richtige Luxusfrau. Sie ist geschaffen für dieses Leben in Glanz und Gloria. Sie hat sich nie was anderes gewünscht. Nebenbei hat sie ja auch ein großes Haus zu führen, viele Gäste und so, das beschäftigt sie immerhin ein bißchen.«

»Hat sie eigentlich keine Kinder?« will Margit wissen.

»Nein.«

»Warum nicht?«

»Weiß ich doch nicht. Vielleicht wollen sie nicht oder können nicht. Er hat zwei aus erster Ehe, die sind bei der Mutter.«

»Ach, er ist geschieden?«

»Ja. Aber nicht wegen Marlise. War er schon, als sie ihn kennenlernte. Und was Marlise betrifft, so ist sie sehr zufrieden mit ihrem Leben. Friseur und Kosmetik, Mode und Partys und so was alles. Mir wäre das auf die Dauer zu blöd. Ich täte mich zu Tode langweilen.«

»Was willst du denn eigentlich machen, Pony?«

»Tja«, peinliche Frage. »Irgend etwas Lebendiges. Ich wollte immer ganz gern Journalistin werden. Herr Federmann meint auch, daß mir das liegen würde, und er ist dafür, daß ich mal ein paar Semester Zeitungswissenschaft studiere. Er ist für eine solide Grundlage. Offen gestanden habe ich eigentlich für eine Weile genug vom Lernen.«

»Lernen muß man immer erst«, belehrt mich Kellermann, »ehe man Geld verdienen kann.«

»Mir bekannt«, sage ich. »Am allerliebsten möchte ich ja Schauspielerin werden.«

»Doch nicht im Ernst?« fragt Margit erschrocken.

Und Rolf läßt bald das Steuer los vor Entsetzen. »Pony! Nein! Das darfst du mir nicht antun!«

»Wer redet denn von dir«, brumme ich ihn an. »Hier stehen meine Talente zur Debatte.«

»Wann entscheidet sich denn das nun?« will Kellermann wissen.

»Ganz demnächst. Nach den Ferien. Ich denke schon immerzu darüber nach.«

Ist gar nicht wahr. Habe schon tagelang nicht mehr daran gedacht. Mir fehlt's eben wohl doch an der sittlichen Reife. »Weißt du, wer auch in München ist?« fragt Margit. »Feli. Du erinnerst dich doch noch an sie. Unsere zukünftige Duse. Sie besucht dort eine Schauspielschule.«

»Ist sie immer noch so blöd?«

»Na ja, es geht. Bißchen überspannt war sie ja immer. Aber sehr hübsch ist sie geworden.«

»Ich konnte mir nie vorstellen, daß sie viel Talent hat. Aber sie wollte ja auch zum Film, da spielt das wohl keine Rolle. Und du, Margit, was möchtest du gern machen?«

»Eigentlich wollte ich Modezeichnerin werden, das weißt du ja. In München gibt es eine sehr gute Modeschule.«

»Also wieder in die Schule gehen«, stellt Kellermann sachlich fest. »Das kostet zunächst mal Geld und bringt nichts ein.«

»Ich habe ›eigentlich‹ gesagt«, fährt Margit ihm in die Parade. »Schließlich kann ich Steno und Schreibmaschine und Sprachen. Ich könnte als Sekretärin arbeiten oder so was.«

»Ja, oder so was«, wiederholt er ironisch. »Ist ›oder so was‹ auch ein Beruf?«

Ich drehe mich wieder nach den beiden um. Sie schauen sich geradezu erbost in die Augen. Aber dann lächelt Margit plötzlich und sagt ganz sanft: »Um Geld zu verdienen. Es soll ja kein Lebensberuf werden. Außerdem habe ich eine bestimmte Möglichkeit im Auge.«

Kellermann brummt nur. Er weiß anscheinend, worum es sich handelt.

Ich frage neugierig: »Was denn?«

»Eine Freundin von Mutti ist in München. Ich kenne sie gut. Sie hat dort einen Modesalon. Ein sehr feines Atelier. So Art Haute Couture, weißt du. Wenn ich bei der arbeiten könnte, das wäre prima. Da könnte ich viel lernen, und einen Riesenspaß würde es mir obendrein machen.«

»Na bitte«, sage ich, »damit wäre die Sache schon entschieden. Freundin von Mutti ist prima. Mode ist es auch, trifft sich mit deinen Interessen. Ist doch keine schlechte Sache? Du wärst schön dumm, wenn du das nicht machtest.«

»Sag' ich auch«, meint Margit und lehnt sich bequem zurück. Sie ist neunzehn, hübsch und jung und voller Tatendrang. Neue Ehe ist sehr hübsch, aber auf die Dauer wird es ihr nicht genügen, das sehe ich schon. Es sei denn, sie bekommt bald ein Baby.

»Wir werden ja sehen«, meint Kellermann abschließend.

»Ja«, stimmt Margit friedlich zu, »wir werden sehen.«

»Und überhaupt«, setze ich noch einen Trumpf darauf, »bedenken Sie eins, verehrter Kellermann. Eine junge, hübsche Frau, die zu wenig zu tun hat, gerät leicht auf Abwege. Kleiner Flirt mal hier und da, kann man nie wissen, was daraus entsteht.«

Nun lacht Margit vergnügt. »Ach, Pony, das sieht dir wieder ähnlich. Nein, das bestimmt nicht.«

Und nun schaut sich das junge Paar verliebt in die Augen. Wie gehabt. Sie werden sich schon zusammenraufen.

Wir kommen nach Pordenone, und hier geht die Fragerei nach dem Weg aufs neue los. Schließlich fahren wir auf einer Nebenstraße ins Land hinein. Irgendwie werden wir schon hinkommen.

Und wir kommen auch hin. Eine triste, armselige Gegend ist es. Unter glühheißer Sonne wirkt sie wie ausgestorben. Und ein tristes, armseliges Dorf ist dieses Ronchiote, als wir es endlich gefunden haben. Ein paar Häuser nur, flache Steinbauten, in trockenes, dürres Buschwerk gebettet.

Endlich haben wir jemanden aufgetrieben, den man nach Teresina fragen kann. Den ganzen Namen kennen wir ja nicht. Kellermann, der sich verständigen kann, muß die Verhandlung führen. Es dauert eine ganze Weile, bis man begreift, wen wir meinen und wen wir suchen. Die Teresina, die in Venedig war. Schließlich finden wir einen, der es kapiert.

»Sì, sì, Teresina.«

Wir landen am Ende des Dorfes bei einem kleinen Bauernhof. Und da es inzwischen Mittag geworden ist, treffen wir den Bauern auch zu Hause. Teresinas Bruder, ein Mann von etwa sechzig Jahren, klein und schmal, mit einem braungegerbten Gesicht und dunklen, mißtrauischen Augen. Die Stirn furcht sich, der dunkle Blick wird noch mißtrauischer, als Kellermann nach Teresina fragt.

»Teresina?«

Ob man sie sprechen könne?

Wir drei anderen hören dem Gespräch verständnislos zu. Kellermann redet, der Bauer schüttelt den Kopf, sagt etwas, Kellermann versteht ihn nicht und fängt wieder von vorn an. Dic Bäuerin kommt dazu, eine rundliche ältere Frau mit weißen Haaren, dann taucht im Hintergrund ein jüngerer Mann auf, eine junge Frau, wohl der Sohn oder die Tochter, und aus allen Ecken und Kanten quellen Kinder hervor, die uns neugierig beäugen.

Kellermann dreht sich zu uns um.

»Sie ist nicht da«, sagt er.

»Wieso?«

Nein, Teresina ist nicht da. Das Gespräch geht weiter, hin und her, und das Endresultat läßt uns ziemlich ratlos zurück. Teresina ist keineswegs nach Hause zurückgekehrt. Es war auch niemals die Rede davon. In Ronchiote weiß niemand von ihrer angeblichen Absicht heimzukehren. Das letztemal hat man sich vor zwei Jahren gesehen, als Teresina zur Beerdigung ihrer Schwester gekommen war. Briefe schreibt man für gewöhnlich nicht. Höchstens wenn einer stirbt oder einer geboren wird. Und warum sollte Teresina nach Hause kommen. Es geht ihr sehr gut in Venezia. Sie hat überhaupt *die* Karriere der ganzen Familie gemacht. Außerdem hat sie reichlich Arbeit im Palazzo, sie ist dort unentbehrlich, sie muß das Haus hüten, es ist ja meist keiner da. Ja. So ist das.

Sie wissen hier draußen nicht einmal, daß der alte Conte gestorben ist. Von Teresina haben sie lange nichts gehört. Und hier ist sie auf keinen Fall.

Reichlich bedrippst verabschieden wir uns und klettern wieder in den gut durchwärmten Willibald. Die ganze Familie schaut uns ablehnend und mißtrauisch nach. Entweder halten sie uns für plemplem oder für kriminell. Teresina, die in Venezia in einem Palazzo lebt, in Ronchiote zu suchen! Teresina, der auf Erden schon das Paradies beschieden war, die immer satt zu essen hatte und ein weiches Bett und sich kaum die Hände schmutzig machen mußte, sollte freiwillig in die kahle Ebene, in das dumpfe Haus, an den mageren Tisch zurückkehren! Den Fremden muß die Sonne das Hirn verbrannt haben, so ungefähr steht es im Gesicht des Bauern zu lesen.

Schweigend fahren wir ab.

»Was sagt ihr nun?« frage ich schließlich.

»Das ist höchst mysteriös«, muß nun sogar Kellermann zugeben. »Hier ist die Alte nicht, in Venedig auch nicht, sie kann doch nicht einfach verschwunden sein.«

»Sie ist aber verschwunden. Ihr habt mir ja nicht geglaubt«, sage ich. »Im Palazzo Ceprano stinkt es, und zwar ganz gewaltig. Und eins steht ja nun wohl fest, das saubere Brüderlein, der gute Francesco, ist mit im Komplott. Er hat nämlich Amelita erzählt, Teresina sei in ihr Dorf zurückgekehrt.«

»Er kann ebenso das Opfer einer Täuschung geworden sein wie Amelita«, sagt Rolf. »Er war genausowenig in Venedig wie sie. Wenn man ihm erzählt, Teresina sei nach Hause zurückgekehrt, als er kam und sie nicht vorfand, dann mußte er das glauben.«

Das ist wahr. »Aber warum?« frage ich. »Warum das alles? Was soll das für einen Zweck haben?«

»Es kann nur einen Zweck haben«, sagt Rolf. »Nämlich den, die Geschwister in Venedig zu isolieren, alle Leute von ihnen fernzuhalten, die über die Verhältnisse im Hause Ceprano Bescheid wissen. Darum ist keine Dienerschaft im Hause, und darum mußte vor allem Teresina verschwinden.«

»Ob man sie umgebracht hat?« frage ich.

»Pony!« ruft Margit entsetzt aus. »Was für eine Idee!«

»Na ja, sie können sie doch nicht einfach weghexen.«

»Nein, aber verstecken«, meint Rolf. »Bist du sicher, Pony, daß dieser Mensch im Keller ein Mann war?«

»Ganz sicher. Ich habe doch seine Stimme gehört.«

»Angenommen, diese Teresina hätte eine sehr tiefe Stimme? Die männlich klingt? So etwas gibt es doch.«

Ja, so etwas gibt es.

Ich denke angestrengt nach. Je mehr ich darüber nachdenke, desto schwankender werde ich. War es wirklich eine Männerstimme? Gestern kam es mir so vor. Es war keine sehr tiefe Stimme. Kein Baß jedenfalls. Es kann ebensogut eine helle Männerstimme wie eine tiefe Frauenstimme gewesen sein.

»So eine Gemeinheit«, sage ich, »wenn sie die arme Alte wirklich dort im Keller eingeschlossen haben. Dann ist es eben doch diese Pia. Sie hat alle Fäden in der Hand. Was will sie eigentlich?«

»Es gibt nur eine Antwort darauf«, meint Rolf. »Den Schmuck. Sie will den Schmuck haben.«

»Ja, aber wie will sie das machen?« wirft Kellermann ein. »Wenn der Schmuck im Banksafe eingeschlossen ist, kann sie doch nicht dran.«

»Darum hat sie sich an den jungen Conte herangemacht. Sie kann den Schmuck nur mit seiner Hilfe bekommen«, sagt Rolf. »Irgendwann müssen sie den Schmuck von der Bank holen, wenn sie damit nach Amerika fahren wollen. Entweder Pia holt sich den Schmuck dann allein, oder beides: den Schmuck und den Conte.«

»Das traue ich ihr zu«, sage ich. »Und ihm auch. Er ist ein Affe.«

»Das kannst du so unbedingt auch wieder nicht sagen«, meint Rolf. »Ich fand ihn nicht so übel. Bißchen merkwürdig schon, aber doch ein Mann von Welt.«

»Bleibt immer noch die Möglichkeit«, meint Kellermann, »daß diese Teresina da draußen auf dem Landgut ist.«

»Das hätten sie Amelita ja sagen können. Und wer ist dann im Keller?«

Ja, wer ist dann im Keller?

»Es nützt alles nichts, wir müssen warten, bis Amelita zurückkommt«, sagt Rolf. »Aber dann müssen wir ihr alles erzählen, haargenau. Und sie muß etwas unternehmen. Ehe sie den Schmuck von der Bank holen.«

Wir schweigen alle vier nachdenklich und fahren langsam auf der staubigen Straße entlang, zurück nach Pordenone.

»Ich schlage vor«, sagt Rolf, »wir sehen mal zu, daß wir hier was zu essen kriegen. Und vor allem zu trinken. Ich komme bald um vor Durst. Dann fahren wir hinunter ans Meer und baden heute mal unterwegs. Vielleicht in Jesolo.«

Baden ist gut. Ich kann es kaum abwarten, mich ins Wasser zu stürzen. Am liebsten noch vor dem Essen. Aber es ist wohl noch ein ganzes Stück bis ans Meer.

Aber auf einmal schießt ein Gedanke durch meinen Kopf, der mich trotz der Hitze frösteln läßt.

»Wer sagt dir denn, daß Amelita zurückkommt? Weißt du denn genau, wo sie ist? Vielleicht haben sie sie schon umgebracht. Angenommen, der Schmuck ist gestern oder heute übergeben worden, und dann...«

Ich spreche nicht weiter. Mir ist wirklich eiskalt geworden.

»Mein Gott, Pony«, sagt Margit leise und entsetzt.

Rolf sagt: »Pony, du spinnst ja.« Aber seine Stimme klingt gepreßt.

Kellermann versucht ein Lachen. »Ihre Fantasie, Pony, ist wirklich furchterregend. So viele Morde, wie Sie sich vorstellen, gibt es auf der ganzen Welt nicht.«

»Immerhin gibt es einige«, sage ich. »Um weniger als um einen Rubinschmuck, der Millionen wert ist. Und vergessen Sie eines nicht, lieber Kellermann, wir drei haben schließlich schon einmal zwei Morde miterlebt. Wir wissen sehr gut, daß es so etwas gibt.«

Schwüle Nacht

Es ist ziemlich spät, als wir nach Venedig zurückkehren, gleich Abendbrotzeit. Das Bad in der Adria war sehr schön, aber das rechte Vergnügen haben wir alle nicht daran gehabt. Das ungeklärte Geheimnis um Amelita und den alten Palazzo spukt uns pausenlos im Kopf herum. Auch Margit und Kellermann sind nun davon angesteckt.

Wir parken Willibald hinter dem Bahnhof und nehmen uns dann ein Motorboot-Taxi. Auf der Fahrt zum Hotel lassen wir am Palazzo Ceprano halten, an der Seitentür, und ich klopfe ein paarmal energisch an die Tür. Eine Klingel gibt es hier nämlich nicht. Aber nichts rührt sich in dem alten Gemäuer. Keiner zu Hause. Ist Amelita nun schon wieder da? Ist sie noch auf dem Landgut? Oder wo um Himmels willen ist sie? Bleibt noch die Hoffnung, daß ich im Hotel eine Nachricht vorfinde.

»Und wenn nicht«, sage ich zu Rolf, »weißt du, was ich dann mache? Ich rufe in New York an.«

»Das ist doch Unsinn. Was sollen die denn dort machen? Außerdem weißt du keine Nummer und vermutlich auch nicht den Namen der Verwandten. Oder?«

Nein, ich muß zugeben, das weiß ich nicht.

»Aber Robby kann ich anrufen, meinen Bruder. Der kann sich mit Hans in Verbindung setzen und der mit Amelitas Onkel.«

»Na und? Was sollen die von New York aus unternehmen?«

»Herkommen.«

»So schnell geht das nun wieder auch nicht. Zwei oder drei Tage dauert das sicher.«

»Und du meinst, das ist zu lange?«

»Ich meine gar nichts. Aber möglicherweise ist es wirklich zu lange.«

»Dann gehen wir eben doch zur Polizei.«

Rolf macht ein zweifelndes Gesicht. »Davon verspreche ich mir wenig. Die würden mit Recht fragen, was uns das angeht. Nein, das einzige, was man tun könnte, man müßte herausbekommen, wer der Anwalt der Familie ist. Vielleicht könnte man mit dem sprechen. Aber heute geht das auch nicht mehr.«

Im Hotel ist keine Nachricht von Amelita. Marlise, die ich frage, hat auch nichts von ihr gehört.

»Was hast du eigentlich immer mit dieser Amelita«, sagt sie, »wenn sie dich sehen will, wird sie sich schon melden. Hast du nicht Gesellschaft genug?«

»Ich mache mir Sorgen um sie.«

»Warum denn das?«

Ich kann mir nun nicht helfen und erzähle Marlise kurz, was los ist. Sie ist skeptisch und keineswegs beunruhigt.

»Was du auch immer für wilde Ideen hast«, sagt sie. »Dich geht das doch nun wirklich nichts an. Amelita und ihr Bruder sind erwachsene Leute. Und der Conte machte mir nicht den Eindruck, als ob er sein Eigentum nicht schützen könnte.«

»Und daß Teresina verschwunden ist, findest du nicht komisch?«

»Wer sagt denn, daß sie verschwunden ist. Sie kann ebensogut entlassen worden sein und jetzt eine andere Stellung haben.«

Gar keine schlechte Idee. »Dann hätte Pia das gemacht, um sie aus dem Weg zu haben.«

»Schon möglich. Aber das geht dich auch nichts an.«

Nach dem Essen sitzen wir ein wenig in der Hotelhalle herum, dann schlendern Rolf und ich über den Markusplatz stadteinwärts. Es ist immer noch so heiß, eine drückende dumpfe Schwüle liegt in der Luft, man kann kaum atmen. Kein Lüftchen regt sich. Später haben wir uns mit Kellermann und Margit in einer kleinen Kneipe verabredet, wo wir schon einmal zusammen waren. Man sitzt dort sehr nett, an einem kleinen Seitenkanal, in einer Art Loggia.

»Hoffentlich finden wir sie wieder«, sage ich zu Rolf.

»Werden wir schon finden. Wir sind bis jetzt immer hingekommen, wo wir hin wollten. Langsam kennen wir uns hier schon ganz gut aus. Und wir haben Zeit genug.«

Kellermann trifft heute seinen italienischen Freund. Vielleicht kann er von dem was erfahren.

Rolf und ich spazieren also wieder einmal durch die nächtlichen Gassen von Venedig, mitten im Menschenstrom, an all den erleuchteten Schaufenstern vorbei. Rechts um die Ecke, links um die Ecke, über kleine Plätze, an dunklen Kirchen vorbei, an Luxusauslagen und an armseligen, düsteren Pforten vorüber. In einem Café am Rialto essen wir eine Cassata, dann gehen wir über den Rialto hinüber, an den Ständen entlang, wo noch zu später Stunde alles angeboten wird, was man sich denken kann: Fleisch, Wurst, Geflügel und Eier, herrliches Obst und prächtiges Gemüse. Dann wird es dunkler um uns, die Gassen noch enger, die Häuser noch älter.

»Kehren wir wieder um, sonst finden wir nicht mehr hinaus«, sage ich, »auf dieser Seite graule ich mich immer ganz besonders.«

Also zurück über den hochgeschwungenen Bogen der Rialtobrücke, und dann beginnen wir die Suche nach dem kleinen Ristorante. Es dauert eine Weile, bis wir es finden, aber dann sitzen wir in so einer Loggia, unter gelben und roten Birnen, die von Weinlaub umschlungen sind. Rolf bestellt eine Flasche roten Wein, wir stoßen an mit dem ersten Glas, er sieht mir in die Augen und nimmt meine Hand.

»Pony«, sagt er, »stimmt es, was deine Schwester vorhin sagte? Ihr Mann kommt übermorgen?«

»Ja. Sie hat heute mit ihm telefoniert. Er ist soweit fertig mit seinen Geschäften und will morgen abfahren. Ich hatte gar nicht mal den Eindruck, daß sie besonders entzückt davon war.«

»Warum denn nicht?«

»Warum nicht? Dumme Frage. Weil ihr der Flirt mit dem feschen Schneiderbrett, eh, Brettschneider, mächtigen Spaß macht. Sie ist direkt aufgeblüht in den letzten Tagen.«

»Hm. Na, dann ist es wohl ganz gut, wenn ihr Mann bald kommt. Oder meinst du nicht?«

»Doch«, sage ich zögernd. »Vielleicht schon. Obwohl ich mir nicht vorstellen kann, daß Marlise ernsthafte Dummheiten macht. Dazu hat sie zuwenig Temperament.«

Rolf lächelt etwas süßsauer. »Hältst du es für ein besonderes Zeichen von Temperament, wenn man seinen Mann betrügt?«

»Sei nicht so tuntig«, sage ich, »wer redet denn von betrügen? Ich kann mir nicht vorstellen, daß Marlise ihren Eugen betrügt. Ganz einfach, weil so was nicht zu ihr paßt.«

»Und hältst du das für einen Nachteil?« fragt er noch einmal, in geradezu schulmeisterlichem Ton.

Dieser Ton fordert mich heraus. »Das kommt darauf an. Wenn man einen Mann ernsthaft liebt, richtig, meine ich, dann...«, ich stocke. Ich weiß selber nicht genau, was ich sagen will.

»Was dann?« fragt Rolf streng.

»Na, ich weiß auch nicht. Aber ich meine, dann kann man schon mal was richtig Dolles tun.«

Das hat wohl sehr dämlich, vielleicht sogar sehr kindisch geklungen, denn Rolf lächelt verlegen. »Was weißt du schon von Liebe, Kind«, meint er geradezu väterlich. »Noch gar nichts. Und das ist auch wieder so reizend an dir.«

»Spiel dich bloß nicht so auf«, sage ich ärgerlich. »Wie

alt bist du denn eigentlich? Feierst du dieses Jahr noch deinen fünfzigsten Geburtstag? Weißt du denn so viel von Liebe?«

»Ein bißchen mehr wie du bestimmt.«

»Als du«, verbessere ich grantig.

Er schaut mich erstaunt an. »Wie?«

»Es heißt ›mehr als du‹, nicht ›wie du‹.«

»Auch gut. Zweifellos verstehst du mehr von Grammatik. Freut mich außerordentlich. Ich hab' mir immer eine gescheite Frau gewünscht.«

Da wären wir also wieder beim Thema. Mir ist etwas unbehaglich zumute. Muß denn immer alles gleich so ernsthaft abgehandelt werden? Ich finde es viel hübscher, wenn Rolf mit mir herumalbert oder mich küßt, meinetwegen. Aber solche Reden schätze ich nicht besonders. Vielleicht weiß ich wirklich noch zuwenig von Liebe. Lieber Himmel, ich bin doch erst neunzehn.

Er sieht mir mein Unbehagen wohl an und lenkt ab.

»Ich bin sechsundzwanzig«, teilt er mir mit. »Das heißt, ich werde dieses Jahr siebenundzwanzig. Im Oktober. Meinst du nicht, daß man in diesem Alter schon etwas von Liebe versteht?«

Ich hebe zweifelnd die Schultern. »Weiß ich nicht. Eine Frau vielleicht. Ein Mann? Das ist noch sehr die Frage. Mir haben eigentlich immer nur ältere Männer imponiert.«

Er lächelt, wieder ein bißchen überheblich. »Nun ja, das ist wohl bei allen jungen Mädchen so. Das geht vorüber. Wie alt bist du eigentlich, Pony?«

»So etwas fragt man eine Dame nicht.«

»Sicher, ich weiß. Aber in deinem jugendlichen Alter darf man das wohl doch noch tun. Ich weiß ja, daß du erst mit der Schule fertig geworden bist. Zwanzig?«

Ich schaue ihn empört an. »Bitte, mache mich nicht älter wie ich bin. Als ich bin, wollte ich sagen. Älter wird man von allein. Ich bin neunzehn.«

»Neunzehn«, wiederholt er nachdenklich. »Das ist

wirklich noch sehr jung. Aber wie du ganz richtig gesagt hast: Älter wird man von allein. Neunzehn. Na ja! Und ein kluges, aufgewecktes Kind dazu. Muß ja auch nicht heute und morgen sein. Gut Ding will Weile haben.«

Jetzt redet er schon in Kalendersprüchen. Kann ja heiter werden. Ob Margit und Kellermann nicht bald kommen? Vor lauter Unruhe habe ich schon das zweite Glas ausgetrunken. Langsam, langsam, Pony. Sonst kriegst du wieder einen Schwips.

Rolf hat eine Weile nachdenklich über die Brüstung in den dunklen Kanal gestarrt, in dem sich die gelben und roten Lichter spiegeln. Jetzt sieht er mich wieder an.

»Wenn dein Schwager kommt, dann fahrt ihr doch weg, nicht?«

»Ja.«

»Wohin denn?«

»Weiß ich nicht. Irgendwo ans Meer. Entweder hier an der Adria entlang. Oder auf die andere Seite.«

»Meinst du, daß deine Schwester und dein Schwager etwas dagegen haben, wenn ich auch dahin fahre, wo ihr seid?«

Wacker, wacker, der Junior aus Mannheim hat bereits Pläne gemacht.

»Erst könntest du ja fragen, ob ich etwas dagegen habe.«

Er streichelt meine Hand und lächelt. »Also, mein Liebling, hast du etwas dagegen?«

Ich antworte mit einer Gegenfrage. »Warum willst du denn da hinfahren, wo wir sind?«

»Kannst du dir das nicht denken?«

Ich kann es mir zwar sehr genau denken, aber ich schüttle trotzdem den Kopf. Ich will es hören.

»Weil ich da sein will, wo du bist. Weil mir der ganze Urlaub keinen Spaß mehr machen würde, wenn ich hier allein in Venedig zurückbleiben müßte. Außerdem kenne ich Venedig nun gerade gut genug.«

»Ach so«, sage ich, »deswegen. Venedig kennst du. Na ja, es gibt genug andere Orte in Italien.«

Er beugt sich zu mir und küßt mich auf die Nasenspitze. »Du bist eben doch schon eine richtige kleine Frau. Das ist so typisch Frau, sich das herauszupicken, was ihr paßt. Nur um den Mann herauszufordern, gerade das noch einmal zu sagen, was sie hören will. Also, ich sag's noch mal. Weil ich nicht allein bleiben will.«

»Hier laufen eine Menge Leute herum. Du wirst ganz bezaubernde junge Damen kennenlernen.«

»Zweifellos«, sagt er selbstbewußt. »Aber nun sage ich noch einmal, worauf es ankommt. Weil ich da sein will, wo du bist.«

»Aha«, sage ich. Leider fällt mir nichts Besseres ein. Aber mir ist ganz warm im Herzen, und wie er das eben gesagt hat, ›weil ich da sein will, wo du bist‹, also verflixt noch mal, das klingt wirklich hübsch. Im Moment kommt es mir vor, als liebe ich ihn doch. Und als möchte ich auch ganz gern sein, wo er ist.

So ein kleiner Satz nur: Weil ich da sein will, wo du bist, ein ganz einfacher, kleiner Satz, und irgendwie landet er mitten im Herzen und ist wie eine süße zarte Melodie, die alles verzaubert.

»Aha«, sage ich noch einmal. Und dann schauen wir uns eine Weile in die Augen. Schweigend und recht ernsthaft. Irgendwo dudelt es ›Volare, Cantare‹, eine schmalzige Tenorstimme singt es, unten im Wasser schaukelt ein leichter Windhauch die gelben und roten Lichter, und von der Brücke her, die schräg vor unserer Loggia vorüberführt, klingt ein helles Frauenlachen.

»Würde es dich ein wenig freuen, wenn ich mitkäme?« fragt Rolf.

»Ja«, sage ich verwirrt. »Doch, ja. Ich glaube, es würde mich freuen.«

Er nimmt meine Hand und küßt sie zärtlich. »Pony! Kleine, liebe Pony. Ich bin glücklich.«

»Glücklich?«

»Ja. Daß wir zwei hier sitzen. Und daß wir uns getroffen haben, hier in Venedig. Ausgerechnet in Venedig.

Und daß ich als freier Mann herkam. Ja. Darüber bin ich ganz besonders glücklich. – Salute!« Er hebt sein Glas, und wir trinken. Mir ist beklommen zumute. Ich weiß überhaupt nicht, was in letzter Zeit mit mir los ist. Meine ganze Schlagfertigkeit, mein ganzer Witz haben mich verlassen. Am Ende habe ich mich doch verliebt? Es heißt ja immer, wenn man verliebt ist, verblödet man leicht. Früher wußte ich immer viel bessere Antworten.

»Bleibt nur noch die Frage, was dein Schwager und deine Schwester dazu sagen, wenn ich mich euch anschließe«, kommt Rolf auf sein Thema zurück. »Glaubst du, daß sie etwas dagegen haben?«

»Nein, glaube ich eigentlich nicht. Ich glaube, du gefällst Marlise ganz gut.«

»Und Benckendorff kenne ich ja. Wir haben uns zweimal getroffen. Einmal war ich mit meinem alten Herrn in Düsseldorf, einmal allein. Wir sind gut miteinander ausgekommen.«

Ich weiß genau, daß Eugen und Marlise nichts dagegen haben werden, wenn Rolf uns nachfährt. Sie sind beide der Meinung, genauso wie Mama und Herr Federmann, daß ich mich möglichst bald und möglichst gut verheiraten soll. Junger Mann aus reichem Hause, große Firma, Geschäftsverbindung von Eugen, einziger Sohn, dagegen läßt sich von ihrem Standpunkt aus nicht das geringste sagen. Er sieht nett aus, hat gute Manieren; Federmann würde vor Freude bis an die Decke springen, wenn er auf diese Weise bald aller Verantwortung um mich ledig wäre.

Ein Jahr Verlobung, dann Heirat, hübsche Wohnung in Mannheim, netter Schwiegerpapa, und der blonde Rolf, der jetzt neben mir sitzt und meine Hand hält, hat dann alle Verantwortung auf dem Hals.

Eine schwüle Nacht. Mir wird heiß im Nacken. Ich weiß nicht, ich weiß nicht. Ich mag ihn gern, wirklich, richtig gern. Ich kann mir vorstellen, daß ich gut mit ihm auskommen könnte. Aber trotzdem – soll das Leben so schnell zu Ende sein? Ehe es richtig losgegangen ist? Ein paar Jahre müssen sie mir doch gönnen. Ein bißchen Freiheit, ein bißchen Selbständigkeit.

»Ich werde ihn einfach fragen«, sagt Rolf.

»Wie?« frage ich aufgestört.

»Benckendorff. Deinen Schwager, meine ich.«

»Was willst du ihn fragen?« sage ich nervös. Will er etwa bei dem um meine Hand anhalten?

»Ob ich mitkommen darf. Ob er etwas dagegen hat, wenn ich mich euch anschließe.«

»Ach so. Ja. Frage ihn.« Eigentlich fände ich es ganz nett, wenn Rolf mitkäme. Mit Marlise und Eugen allein wird es mir vielleicht zu langweilig sein. Mit Rolf hätte ich sicher noch viel Spaß. Über alles andere kann man ja später nachdenken. Hat ja Zeit, bis wir wieder zu Hause sind.

Es ist schon nach elf Uhr, als Margit und Kellermann endlich kommen. Sehr angeregt alle beide, er mit wichtiger Miene. Noch ehe er sich hinsetzt, erzählt er uns, daß er allerhand erfahren hat, was uns sicher interessieren wird. »Schön«, sagt Rolf, »ist ja prima. Trinken wir noch eine Flasche Wein.«

»Aber wir haben schon ziemlich viel getrunken«, meint Margit.

»Macht nichts«, sagt Rolf. »Oder wie wär's mit einer Flasche Asti? Wir müssen bloß achtgeben, daß wir keinen süßen bekommen. Herr Kellermann, seien Sie doch mal so nett und verhandeln Sie mit dem Cameriere.«

Inzwischen erzählt mir Margit, daß Signor Borelli ein sehr netter Mann sei. So ein richtiger, typischer Italiener. Sehr galant sei er zu ihr gewesen, und er mache auch sonst einen sehr intelligenten Eindruck. »Ich habe ja nicht viel davon verstanden, was die beiden geredet haben. Bißchen Deutsch haben sie auch gesprochen, aber wenig. Sie versteht es nämlich nicht.«

»Sie? Wer sie?«

»Seine Frau.«

»Eine Frau hat der auch?«

»Ja. Stell dir vor, auch erst seit kurzem verheiratet. So eine Schwarze mit solchen Augen.« Margit reißt die ihren weit auf. »Sehr hübsch. Und solche Absätze hatte sie an.« Margit zeigt mir mit Daumen und Zeigefinger, wie hoch die Absätze der Signora Borelli waren. Schwindelnd hoch, wenn es stimmt. »Wie sie darin laufen kann, ist mir ein Rätsel.«

»Nun mal los«, sage ich zu Kellermann, »erzählen Sie schon.«

»Also, es ist so«, beginnt Kellermann, »Borelli ist geborener Venezianer, abgesehen von einigen Studienjahren war er immer hier. Er kennt die Verhältnisse sehr gut. Und seine Arbeit – er arbeitet in der Biblioteca Nazionale, ich sagte es wohl schon – hat ihn natürlich erst recht mit der venezianischen Geschichte und mit den alten Geschlechtern in Berührung gebracht. Er kannte auch den alten Conte Ceprano, nicht persönlich natürlich, aber vom Sehen. Und seine Verhältnisse kannte er zufälligerweise sehr genau.«

»Wieso?« unterbreche ich ihn. »Gibt es noch mehr? Außer Pia?«

»Ich meine doch nicht solche Verhältnisse, Pony. Ich meine die Lebensverhältnisse, den Lebenslauf gewissermaßen.«

»Ach so. Na, denn mal weiter.«

»Ja also, die Familie Ceprano ist wirklich ein altes, sehr angesehenes Geschlecht in dieser Stadt. Schon im elften Jahrhundert beispielsweise...«

Aber ich schneide ihm den Faden ab. »Ach nee, Kellermännchen, wirklich. Das erzählen Sie später mal. Bleiben Sie jetzt mal in unserem Jahrhundert.«

»Ist aber hochinteressant. Na gut. Also, der alte Conte muß ein ziemlich tolles Leben geführt haben. Viel auf Reisen, die meiste Zeit sogar. Früher, als er noch jünger war, hat er auf großem Fuß gelebt, obwohl die Verhältnisse – in diesem Falle meine ich die Finanzverhältnisse –

schon in der vorigen Generation nur noch mittelprächtig waren.«

»Drum ist auch heute nichts mehr da.«

Der Sekt kommt, und wir stoßen erst mal an und trinken. Bißchen süß ist er ja, aber sonst schmeckt er ganz gut. Ich kriege garantiert wieder einen Schwips.

»Er soll gut ausgesehen haben, der alte Conte«, fährt Kellermann fort, »groß und schlank, zuletzt ganz weißhaarig, dazu war er ein toller Reiter und Fechter und ein verrückter Autofahrer.«

»Wo hat Borelli denn das festgestellt? Hier in Venedig wohl kaum.«

»Man erzählt sich davon. In Venedig ist der Alte dafür wie ein Wahnsinniger mit seinem Motorboot durch den Canale gebraust. Das heißt, wenn er mal da war, was selten geschah. Der Palazzo stand meistens leer. Von früheren Zeiten weiß Borelli natürlich auch nicht viel. Tatsache ist, daß der Conte sich mit dem Faschismus nicht abfinden konnte, es gab da ernste Schwierigkeiten, darum lebte er meist außer Landes, oder er war bei einem Standesgenossen auf Sizilien.«

»Und die Lanzotti?«

»Langsam. Erst die Kinder. Um die Kinder hat er sich kaum gekümmert. Die Tochter war von klein auf in Amerika, er hat sie erst vor drei Jahren wiedergesehen, als sie zu einem kurzen Besuch mit ihrer Tante hier war.«

»Das wissen wir schon. Und Francesco?«

»Der Sohn wurde in einem Schweizer Pensionat erzogen.«

»Darum kann er auch so gut Deutsch.«

»Der alte Conte hatte keine Zeit für ihn. Er lebte so vergnügt und munter, wie es ihm paßte. Er wollte unabhängig sein.«

»Frauen also«, nickte ich mit klugem Gesicht. »Das kennt man ja. Ich wundere mich nur, wieso Borelli das alles so genau weiß.«

»Das hat seinen besonderen Grund. Er hatte früher

nämlich eine Bekannte oder Freundin, die bei dem Rechtsanwalt Lanzotti Sekretärin war.«

»Nun wird's interessant«, sage ich.

»Er hat diese Frage nur gestreift. Es war ihm wohl etwas peinlich, weil seine Frau dabei war, die ihn an dieser Stelle seines Berichtes ironisch von der Seite musterte. Man weiß ja, wie Frauen sind«, fügt der junge Ehemann höchst überflüssigerweise hinzu.

»Immer gut, wenn man das weiß«, bestätige ich, »nicht, Margit?«

Margit nickt, und Kellermann fährt fort. »Lanzotti war der jüngere Partner in einer alten Anwaltsfirma, die schon immer die Geschäfte der Familie Ceprano führte.«

»Also stimmt es, was Francesco gesagt hat. Und daher kannte der alte Conte die schöne Pia.«

»Sehr richtig. Pia heiratete Lanzotti vor etwa sieben Jahren. Sie kam aus Deutschland zurück, wo sie ihren ersten Mann gehabt hatte.«

»Na, da hat der sich ja was eingehandelt. Immerhin haben sie uns nicht beschwindelt. Es stimmt alles.«

»Borellis ehemalige Freundin war der Meinung, dieser Lanzotti sei ein etwas dunkler Ehrenmann, der eigentlich in die alte renommierte Anwaltsfirma nicht hineingehörte.«

»Und jetzt ist mir überhaupt alles klar«, unterbreche ich und schaue alle triumphierend an, bevor ich mein Glas austrinke. »Lanzotti weiß bestens Bescheid mit dem Schmuck und mit allem, und er ist es, der unten im Keller sitzt.«

Kellermann sieht mich verstört an. »Wieso?«

»Ist doch klar. Ihn versteckt Pia im Keller, um mit ihm zusammen die Rubine zu mopsen.«

»Das ist nicht gut möglich, denn Lanzotti ist tot.«

»Er ist tot?«

»Ja. Er starb vor drei Jahren ganz plötzlich an einem Magenleiden.«

»Er ist tot?« wiederhole ich enttäuscht. Das ist dumm.

Es hätte so schön in mein Konzept gepaßt, wenn er im Keller sitzen würde.

»Ist ja Unsinn, Pony«, läßt sich Rolf vernehmen. »Wenn er lebte, warum sollte er im Keller sitzen? Er wäre dann nach wie vor in dem Anwaltsbüro und könnte die Dinge aus erster Hand bearbeiten.«

»Na, wenn er eine Unterweltstype war, kann ihn der richtige Anwalt ja rausgeschmissen haben. Vielleicht ist er gar nicht tot. Vielleicht hat er seinen Tod nur vorgetäuscht, um seine dunklen Pläne auszuführen. So was gibt es. Hab' ich schon im Kriminalroman gelesen. Und dann sitzt er doch im Keller.«

Sie sehen mich alle drei an, als ob ich eine weiche Birne hätte.

Rolf schüttelt den Kopf. »Deine Fantasie, Pony! Es kann einem angst und bange werden.«

»Wissen Sie bestimmt, daß er tot ist?« frage ich Kellermann.

»Bestimmt?« fragt Kellermann konfus. »Ich war bei seiner Beerdigung nicht dabei. Ich gebe nur wieder, was Borelli erzählt hat.«

»Wenn er wirklich tot ist«, sage ich nachdenklich. »Wie war das? Ganz plötzlich an einem Magenleiden? Dann hat Pia ihn vergiftet, um freie Bahn zu haben. Ist auch möglich. Denn sie war doch die Freundin des Conte, nicht?«

»Stimmt«, erzählt Kellermann weiter. »Das war sie wirklich. Insofern hast du richtig getippt, Pony. Ach, Verzeihung, haben Sie richtig getippt, wollte ich sagen.«

»Nö, ist schon richtig«, sage ich, »bleib man lieber bei dem Du, Kellermännchen. Es redet sich leichter. Ich breche mir auch immer die Zunge ab.«

»Au ja«, ruft Margit begeistert, »ihr müßt Brüderschaft trinken.«

»Ja, aber schnell«, sage ich, »sonst hören wir die Geschichte nie zu Ende. Prost, Kellermann, sollst leben.

Hast du eigentlich noch einen anderen Namen als Putz?« Wir stoßen an und küssen uns auf die Wange.

»Eduard«, klärt mich Margit auf.

»Auweia«, sage ich. »Soll ich Ede sagen oder auch Putz?« Dann geht's weiter. »Pia war bereits zu Lebzeiten Lanzottis die Freundin des Conte«, fährt Kellermann fort. »Das war ein offenes Geheimnis.«

»War er denn damit einverstanden?«

»Vermutlich nicht. Vielleicht aber doch. Das wird sich kaum mehr feststellen lassen. Es gibt komische Verhältnisse auf der Welt.«

»Mir bekannt«, nickte ich. »Immerhin kann es gut so sein, wie ich gesagt habe, Pia hat ihrem teuren Gatten die Minestra mit Strychnin gewürzt, um frei tanzen zu können. Wäre nicht der erste Fall dieser Art. Vielleicht dachte sie, der alte Conte würde sie heiraten.«

»Wenn wir uns noch lange mit diesem Fall beschäftigen«, meint Rolf, »das heißt, wenn du dich noch lange mit diesem Fall beschäftigst, Pony, dann kriegen wir eine ganz hübsche Serie von Verbrechen zusammen. Hast du eigentlich nie daran gedacht, zur Polizei zu gehen? Es gibt doch auch weibliche Kriminalisten.«

»Wäre ich gar nicht unbegabt dazu«, gebe ich zu.

»Nach dem Tode Lanzottis«, erzählt Kellermann weiter, »wurde dieses – eh, diese Freundschaft ganz offenkundig. Darüber weiß Borelli natürlich keine Einzelheiten. Signora Lanzotti und der Conte waren meist auf Reisen. Das einzige, was Borelli bekannt ist, ebenfalls durch seine verflossene Freundin, ist die Tatsache, daß der junge Conte mit dem Lebenswandel seines Vaters durchaus nicht einverstanden war. Erstens wohl aus moralischen Gründen, denn er soll ein sehr streng erzogener, zurückhaltender junger Mann sein, und zweitens wohl auch deswegen, weil der Alte das restliche Geld verjuxte und den verbliebenen Besitz mit Schulden belud.«

»Zweitens glaube ich. Erstens nicht, denn so ein guterzogener, zurückhaltender junger Mann ist er keineswegs.«

»Außerdem gab es tiefgehende Meinungsverschiedenheiten zwischen Vater und Sohn wegen der Berufswahl des jungen Conte. Der Junge wollte Künstler werden, der Alte war dagegen. Es kam zu einem ernsthaften Zwist, und der junge Conte verließ das Vaterhaus, wie man so hübsch sagt, und soll in den letzten Jahren ständig in Rom gelebt haben. Was er dort nun im einzelnen getan hat, weiß Borelli nicht. Geld soll er jedenfalls von dem Alten nicht gekriegt haben. Ganz einfach, weil keines da war. Alles, was der Alte auftreiben konnte, hat er selber gebraucht. Es bestand schon einmal der Plan, den Palazzo zu verkaufen. Aber wer kauft schon so ein altes Ding? Höchstens der Staat oder die Stadt. Nebenbei ist der Palazzo Ceprano nicht gerade einer der wertvollsten, was die architektonische Seite betrifft.«

»Hm«, sage ich, »so weit paßt alles sehr gut. Und so ungefähr hatten wir es uns ja auch zusammengereimt. Was man eben nur nicht verstehen kann und wo die Lücke klafft: Warum ist der junge Conte auf einmal so gut befreundet mit Pia? Da hat er seine Ansichten doch grundlegend geändert.«

»Ja«, meint Kellermann weise, »das kommt vor. Frauen können allerhand anfangen mit einem Mann, wenn sie es darauf anlegen. Und diese Lanzotti scheint ja ein ziemliches Luder zu sein. Bekommen wir die eigentlich mal zu sehen?«

»Aber Putzi!« ruft Margit empört.

Kellermann macht eine Casanovamiene oder das, was er dafür hält. Sieht bei ihm sehr komisch aus. Aber dann sagt er bescheiden: »Ich meine ja nur studienhalber.«

»Tja, was machen wir nun?« meint Rolf. »Genaugenommen sind das alles Sachen, die uns nichts angehen. Der junge Conte hat sich nun eben in die Frau verknallt, die zweifellos ihre Vorzüge hat. So etwas kommt vor, wie Herr Kellermann ganz richtig bemerkte. Amelita mag sich darüber ärgern, aber sie fliegt ja wieder nach Amerika, und dann ist dies für sie erledigt. Ihr Bruder wird schon wieder vernünftig werden.«

»Und der Schmuck?« frage ich. »Und der Mann im Keller? Und Teresina?«

Am Ende sind wir uns alle darüber einig, daß man Amelita und ihren Bruder von allem verständigen muß, was wir ermittelt haben.

»Ist denn nun der Schmuck übergeben worden?« will ich noch wissen.

»Das weiß ich doch nicht«, sagt Kellermann.

»Borellis Freundin müßte es doch wissen.«

»Zu der hat er keine Verbindung mehr. Er hat doch geheiratet.«

»Typisch Mann«, sage ich. »Wenn sie heiraten, lassen sie die alten Freunde im Stich. Feiglinge, alle miteinander.«

»Prost«, sagt Rolf. »Falls du noch mit einem Feigling anstoßen willst. Demnach hast du also nichts dagegen, wenn Lola uns gelegentlich besucht.«

»Nicht das geringste«, erkläre ich großmütig. Und sehe erst dann an seinem schlauen Gesicht, was ich gesagt habe. Etwas verwirrt trinke ich mein Glas aus. War das eigentlich eine Art Jawort, was ich da eben gegeben habe?

»Wir trinken noch eine Flasche, ja?« fragt Rolf vergnügt. »Mir ist ganz so. Was meinst du, Pony?«

»Warum nicht?« sage ich und vermeide seinen kecken Blick. »Eine Flasche für vier Personen ist reichlich wenig.« Mir ist sowieso schon ein bißchen verdreht im Kopf.

Kommt nicht mehr darauf an. Zwölf Uhr ist es schon. Macht nichts. Marlise weiß ja, wo ich bin. In Gesellschaft meines ehemaligen Lehrers und meines zukünftigen Gemahls. Sicher wie in Abrahams Schoß. Wenn wir jetzt noch eine Flasche trinken, verlobe ich mich vielleicht doch noch mit Rolf. Wäre eine ganz nette Pointe meiner

Venedigreise. Meine Freundinnen in Düsseldorf würden platzen. »Und Jürgen erst«, sage ich aus meinen Gedanken heraus laut vor mich hin. »Bei dem wird nicht mal sein enormer Sprachschatz ausreichen.«

Die anderen drei gucken mich verwundert an.

»Wer ist Jürgen?« fragt Rolf.

»Freund von mir. Guter, alter Freund, den bringe ich allemal mit in die Ehe. Er hat ein ungemein schöpferisches Talent für passende Redewendungen. So was findet man nicht alle Tage.«

Mit der zweiten Flasche trinken Margit, Kellermann und Rolf auch noch Brüderschaft. Uns ist eigentlich soweit ganz quietschvergnügt zumute. Das Thema Amelita und die Rubine haben wir erst mal beiseite gelegt. Ohne Amelita können wir wirklich nichts unternehmen. Übrigens will Kellermann morgen in die Biblioteca zu Borelli gehen und in alten Chroniken über die Geschichte der Rubine nachlesen. Borelli wußte es nicht auswendig. Ist immerhin schon eine Weile her.

Dann muß ich mal verschwinden. Ich nehme an, die haben hier so was. Ich erhebe mich also, bemühe mich um aufrechte Haltung und festen Gang und stolziere los. Man muß aus dem Lokal hinaus, in den Hausgang.

Im Spiegel mustere ich mich prüfend. Bißchen schwummerig ist mir schon. Ich kämme mich sorgfältig und pudere meine Nase. Wird Zeit, daß wir nach Hause gehen.

Ehe ich ins Lokal zurückkehre, trete ich unter die Tür, die nach draußen führt, und schaue auf die Straße hinaus. Es ist etwas ruhiger geworden. Aber es sind immer noch eine ganze Menge Menschen unterwegs. In diesen schwülen Nächten mag keiner zeitig schlafen gehen.

Eigentlich wollte ich ein paar Atemzüge frische Luft haben. Aber davon ist hier nichts zu kriegen. Drückende Hitze liegt über der Stadt. Das offene Meer ist zu weit entfernt, um eine kleine Brise herzuschicken.

Wie ich da so geistesabwesend auf die Leute starre, die

über die kleine Brücke schräg vor mir spazieren, fällt mir plötzlich eine Gestalt auf. Mit raschen Schritten, schneller als die anderen, geht eine Frau über die Brücke, rotes Haar und eine mir wohlbekannte Haltung. Pia Lanzotti.

Schon einmal sind wir ihr nachts in diesem Stadtteil begegnet. Sie ist keine müßige Spaziergängerin, sie geht, als habe sie ein Ziel.

Ehe ich mir überlege, was ich tue, bin ich unter dem Tor hervorgetreten und bis zur Gasse gegangen und sehe ihr nach. Wo mag sie wohl hingehen zu dieser späten Stunde?

Ich schaue mich um. Rolf und die Kellermanns sitzen am Tisch, ich kann sie sehen von hier aus. Sie reden miteinander, keiner schaut in meine Richtung. Wenn ich zurückgehe und Rolf hole, ist Pia verschwunden. Ich sehe den roten Schopf nur noch von fern. Verflixt, ich möchte wissen, wo sie hingeht.

Ohne weiter zu zögern, setze ich mich ebenfalls in Bewegung und gehe ihr nach. Der Strom der Fußgänger ist nicht mehr so dicht, ich komme leicht durch und nähere mich Pia bis auf einen kurzen Abstand. Ein Pärchen, das eng umschlungen vor mir geht, verbirgt mich.

Nach einer Weile biegt Pia nach links ab, in eine dunkle Gasse hinein, die so eng ist, daß man zu beiden Seiten fast die Häuser berühren könnte, wenn man die Arme ausstreckte.

Hier ist es still. Sie muß meinen Schritt hören. Ich bemühe mich, möglichst leise zu gehen, und bleibe etwas zurück. Sie muß aber doch etwas gehört haben. Am Ende der Gasse dreht sie sich um. Doch sie kann unmöglich erkennen, wer hinter ihr geht, dazu ist es zu dunkel. Sie geht weiter, verschwindet dann wieder um eine Ecke. Ich mache ein paar rasche Sprünge, doch als ich zu der Ecke komme, sehe ich nur wieder eine enge schwarze Gasse vor mir, von Pia keine Spur. Ein Schritt ist auch nicht mehr zu hören.

Was nun? Ob sie hier in einem Haus verschwunden

ist? Ich sehe mich um. Eine schauderhafte Gegend. Zwischen den Mauern lastet eine dumpfe, schwere Luft. Ob hier überall Leute wohnen? Wie mögen die bloß schlafen in der Nacht? Ich würde ersticken.

Mir fällt ein, wie wir Pia damals in dem Durchgang trafen, bei meinem ersten Abendbummel mit Rolf. Das müßte hier in der Gegend gewesen sein. Aber wo?

Ich gehe langsam weiter, obwohl ich mich grusle. Allein hier rumzusteigen, mitten in der Nacht, ist wirklich kein Vergnügen. Und wie ich wieder zurückfinde, ist sowieso noch die Frage.

Nach einer Weile komme ich an so einen schmalen Häuserdurchgang, aber es ist nicht der von damals. Doch wenn sie in keinem Haus verschwunden ist, muß sie hier durchgegangen sein.

Ich graule mich. Am liebsten würde ich umkehren. Aber dann gehe ich doch durch den Tunnel. Er ist lang, und dann stehe ich auf einem schmalen Fußsteig, und direkt vor mir ist trübes, schillerndes Wasser. Wieder so ein Kanälchen. Der Teufel soll dieses Labyrinth holen.

Doch es sieht ganz so aus wie die Gasse, wo ich mit Rolf gelandet bin, als wir uns verlaufen hatten. Dann müßte also auch der Durchgang, in dem die Tür war, aus der Pia damals heraustrat, ganz in der Nähe sein. Er müßte ungefähr parallel zu dem Durchgang liegen, aus dem ich eben kam. Fragt sich nur, ob rechts oder links. Auf jeden Fall sieht es so aus, als habe Pia in dieser Nacht das gleiche Ziel gehabt wie damals.

Ich bleibe zögernd stehen und schaue mich um. Hier ist es ganz still. Keine Menschenseele auf der Straße. Nur eine Katze streicht mit erhobenem Schwanz langsam vorbei.

Ich gehe langsam ein paar Schritte nach rechts, und plötzlich, wie aus dem Boden gewachsen, ist Pia neben mir. Das ferne Licht einer trüben Laterne reicht gerade aus, daß ich sie erkenne.

Diesmal lächelt sie nicht. Ihre dunklen Augen funkeln mich an.

Sie sagt hart: »Die deutsche Signorina. Warum gehen Sie mir nach?«

Mir hat es vor Schreck die Sprache verschlagen, der Hals ist mir wie zugeschnürt. Ich muß zweimal schlukken, bis ich meine Stimme wiederfinde.

»Ah, buona sera, Signora«, sage ich dann ein wenig heiser. Soll ich ableugnen, daß ich ihr nachgegangen bin? Würde sie sowieso nicht glauben. Am besten, ich sage so eine Art halbe Wahrheit.

Ich lächle ein bißchen verstört, weise dann vage mit der Hand hinter mich. »Ich saß dort mit meinen Freunden in einem Ristorante und sah Sie vorübergehen. Da bin ich Ihnen nachgegangen. Ich wollte bloß fragen, ob Amelita schon zurück ist. Heute abend bin ich am Palazzo vorbeigefahren, aber es war keiner da.«

Sie steht dicht vor mir. Ich rieche ihr süßes, schweres Parfum, sehe den Blick der großen Augen unverwandt auf mich gerichtet.

»So«, sagt sie langsam. »Was wollen Sie eigentlich von der Contessa?«

»Nichts weiter. Ich wollte nur fragen, ob sie nicht wieder mal mit uns zum Baden geht.«

»So«, sagt Pia wieder. Sie setzt sich langsam in Bewegung und geht in entgegengesetzter Richtung, also nach links weiter. Ich bleibe neben ihr.

»Ist sie noch nicht zurück?« frage ich drängend. Nun ist es schon egal. Wenn ich mit ihr spreche, kann ich jetzt ruhig aufdringlich sein. Kommt nicht mehr darauf an.

»Nein«, sagt Pia. »Noch nicht. Sie wird wohl noch einige Tage bleiben.«

»Und der Conte ist auch nicht da?«

Sie sieht mich von der Seite an und kommt näher an mich heran.

»Nein, Signorina. Der Conte ist auch nicht da. Ich verstehe nicht, warum Sie sich so bemühen. Wenn die Contessa zurückkommt und den Wunsch hat, Sie zu sehen, wird Sie sicher bei Ihnen anrufen. Sie weiß ja, wo Sie wohnen.« Das klingt reichlich abweisend.

Dabei hat sie mich noch mehr zur Seite gedrängt. Ich gehe nun dicht am Wasser entlang. Noch einen Schritt, und ich liege drin. Mir wird heiß. Wenn Pia jetzt eine rasche Bewegung macht, dann lande ich unten in der Brühe. Geländer ist nämlich keines da. Sie könnte das sehr geschickt machen. Sie könnte stolpern, kein Mensch könnte ihr eine böse Absicht nachsagen. Und weit und breit ist niemand zu sehen.

Ich lache unsicher. »Ja, schon. Bloß – wir bleiben nicht mehr lange. Wir fahren wahrscheinlich übermorgen weg. Ich hätte Amelita gern noch einmal gesprochen.«

Pia bleibt stehen und wendet sich mir zu. Wir stehen dicht voreinander. Kein Schritt liegt zwischen uns. Hinter meinem Rücken ist das Wasser. Es wäre ein Kinderspiel für sie, mich hineinzustoßen. Ich spanne meinen Körper und setze die Füße schräg nach außen. Wie hypnotisiert starren wir uns an. Keine wagt die andere aus den Augen zu lassen. Keine Höflichkeit ist mehr zwischen uns, auch nicht die Vorspielung davon. Sie sieht mich aus schmalen Augen an, böse sieht sie aus und gemein. Und ich – ich habe einfach Angst. Richtiggehende ekelhafte Angst.

Sie wird es nicht wagen. Sie kann mich hier nicht in den Kanal stoßen. Sie würde alles gefährden, was sie plant. Falls sie etwas plant.

Das Schweigen zwischen uns ist drohend, unheimlich. Vielleicht ist sie auch verrückt. So etwas gibt es. Ich muß etwas sagen, muß diesen Bann brechen.

Doch ich muß zweimal zum Sprechen ansetzen, bis mir meine Stimme gehorcht.

»Es ist nämlich so, daß...«, ich stocke, doch dann habe ich einen Einfall. »Mein Bruder hat mir geschrieben, der ist in Amerika, wissen Sie. Und – und, er ist mit Amelitas Verlobtem befreundet. Amelitas Verlobter will nämlich herkommen in den nächsten Tagen.« So. Das war keine schlechte Idee. Sie soll nicht glauben, daß Amelita ganz schutzlos ist, daß sich niemand um sie kümmert. »Das wollte ich Amelita auch gern mitteilen.«

»Mir ist nichts davon bekannt, daß die Contessa verlobt ist«, sagt Pia langsam. »Haben Sie sonst noch einen Wunsch, Signorina?«

»Ich – eh, nein, danke. Grüßen Sie Amelita, und ich... Sie soll mich besuchen. Und sagen Sie ihr...«, mein Gestammel endet mit einem Aufschrei. Pia hat die Hand gehoben und sich vorgebeugt. Ich kann die mörderische Spannung nicht länger aushalten, weiche blitzschnell nach der Seite aus, ducke mich. Ihre Hand trifft mich an der Schulter. Aber der Stoß, wenn es einer war, hat keine Kraft, ich habe mein Gewicht schon verlagert und springe weg, drehe mich um und laufe, renne wie ein kleines Kind, als seien tausend Teufel hinter mir her.

Hinter mir höre ich es lachen, spöttisch und amüsiert. Sie lacht mich aus. Vielleicht hat sie die Hand gehoben, um mir adieu zu sagen. Möglicherweise hatte sie durchaus nicht die Absicht, mich in den Kanal zu stoßen. Und ich habe mich wie ein Narr benommen. Nachgerade sehe ich überall Gespenster und mache mich ganz schön lächerlich dabei.

Aber warum hat sie mich so weit hinübergedrängt, bis dicht an das Wasser heran? Wollte sie mir Angst machen? Mich abschrecken? Oder hat sie wirklich böse Absichten? Mir ist heiß. Mein Herz klopft wie rasend. Ich werde mir noch Kreislaufstörungen auf dieser sogenannten Ferienreise holen.

Planlos bin ich weitergelaufen, bis ich mich darauf besinne, wo ich eigentlich hin will. Zurück ins Ristorante. Wo könnte das sein?

Und wo Pia hingegangen ist, weiß ich nun genausowenig wie zuvor. Doch, ich weiß es. Genau dahin, wo sie damals war. Es ist dieselbe Gegend, es war derselbe Kanal. Wenn sie mich nicht überrascht hätte, kann sein, ich hätte den richtigen Durchgang gefunden. Aber ich gehe nicht zurück. Nicht für eine Million. Ich habe kein Verlangen danach, daß sie mich morgen als Leiche aus dem Kanal fischen. Ertrinken würde man hier wohl kaum, aber der Schlag würde mich treffen vor Entsetzen. Da unten zu liegen, bei all den Ratten und Schlangen und was es sonst noch so geben mag in dem dreckigen Wasser.

Ich komme auf eine breitere Gasse hinaus, hier ist Licht, hier sind Menschen. Und wie sich herausstellt, bin ich gar nicht weit von unserem Ristorante entfernt. Plötzlich sehe ich die roten und gelben Lichter wieder, und dann die vertrauten Köpfe von Margit, Rolf und Kellermann. Gott, wie ich sie liebe! Alle drei. Schön, sie wiederzusehen.

Atemlos komme ich ins Lokal, die drei sehen mir entgegen. »Wo bleibst du denn so lange?« fragt Margit.

»Ist dir schlecht?« fragt Rolf.

Himmel, ja, für eben mal verschwinden war ich reichlich lange weg, auch wenn das Ganze kaum mehr als eine Viertelstunde gedauert haben kann. Und sie haben gedacht, mir ist schlecht geworden. Keine Bohne, von Schwips keine Rede mehr. Ich bin stocknüchtern. Nur heiß ist mir. Ich wische mir mit dem Taschentuch über meine feuchte Stirn, lasse mich aufatmend auf meinen Stuhl sinken und trinke mit einem Zug Rolfs Glas aus. In meinem ist nichts mehr drin. »Kinder!« sage ich.

»Was hast du denn?« will Margit wissen.

»Ist was passiert?« fragt Rolf.

Ich erzähle rasch, was ich erlebt habe. Sie hören mir alle drei stumm zu.

»Aber Pony!« sagt Margit vorwurfsvoll.

Rolf nimmt meine Hand und drückt sie so fest, daß es weh tut. »Du elender Fratz«, sagt er, »mußt du denn immer Dummheiten machen? Kann man dich nicht mal allein um die Ecke gehen lassen? Warum mußt du denn diesem Frauenzimmer nachlaufen?«

»Ich wollte eben wissen, wo sie hingeht. Du weißt doch, wir haben sie schon einmal hier getroffen. Und sie ist genau wieder dahin gegangen. Aber sie hat gemerkt, daß ihr jemand nachkam. Da stimmt doch etwas nicht. Würdest du es wiederfinden, wo das damals war? Wollen wir schnell alle zusammen gehen und schauen, ob wir das Haus finden?«

»Nein, zum Donnerwetter«, sagt Rolf energisch. »Du bleibst hier sitzen und rührst dich nicht mehr von meiner Seite.«

»Ihr sollt ja mitkommen.«

»Wir denken nicht daran. Was geht es uns an, wo die Frau nachts hingeht. Vielleicht hat sie einen Liebhaber da wohnen und will verständlicherweise nicht, daß man ihr nachgeht. Das sind doch alles Hirngespinste, Pony.«

»Wie viele Liebhaber denn noch?« frage ich. »Der alte Conte, der junge Conte, den Mann im Keller, der Unbekannte im Durchgang. Sie kann ja gar nicht rumkommen.«

»Ich denke, der alte Conte ist tot?« meint Margit.

»Na ja, schon. Drei Liebhaber reichen ja auch.« Dann schaue ich Rolf bittend an. »Wollen wir nicht doch mal schnell hingehen?«

»Nein, wollen wir nicht. Wir gehen jetzt nach Hause. Und wenn du in Zukunft nicht parierst, nehme ich dich an die Leine.«

Ich seufze und schweige. Energischer Mann ist auch was Feines. Ehrlich gestanden, habe ich gar nicht viel Lust, mich nochmals in das Gassengewirr zu stürzen. Obwohl es natürlich in Gesellschaft was anderes ist als allein. Und vielleicht hat Pia dort wirklich einen Liebhaber wohnen, klingt ganz plausibel.

Als wir gehen, schaue ich aber doch noch mal zurück und merke mir die Richtung. Über die Brücke, dann nach links, und dann – weiß ich auch nicht mehr. Aber ich habe so das Gefühl, wenn ich nur lange genug suche, finde ich den Weg.

Das geheimnisvolle Haus

Und ich finde ihn auch, schon am nächsten Tag.

Der ist zunächst verlaufen wie alle anderen. Den Vormittag haben wir im Lido verbracht, allerdings ohne Kellermann, der in die Biblioteca gegangen ist. Margit hat sich uns angeschlossen.

»Das dürfte doch wohl die erste längere Trennung von deinem Mann sein. Oder? Wie fühlt man sich da?« fragt Rolf sie neckisch.

Und Margit gesteht seufzend: »Bißchen einsam schon.«

»Na, du spinnst ja langsam komplett«, sage ich. »Hier und einsam?« Ich weise über den Lido hin, der eine Bevölkerung aufweist wie eine mittlere Millionenstadt in der Hauptverkehrszeit. Ist wirklich nicht mehr feierlich hier. Ich habe nichts dagegen, daß wir abreisen. Mir schwebt so ein weiter, langer Strand vor, wo man ungestört herumhopsen kann. Ob es so was in Italien überhaupt noch gibt?

Marlise ist ausschließlich mit ihrem Brettschneider beschäftigt. Sie schauen sich des öfteren tief in die Augen, und dann seufzt sie. Armer Eugen! Man soll eben eine junge hübsche Frau nie allein in Urlaub schicken.

Übrigens wollen Brettschneiders auch abreisen. Sie wollen quer durch das Land hindurch, hinüber in die Bucht von Neapel und vermutlich in Sorrent bleiben.

»Gar keine schlechte Idee«, meint Marlise. »Das könnten wir auch machen, Pony. Was hältst du davon?«

Rolf benützt die Gelegenheit und sagt zu Marlise: »Sie werden aber nicht so grausam sein, gnädige Frau, mich allein hier zurückzulassen. Neapel muß ich unbedingt kennenlernen. Und Sorrent ist überhaupt mein Traum.«

Marlise lächelt verständnisinnig und sagt, daß sie sich

freuen würde, ihn dort wiederzutreffen. Dann blickt sie befriedigt auf mich und nickt mir anerkennend zu.

Soweit wäre alles in schönster Markenbutter.

Es ist wieder irrsinnig heiß. Wir essen darum im Hotel und legen uns nachher alle ein wenig hin. Am Spätnachmittag wollen wir noch mal zum Lido fahren.

So gegen drei Uhr ruft der Portier bei mir an und teilt mir mit, daß Frau Kellermann in der Halle sei. Ich gehe hinunter.

»Wieder allein?« fragte ich, als ich Margit unten sitzen sehe. »Ihr laßt euch doch nicht etwa demnächst scheiden?«

»Putz arbeitet«, teilt sie mir mit gewichtiger Miene mit. »Er schreibt die Geschichte der Rubine auf.«

»Ach nee. Warum denn das? Kann er uns doch auch erzählen.«

Sie hebt die Schultern. »Es hat ihn so fasziniert, was er gehört und gelesen hat, daß er jetzt eine Geschichte daraus machen will. Er sitzt in unserem Zimmer und schreibt wie ein Verrückter. Bei der Hitze! Er ist eben doch ein halber Dichter.«

»Vielleicht sogar ein ganzer. Kann man nie wissen. Auf jeden Fall finde ich es schön. Was machst du dann?«

»Ich gehe zurück und lege mich hin. Ich habe Kopfschmerzen. Ich wollte dir nur sagen, daß wir nachmittags nicht mit hinüberfahren zum Lido. Wir sehen uns dann abends, ja?«

»In Ordnung. Bin schon mächtig gespannt, was dein Teurer da herausklamüsert hat.«

Ich begleite Margit ein Stück. Dann stehe ich allein unter dem Uhrenturm und schaue über den Markusplatz. Um diese Stunde ist es fast leer hier. Die Menschen flüchten vor der Hitze an den Strand oder in die Häuser. Auch die Tauben scheinen Siesta zu halten, es sind kaum welche zu sehen. So gut gemästet wie die sind, muß ihnen die Hitze ja zu schaffen machen. Soll ich auch wieder ins Bett gehen? Eigentlich habe ich keine Lust.

Und dann reitet mich der Teufel. Wie wär's denn, wenn ich jetzt, bei Tageslicht, mal nach Pias geheimnisvollem Ziel suchen würde? Am Tage ist nichts Grusliges dabei. Vielleicht könnte ich entdecken, was dort los ist, beziehungsweise wer dort wohnt. Es besteht wohl keine Gefahr, daß ich Pia dort treffe, sie scheint immer nur am Abend dahin zu gehen.

Ich gehe also stadteinwärts, langsam und vergnügten Sinnes, ahnungslos, was mir bevorsteht. Ein bißchen kenne ich mich hier nun schon aus. Ich orientiere mich an den Geschäften und den Auslagen der Schaufenster, die ich von unseren Abendbummeln her gut kenne.

Natürlich dauert es eine Weile, bis ich den richtigen Dreh finde. Aber dann bin ich wieder an dem kleinen Seitenkanal, wo ich mich vergangene Nacht so albern benommen habe. Hier irgendwo muß der lange, dunkle Durchgang sein.

Kurz darauf habe ich ihn gefunden. Selbst am Tage ist es hier düster und unheimlich. Es ist ein uraltes Haus. Die Haustür, falls man das alte Ding überhaupt so nennen kann, ist in dem engen Tunnel. Wenn sich dahinter so etwas wie eine Wohnung befindet, dann müssen wohl die Fenster, die auf das Kanälchen hinausgehen, dazugehören. Unten, direkt am Kanal, ist eine Schusterwerkstatt, in der aber niemand zu entdecken ist. Hier geht der Eingang von der Straße aus hinein. Aber jetzt schlafen die Leute anscheinend. Hätte ja auch keinen Zweck, daß ich hineingehe und dumme Fragen stelle. Die Leute verstehen mich ja doch nicht.

Ich hänge ein bißchen in der Gegend herum, gehe einmal ganz durch den Tunnel hindurch auf die andere Seite, wo wieder eine enge Gasse liegt. Auch hier ist alles ausgestorben.

Dann gehe ich wieder zurück und bleibe vor der Tür stehen. Was mag dahinter sein? Und was macht Pia hier? Eine Schneiderin, hat Rolf gesagt. Oder ein Liebhaber.

Ja, nun bin ich hier, aber ich bin so schlau wie vorher.

Hinein kann ich nicht. Das beste ist wohl, ich gehe zurück und schlafe doch noch eine Stunde.

Wie ich mich zum Gehen wende, bekomme ich einen Riesenschreck. Neben mir steht auf einmal der Conte. Ich starre ihn wie hypnotisiert an und fühle, wie ich rot werde. Das ist mir aber peinlich. Was soll ich jetzt bloß sagen?

Er mustert mich schweigend.

Ich schlucke meinen Schreck hinunter und versuche ein Lächeln.

»Ah, Signorina Pony«, sagt er. »Welche Überraschung!«

Was sage ich nun wirklich? »Guten Tag«, das kann auf keinen Fall verkehrt sein.

Aber dann denke ich, daß es ganz gut ist, ihn hier zu treffen. Einmal muß er ja doch erfahren, was hinter seinem Rücken alles gespielt wird. Eigentlich kann er mir dankbar sein, wenn ich ihn aufkläre. Und wenn er zurück ist, dann muß Amelita eigentlich auch wieder da sein.

»Wie kommen Sie hierher?« fragt er.

»Durch Zufall«, erwidere ich ziemlich blöde. Wer soll das schon glauben? »Ich wollte nur sehen, ob Ihre Schwester wieder zurück ist.«

»Und wieso suchen Sie sie gerade hier?«

»Ich sah einmal, wie Signora Lanzotti hier herauskam, und jetzt eben kam ich zufällig vorbei. Ich dachte, sie wohnt vielleicht hier. Gerade wie Sie kamen, suchte ich nach einem Türschild.«

»So«, sagt er. Um seinen hübschen weichen Mund erscheint ein kleines Lächeln. Dann sagt er freundlich: »Amelita wird sich freuen, Sie zu sehen.«

»Ist sie zurück?«

»Ja.« Er zieht einen Schlüssel aus der Tasche und sperrt ohne weiteres die Tür auf, die mir so viel Kopfzerbrechen verursacht hat. »Kommen Sie nur herein.«

»Ich will nicht stören«, sage ich. Am liebsten würde ich mich schleunigst verdrücken.

»Sie stören gar nicht. Ich sage Ihnen ja, Amelita wird sich freuen.«

»Ist sie denn hier?«

»Ja. Ich komme gerade, um sie abzuholen. Bitte.« Er hält die Tür abwartend auf und lächelt mich liebenswürdig an.

Was soll ich machen? Ich trete also langsam über die Schwelle. Er kommt auch herein, schließt die Tür wieder sorgfältig, dreht sogar den Schlüssel um. Mir ist etwas unheimlich zumute. Aber wenn Amelita hier ist, kann es nicht weiter gefährlich sein.

Gleich hinter der Tür führt eine schmale Treppe steil nach oben.

»Bitte«, sagt der Conte wieder und gibt mir mit einer Handbewegung zu verstehen, daß ich hinaufklettern soll.

Von oben fällt ein schmaler Lichtstreif auf die Treppe, wohl von einer halboffenen Tür. Ein heller, gelber Streifen, der über dem dunklen morschen Holz in der Luft schwebt. Darin tanzen winzige Staubkörnchen.

Ich steige langsam hinauf. Die Stufen ächzen und knarren. Muß das Haus alt sein! Der Conte geht dicht hinter mir. Ist auch nicht ganz richtig. Soviel ich weiß, geht nach Knigge ein Herr auf der Treppe immer voraus.

Ehe wir hinaufkommen, geht oben die Tür ganz auf, langsam, mit einem stöhnenden Quietschen. Auf der Schwelle steht Pia Lanzotti und blickt mir ruhig entgegen. Also ist sie auch am Tage hier, nicht nur in der Nacht. Mir ist die Begegnung sehr unangenehm, nach unserem Zusammentreffen in der vergangenen Nacht. Und wo bin ich hier eigentlich hingeraten?

»Nanu, Conte«, sagt Pia, »wen bringen Sie denn da?«

Sie lächelt mit schmalen Augen, den einen Mundwinkel ein bißchen herabgezogen.

»Ich traf die Signorina unten vor der Tür. Sie interessierte sich dafür, wer hier wohnt.«

»Sie sind wirklich hartnäckig, Signorina«, sagt Pia. Dann tritt sie zurück. »Aber kommen Sie doch herein.«

Es ist ein kleines Zimmer, ein paar alte wacklige Möbel, ein Tisch in der Mitte, ein paar Stühle herum. Sieht soweit ganz normal aus.

Wir stehen alle drei da und schauen uns an.

Ich lache, es klingt aber unsicher und etwas komisch. »Ich weiß, es sieht albern aus. Aber man hat eben viel Zeit in den Ferien, und da strolcht man so durch die Gegend. Man kommt hierhin und dorthin«, ich verstumme verlegen und schaue mich suchend um. »Ist Amelita hier?«

»Meine Schwester wird gleich kommen«, sagt der Conte. »Hier wohnt nämlich eine alte Tante von uns. Sie ist krank. Amelita macht ihr gerade einen Besuch. Wir reisen morgen ab.«

»Morgen schon?«

»Ja. Aber nehmen Sie doch Platz.« Er weist auf einen der wackligen Stühle, ich setze mich auf die äußerste Kante, er setzt sich mir gegenüber. Auf dem Tisch stehen zwei halbgeleerte Gläser mit einer gelben Flüssigkeit. Amelita ist also anscheinend wirklich hier. Ich fühle mich beruhigt.

»Vielleicht möchte die Signorina auch eine Erfrischung«, sagte der Conte und sieht Pia an.

»O nein, danke«, sage ich, »bemühen Sie sich nicht.«

»Es macht durchaus keine Mühe«, sagt Pia liebenswürdig, »einen kleinen Moment.« Sie geht aus dem Zimmer, läßt aber hinter sich die Tür offen.

»Sie reisen also schon morgen«, sagte ich. »Hätte sich Amelita denn gar nicht mehr bei mir blicken lassen?«

»Aber selbstverständlich. Wir hatten die Absicht, Ihnen und Ihrer Schwester heute abend einen Abschiedsbesuch zu machen.«

»O ja. Ich hoffe, Sie werden das auf jeden Fall tun. Wir reisen nämlich auch morgen oder spätestens übermorgen. Mein Schwager kommt, und dann wollen wir woanders hinfahren.«

Wir machen so ein bißchen Konversation, alle beide sehr höflich und vorsichtig. Mir ist es immer noch peinlich, daß ich hier hereingeplatzt bin. Jetzt, da der Conte mir gegenübersitzt, in einem tadellosen hellgrauen Anzug mit einer dezent gestreiften Krawatte, ganz Mann von Welt, kommen mir alle meine wilden Hirngespinste um die Familie Ceprano reichlich kindisch vor. Dies ist eine vornehme alte Familie, sie besuchen hier eine kranke Tante, sehr anerkennenswert. Und Pia, als guter Engel, ist öfter des Abends hergegangen, um nach der alten Dame zu schauen, vielleicht, um ihr etwas zu essen zu bringen. Ich erinnere mich, daß sie gestern eine große Tasche am Arm trug. Pia kommt zurück und stellt auch so ein gelbes Glas vor mich auf den Tisch.

»Danke«, sage ich, und dann trinke ich durstig fast das ganze Glas mit einem Zug leer. Schmeckt gut, wohl so eine Art Orangeade.

»Schmeckt sehr gut«, sage ich. Und dann fällt mir nichts mehr ein, was ich sagen könnte. Der Conte sitzt mir gegenüber mit seinem höflichen Lächeln. Pia steht in der Nähe der Tür.

»Wie war es auf dem Landgut?« frage ich, um das Gespräch wieder in Gang zu bringen.

»Nicht sehr erfreulich«, sagt der Conte. »Wir haben uns nun doch entschlossen, den restlichen Besitz zu verkaufen. Ich kann mich nicht darum kümmern, und Amelita hat auch kein Interesse dafür.«

»Sie werden Ihre Studien wieder aufnehmen?« frage ich.

»Gewiß. Sobald ich von Amerika zurück bin.«

Heiß ist es hier. Ich habe mich schon immer gewundert, wie die Leute in diesen alten Häusern wohnen. Eine stickige Luft, mir ist ganz benommen im Kopf.

»Werden Sie lange drüben bleiben?«

»Zwei bis drei Wochen, denke ich. Amelita und ihr Onkel werden die Angelegenheit bestens regeln.«

»Die Contessa war sehr überrascht, als ich ihr erzählte, daß ihr New Yorker Bekannter hierherkommen will«, läßt sich jetzt Pia vernehmen. »Sie hatte keine Ahnung davon.«

Auweia, da habe ich ja was Schönes angerichtet. Mir wird noch heißer. Pia hat das Amelita erzählt. Muß ich Amelita nachher gleich sagen, daß das Schwindel war.

»Ja«, sage ich. »Mein Bruder hat mir geschrieben. Aber es ist noch nicht ganz bestimmt. Und wenn Sie morgen schon reisen...«, ich verstumme verlegen.

Pia sieht mich merkwürdig an, lauernd, unter halbgesenkten Lidern. Mir ist ganz benommen unter ihrem Blick. Ein schreckliches Frauenzimmer. Ich finde sie auch gar nicht mehr hübsch. Eigentlich sieht sie ziemlicht gewöhnlich aus. Und böse, richtig böse. Amelita hat schon recht.

»Ich wundere mich immer noch«, sagt Pia langsam, »wie Sie hierhergefunden haben, Signorina. Sie haben mich hier gesehen, sagten Sie? Schon vor gestern abend?«

»Ja, vorige Woche mal. Ich weiß nicht mehr genau, wann. Da spazierte ich mit meinem Bekannten hier in der Gegend herum, und da war es mir so, als wenn ich Sie hier herauskommen sah. Das war an dem Tag, als wir nachmittags im Palazzo waren. Ich hatte Sie gerade erst kennengelernt und war nicht sicher, ob Sie es wirklich waren.«

»Sie sind eine aufmerksame Beobachterin«, sagt Pia. »Und dann gaben Sie also nicht Ruhe, bis Sie dieses Haus wiedergefunden hatten.«

Ich wurde rot. »Ich weiß, es ist albern. Aber wie ich schon sagte, man hat nichts zu tun in den Ferien. Es war so eine Art sportlicher Ehrgeiz, ob ich es wiederfinde.«

»Sind Sie ganz allein heute hierhergekommen?«

»Ja. Ganz allein. Mein Anhang hält Siesta.« Hätte ich lieber auch tun sollen.

Ich bin hundemüde, meine Lider sind schwer. Das kommt von der Hitze.

Ich trinke den Rest meiner Orangeade.

»Schmeckt es?« fragt Pia freundlich.

»Danke. Sehr gut.«

Nebenan poltert es. Es klingt, als sei ein Stuhl umgefallen. Und dann höre ich auf einmal eine laute, zeternde Frauenstimme, die irgend etwas Unverständliches brabbelt.

»Ist das die Tante?« frage ich.

»Ja«, antwortet der Conte. »Sie ist schon etwas wirr im Kopf, wie es manchmal bei alten Leuten vorkommt.«

»Lebt sie denn ganz allein hier?«

»Sie hat eine Bedienung. Und Signora Lanzotti kümmert sich freundlicherweise auch ein wenig um sie.«

Die liebe, gute Pia! Und ich habe in ihr eine schwarze Verbrecherin auf dunklen Pfaden vermutet. Rolf hat ihr sogar einen Liebhaber in diesem alten Gemäuer angedichtet. Wie man sich täuschen kann! Man soll eben mit seinen Verdächtigungen nie so voreilig sein. Alles in allem habe ich mich mächtig blamiert mit meinen komischen Ideen. Wenn ich nicht so hundeelend müde wäre, würde ich mich schämen. Nachher – nachher tue ich es bestimmt. Ich habe Mühe, den Kopf geradezuhalten, und die Augenlider sinken mir immer herab.

Mit einem Ruck setze ich mich gerade. Hoffentlich kommt Amelita bald, damit wir gehen können.

»Wenn Sie morgen schon reisen«, sage ich, nur um das Schweigen zu brechen, »dann haben Sie den Schmuck wohl schon?«

»Ja«, sagt der Conte. »Wollen Sie ihn sehen?«

Ich reiße gewaltsam die Augen auf. »Ist er denn hier?«

»Ja. Wir haben ihn gerade vorhin von der Bank geholt. Sie sagten doch einmal, daß Sie ihn gern sehen würden.«

»Ja. O ja. Natürlich.«

»Dies ist der Ring.« Pia streckt ihre gebräunte Hand aus, hält sie dicht vor mein Gesicht. Ich fahre zurück. Der Ring. Der Rubinring. Ein blutroter Stein, groß und schwer, in einer wuchtigen alten Fassung. Ein tiefes, düsteres Rot, und ringsherum blitzt es, das müssen wohl Brillanten sein.

»Oh!« sage ich und starre auf Pias Hand. Mein müder Kopf versucht einen klaren Gedanken zu formen. Warum trägt sie den Ring? Darf sie das denn? Erlaubt Amelita das? Mit einem Schlag ist mein Mißtrauen wieder wach. Irgend etwas stimmt doch hier nicht. Pia trägt den Ring. Mit größter Selbstverständlichkeit zeigt sie mir ihre Hand.

Sie haben Amelita umgebracht, fährt es mir durch den Kopf. Und ich? Was machen sie mit mir?

Ich hebe meinen Kopf, es ist ein mühsames Beginnen, und schaue die beiden an. Warum ist mir so bleiern schwer in allen Gliedern? Warum kann ich kaum mehr die Augen offenhalten, kaum die Hand heben?

Die Orangeade! Sie haben mir was hineingetan. Natürlich. Das muß es sein. In meinem ganzen Leben bin ich nicht so sinnlos müde gewesen. Aus heiterem Himmel. Ich will aufspringen, aber ich kann nicht. Meine Beine gehorchen mir nicht mehr. Ich will etwas sagen, aber vor Entsetzen gefriert mir jeder Ton im Hals.

»Und hier ist das andere«, höre ich wie von fern Pias Stimme. Sie stellt ihre Handtasche auf den Tisch, eine ganz gewöhnliche weiße Sommerhandtasche, und greift hinein, und dann holt sie ihn heraus, Stück für Stück, den Rubinschmuck der Giulietta: eine schwere goldene Kette mit einer Reihe von blitzenden Rubinen, ein hohes Diadem, ein breites Armband, eine Brosche, die Ohrringe, zwei blutrote Tropfen. Sie legt es vor mich auf den Tisch, ein Stück neben das andere. Aber es interessiert mich gar nicht mehr. Ich will raus. Ich will nur raus hier.

Ich beuge mich vor, will aufstehen, stütze die Hände auf den Tisch, aber ich kann nicht. Die roten Steine, die

Brillanten, wie brennendes Feuer dringt es mir in die Augen, es blitzt und funkelt, und es kommt immer näher, mein Kopf sinkt vornüber, und gerade neben dem Diadem fällt er auf den Tisch, so schwer und lastend, als gehöre er gar nicht mehr mir, als sei er ein riesiger Stein.

Ganz weit entfernt höre ich noch Pias Stimme.

»Basta!« sagt sie.

Und dann höre ich nichts mehr, sehe ich nichts mehr.

Nur das Bild des Rubinschmucks, die roten, glühenden Rubine der Guilietta, riesengroß und flammend, wie ein drohendes Feuer, nehme ich mit hinüber in meinen Traum.

Die Rubine der Giulietta

Der Diener Ceno blieb an der Tür stehen.

»Hat die Hoheit sonst noch Wünsche?«

Der Doge schüttelt stumm den Kopf. Ceno ging. Die hohe Tür schloß sich geräuschlos hinter ihm.

Francesco Foscari, der Doge von Venedig, saß still in seinem schweren goldenen Stuhl. Lange saß er so, ohne sich zu rühren.

Er war müde. Müde bis zum Tode. Jetzt, da er allein war, durfte er endlich müde sein. Wenn die anderen dabei waren, durfte keiner merken, wie die Last seiner 80 Lebensjahre ihn drückte. Sie belauerten ihn, die Herren der Signori, sie wollten ein Zeichen der Schwäche sehen, ein greisenhaftes Zittern seiner Stimme vernehmen. Sie konnten es nicht erwarten, ihn los zu sein. Dabei mußten sie nichts so sehr fürchten wie den Tag, an dem er sterben würde. Wie die Hunde auf einen Knochen, so würden sie sich auf die frei werdende Macht stürzen, ohne zu bedenken, daß der, der die Macht bekam, auch die Verantwortung tragen mußte. Und daß er dieser Macht alles opfern mußte, was das Leben lebenswert machte. Freude, Glück, Liebe, den Frieden seines Herzens, das Leben derer, die er liebte. Vier Söhne hatte er besessen. Heute war er allein.

Macht! Was war das schon? Heute galt sie dem Dogen nicht mehr viel, so sehnlich auch er sie einst gewünscht und nach ihr verlangt hatte. Für ihn war die lange Regierungszeit nicht Freude und Triumph gewesen, für ihn war es immer Entscheidung gewesen; Kämpfe, Krieg, Niederlage und Sieg. Ja, auch Sieg. Viele Siege hatte er errungen für Venedig, die Schöne, die Strahlende, die Beherrscherin der Meere. Sein Condottiere hatte Piccinino geschlagen; er hatte Bergamo, Cremona und Brescia für den Staat Venedig gewonnen; Ravenna war geraubt worden; er hatte Oberitalien gegen Alfons von Neapel geeinigt; er hatte gegen den Papst kämpfen müs-

sen. Immer nur Kämpfe, Kämpfe. Die Siege hatten ihn nicht übermütig gemacht, nach den Niederlagen hatte er geschickt verhandelt.

Doch heute warteten sie darauf, daß er endlich stürbe.

Und gerade jetzt wuchs die größte Gefahr täglich mehr. Die Türken wurden immer dreister, immer mächtiger. Sie hatten Konstantinopel erobert, sie schielten begehrlich nach der reichen Stadt in der Lagune, die sie immer gelockt hatte. Immer. Wenn er tot sein würde, er, Francesco Foscari, seit über dreißig Jahren Doge von Venedig, wer würde es dann verstehen, allen Gefahren entgegenzutreten? Wer würde kämpfen wie er, beharren wie er, stark sein wie er? Wer von all den reichen, stolzen Herren, diesen venezianischen Adligen, von denen jeder sich ein König dünkt. Und die doch müde und morsch waren in ihrem Kern, verwöhnt von ihrem Reichtum, satt und faul, mit weichen weißen Händen, die es besser verstanden, eine zarte Frauenschulter zu liebkosen als das Schwert zu führen. Das waren nicht mehr die Helden einer vergangenen großen Zeit. Sie lebten viel zu üppig, viel zu töricht in den Tag. Doch der Türke war jung und wild. Und stark.

Der alte Mann in dem goldenen Stuhl mit der hohen Lehne legte müde den Kopf zurück. Die trüben Augen wurden schmal in der Qual des Fragens und Zweifelns. Wer, außer ihm, dem Foscari, konnte Venedig schützen, konnte es retten vor den Feinden im Land, vor den Türken über der See?

Er stand mühsam auf und ging zum Fenster. Der Abendhimmel verblaßte über der Lagune. Ein Widerschein vom letzten Sonnengold spiegelte sich im Wasser. Venedig! Schönste, Geliebteste! Einzig Geliebte. Alles, was geblieben war. Was sollte aus ihr werden, aus dieser goldenen Stadt? Würden die Türken hier einziehen, würde der Halbmond über der Lagune wehen? Wer würde es verhindern?

Der Doge hob lauschend den Kopf. Ihm war, als habe er in seinem Rücken ein leises Geräusch vernommen, einen Seufzer, ein Rascheln. Seine Hand fuhr nach dem Dolch an der Seite. Schickten sie wieder einen Mörder für ihn? Sie hatten es schon oft getan.

Er wandte sich um und überflog den großen Raum mit raschem, scharfem Blick. Nichts.

Doch da – bewegt sich nicht der schwere Vorhang in der Nische? Er kniff die Augen zusammen, im Raum war es schon dämmrig. Seine Hand umfaßte fest den Dolchgriff.

»Komm hervor«, sagte er.

Wieder bewegte sich der Vorhang.

»Komm heraus!« rief der Doge, und seine Stimme war fest und hart wie einst.

Der Vorhang teilte sich langsam. Etwas Helles bewegte sich vor dem dunklen Hintergrund. Was war es? Der alte Mann konnte es nicht genau erkennen.

Die Gestalt kam langsam auf ihn zu. Leichtes Rauschen von Seide war zu hören. Ein blasses Gesicht hob sich aus dem Dunkel hervor, goldenes Haar darüber. Eine Frau. Ein Mädchen.

Mitten im Raum blieb es stehen. Hob die Hände zu einer leisen flehenden Gebärde, ließ sie wieder sinken.

»Verzeiht, Hoheit, daß ich hier bin«, sagte eine scheue weiche Stimme, zitternd vor Erregung.

»Wer seid Ihr? Kommt näher!«

Die Gestalt in dem Gewand aus blaßblauer Seide näherte sich zögernd. Drei Schritte vor ihm blieb sie stehen. Das erste, was er deutlich in sich aufnahm, waren die Augen. Große, hellbraune Augen unter hochgeschwungenen Brauen. Die angstvollen Augen eines Kindes, das über sich selbst erschrocken ist.

Sie war noch jung, achtzehn, neunzehn Jahre mochte sie sein. Sie war schlank und hochgewachsen; das schmale, weiße Gesicht umgeben von der Fülle goldenen Haares, das berühmte venezianische Gold, das am schönsten auf den Köpfen seiner Frauen zu finden war. Und wie sie den Kopf trug auf langem, schlankem Hals, ließ erkennen, daß sie aus edlem Blut war.

»Wer seid Ihr?« fragte der Doge noch einmal.

»Giulietta Ceprano, Hoheit«, sagte das Mädchen.

»Ceprano?« Sein Mißtrauen kehrte zurück. Die Nichte des Loredan. Und die Loredans, das große venezianische Geschlecht, waren seine ärgsten Feinde, warteten am sehnlichsten auf seinen Tod, hatten schon oft versucht, ihn herbeizuführen.

Das Mädchen schien zu ahnen, was er dachte.

»Keiner weiß, daß ich hier bin«, sagte es. »Ich komme zu Euch, weil Ihr der einzige seid, der mir helfen kann.«

»Helfen? Wozu?«

»Hoheit«, das Mädchen Giulietta kam noch einen Schritt näher, »ich ...«, sie verstummte unter dem kalten Blick des Dogen, den ihre Jugend, ihre Schönheit nicht rühren konnte. Ihn nicht mehr.

»Wie seid Ihr hereingekommen?« wollte er wissen.

»Es – half mir jemand dabei.«

»Wer?«

»Ich kann es nicht sagen.«

»Ihr habt einen meiner Diener bestochen.«

»Nicht bestochen. Ich habe ihn nur darum gebeten.«

»Welcher ist es?«

»Ich kann es nicht sagen.«

»Welcher?« Seine Stimme war scharf und böse.

Sie hob trotzig den schönen Kopf. »Ich will es nicht sagen. Es darf ihm kein Leid geschehen, dafür, daß er barmherzig war.«

Eine Weile maßen sie sich stumm, der alte Doge und das junge Mädchen.

Dann verzog der Foscari den Mundwinkel zu einem schiefen Lächeln.

»Zweifelt Ihr daran, daß ich es erfahren werde? Daß es Ceno nicht war, weiß ich. Es war einer von den jungen. Es wird nicht schwer sein, herauszufinden, wer es ist, der einem Weiberlächeln nicht widerstehen kann.«

»Es darf ihm nichts geschehen«, sagte sie.

»Es wird ihn den Kopf kosten«, erwiderte der Doge ruhig.

Das Mädchen wurde noch blasser.

»Euer Oheim hat Euch geschickt?« fragte der Doge.

»Es hat mich keiner geschickt. Ich sagte Euch bereits, niemand weiß, daß ich im Palast bin. Ich kam zu Euch, weil Ihr der Erste seid in Venedig. Wenn einer helfen kann, dann Ihr.«

»Der Erste?« Der Doge lachte bitter. War er der Erste? Dem Namen nach wohl. Er war es, wenn es galt, den Tadel einzustecken, die Niederlage zu schlucken, die Verantwortung zu

tragen. Aber sonst – die Herren der Signori entschieden über seinen Kopf, die übermütigen Nobili dünkten sich mächtiger in ihrem Reichtum, in ihrem Glanz, mächtiger als das Oberhaupt, das sie selbst gewählt hatten. Einst. Es war lange her.

Auch der Ceprano war einer von den Stolzen, Übermütigen, ganz im Schlepptau, unter dem Einfluß des Loredan, des großen Feindes.

»Und was begehrt Ihr also von mir?« fragte der Doge. »Was begehrt Ihr, das Euer Vater, Euer Oheim Euch nicht gewähren könnten?«

»Das Leben eines Mannes. Seine Freiheit«, sagte sie rasch. Ihre Stimme bebte, die großen Augen füllten sich mit Tränen.

»Ein Mann also?« Der Doge entspannte sich. »Was für ein Mann? Was ist mit ihm?«

»Er ist gefangen. In den Bleikammern – er muß befreit werden – er darf nicht sterben...« Die Stimme versagte ihr, der blonde Kopf sank herab. Mühsam versuchte sie, sich zu beherrschen.

»Ihr liebt diesen Mann?« fragte der Doge.

Sie hob den Kopf wieder. Ihre Augen glänzten im letzten Tageslicht von den Tränen, die darin standen. Eine leichte Röte stieg in ihre Wangen. Aber sie erwiderte ruhig und ohne zu zögern: »Ja.«

»Ihr wißt, daß es nicht in meiner Macht steht, einen Gefangenen zu befreien, den die Signori verurteilt hat«, sagte der Doge langsam. »Wer ist es?«

»Ein Venezianer wie Ihr und ich«, flüsterte sie. »Antonio Chiari.«

Dieser also. Der Doge schwieg. Er hatte an den Gefangenen nicht mehr gedacht. Er hatte zur Kenntnis genommen, daß man ihn über die Seufzerbrücke geführt hatte, und dann vergaß er es. Seit sein eigener Sohn unter den Bleidächern jammervoll gestorben war, zu Tode gemartert und gefoltert, sein eigener Sohn, dem er nicht hatte helfen können, nicht hatte helfen dürfen im Angesicht seiner Feinde, seitdem kümmerte ihn das Schicksal der Verlorenen nicht mehr. Er hatte flüchtig aufgemerkt, als er von der Verurteilung gehört hatte. Antonio

Chiari. Gewiß, er kannte den Namen. Der Jüngling hatte sich im Kampf ausgezeichnet, und später war er dem Sohn des Dogen, mit dem er befreundet war, in die Verbannung gefolgt. Lange hatte man in Venedig nichts mehr von ihm gehört.

Als er vor einiger Zeit zurückkehrte, ein Mann nun, stark und kühn, mit diesem dunklen, ernsten Gesicht, dem trotzigen Mund, den klugen, scharfen Augen, ein Mann, der die Welt gesehen hatte, der gelitten, gelernt und erfahren hatte, da hatte man aufgemerkt in Venedig. Vieles hatte Antonio zu berichten gehabt, Neues, Wichtiges. Er war in Konstantinopel gewesen, er hatte die Türken kennengelernt und den Sultan von Angesicht zu Angesicht gesehen.

Er kam, um die Venezianer zu warnen. Er sagte: Hütet Euch! Er sagte: Wacht auf! Die Gefahr ist größer, als Ihr glaubt. Er sagte aber auch: Ihr seid nicht bereit und gerüstet, ihr zu widerstehen, sie zu bekämpfen. Ihr seid nicht einmal willens dazu. Die venezianische Flotte ist alt und unmodern, die Männer schwach und feige. Besinnt Euch, oder Ihr werdet untergehen.

Solche Worte wollte keiner hören. Das Volk, gewiß, das lauschte ihm. Aber die Edlen, die Herren der alten Geschlechter, denen er das gleiche sagte, fühlten sich beleidigt von diesem Emporgekommenen, diesem Mann aus dem Volke, der es wagte, ein offenes Wort zu sprechen.

Kam es so weit mit Venedig, daß die Niedriggeborenen sprechen durften, daß sie es wagten, den Mund so weit zu öffnen? Dieser Knabe, dieser Mann, dessen Vater noch heute im Arsenal arbeitete, ein Arbeiter unter vielen?

Ja, der Doge besann sich. Auch ihn hatte es nicht interessiert, zu hören, was Antonio Chiari zu berichten hatte. Er, der Doge, hatte seine Spione bei den Türken, er wußte besser, was dort vor sich ging. Auch sein Stolz gestand es dem Mann des Volkes nicht zu, seine Meinung zu sagen. Die Bleikammern würden ihn belehren, wo sein Platz war.

Und hier nun stand dieses Mädchen vor ihm, eine Tochter aus altem Geschlecht, ein feines, zartes Geschöpf aus edelstem Blut, mit goldenem Haar und dünnen Gelenken, ein Geschöpf, das vom Staub der Erde unberührt war von der Stunde seiner Geburt an. Und dieses Mädchen sagte: Ja.

Der Doge fragte noch einmal, ungläubiges Staunen in der Stimme: »Ihr liebt diesen Mann?«

Giulietta erwiderte, ihre Stimme bebte nicht mehr, ihr Blick lag fest in dem seinen: »Ja. Ich liebe ihn.«

Der Doge betrachtete sie sinnend. Es war ungeheuerlich, dies Bekenntnis. Es müßte den Himmel über der Lagune zum Einsturz bringen, wenn es mit rechten Dingen zugehen sollte.

Im Geist sah er die große stattliche Gestalt des Antonio Chiari neben der lichten anmutigen Erscheinung des Mädchens. Ein schönes Paar würden sie abgeben, schoß es ihm durch den Kopf.

»Woher kennt Ihr ihn?« fragte er.

»Ich kenne ihn schon lange«, antwortete Giulietta. »Er kam zu uns ins Haus nach dem Friedensschluß von Mailand. Mein Vetter Loredan hatte an seiner Seite gekämpft. Aber sie entzweiten sich später.« Giulietta senkte den Kopf und schwieg.

Der Doge wußte, was sie verschwieg. Ihr Vetter Loredan und der Sohn des Dogen waren glühende Feinde gewesen, und Chiari hatte sich auf die Seite seines Sohnes geschlagen. Bedingungslos und treu.

Das machte ihm den maßlos stolzen Loredan zum Feinde.

»Und weiter«, sagte der Doge.

»Ich war damals noch ein Kind. Aber Antonio machte großen Eindruck auf mich. Jedes Wort, das er sprach, alles, was er erzählte von dem Feldzug, von seinen Plänen, ich behielt es genau. Und als er jetzt zurückkehrte...«, sie stockte wieder.

»Und Ihr nun kein Kind mehr wart«, half der Doge weiter, und erstmals lag der weiche Schimmer eines Lächelns in seinen Greisenaugen, »da besannt Ihr Euch dieser Worte wieder.«

»Ich hatte sie nie vergessen. Wir trafen uns während des Karnevals, und da...«, sie hob die Schultern und legte dann den blonden Kopf in einer süßen, entsagungsvollen Gebärde leicht zur Seite. »Wir wußten vom ersten Blick an, von der ersten Berührung unserer Hände, daß wir einander liebten.«

Der Doge versuchte, sich zu besinnen, warum man Antonio

Chiari in die Bleikammern gesperrt hatte. Er sei ein Verräter, hatte der Loredan behauptet, der mit den Türken gemeinsame Sache gemacht habe und nun gekommen sei, das Volk mutlos zu machen.

»Antonio wollte zu Euch«, fuhr Giulietta nun hastig fort, »aber sie ließen es nicht zu. Mein Oheim, mein Vetter und alle ihre Freunde verhinderten es.«

»Warum wollte er zu mir?« fragte der Doge.

»Ich weiß es. Er hat es mir gesagt. Er hat es auch meinem Oheim gesagt, aber der wies ihn zurück. Antonio war bei den Türken. Er kennt ihre Pläne. Und er kennt die neuen Schiffe, die sie bauen. Viel schnellere Schiffe, als wir sie haben. Und sie haben irgend etwas errechnet, ich konnte es nicht genau verstehen, damit fahren sie auch in der Nacht schnell und sicher und können unsere Schiffe überfallen. Sie hatten einen Gefangenen, einen Portugiesen, der hatte lange bei einem Mann gelebt, den sie Dom Enrique el Navegador nennen. Der hat all diese neuen Dinge entdeckt und erforscht. Aber Antonio kennt diese Geheimnisse. Er kann es unsere Seeleute lehren. Und er weiß auch, wann die Türken aufbrechen zu ihrem nächsten großen Überfall.«

»So. Dies weiß er also.«

»Ja. Aber keiner wollte ihm glauben. Mein Oheim nicht, mein Vater nicht, auch nicht mein Vetter. Und als er drohte, zu Euch zu gehen und mit Euch zu sprechen, Hoheit, da setzten sie ihn gefangen, nannten ihn einen Verräter und brachten ihn unter die Bleidächer.« Plötzlich brachen Tränen aus ihren Augen. »Sie foltern ihn, sie martern ihn. Vielleicht ist er schon tot. O Hoheit, helft mir. Ihr müßt ihn retten. Er ist gut und treu, ich weiß es. Er will Venedig retten, er will uns helfen, uns allen.«

Der Doge betrachtete das weinende Mädchen stumm eine lange Zeit.

»Und Ihr, Giulietta«, sagte er dann, »Ihr wollt ihm helfen, ihn retten. Weil Ihr ihn liebt.«

»Ja. Nur das will ich. Sonst verlange ich nichts. Wenn er frei ist, soll er Venedig verlassen. Hier ist er nicht sicher.

Meine Familie wird nie gestatten, daß wir heiraten. Und mein Vetter wird ihn töten.«

»Euer Vetter liebt Euch?« fragte der Doge.

»Er sagt es«, erwiderte Giulietta. »Es ist ausgemacht, daß wir heiraten. Aber ich will nicht. Ich werde nie heiraten.«

Der Doge griff nach einem kleinen Stab und schlug damit gegen eine Silberplatte.

Es gab nur einen leisen, verhallenden Ton, doch kaum war er verklungen, öffnete sich die hohe Tür, und Ceno trat ein.

Mitten in seiner Verneigung stockte er, als er das Mädchen sah. Sein Mund öffnete sich vor Staunen.

»Ceno«, sagte der Doge, »du mußt deine Gehilfen besser überwachen. Und du wirst mir den herausfinden, der mir diese späte Besucherin ins Zimmer ließ.«

Giulietta blickte den Dogen erschrocken an, doch er vermied ihren Blick. Er fuhr fort: »Weise ihn zur selben Stunde aus dem Palast. Hier ist kein Platz für ihn. Doch nun etwas anderes, Ceno. Ich habe einen Auftrag für dich.«

Der Doge ging mit seinem Diener beiseite. Es war dunkel nun im Zimmer. Nur undeutlich sah Giulietta die Gestalten der beiden Männer, sie verstand nichts von dem Gemurmel ihrer Stimmen. Ceno verneigte sich wieder. »Wie Ihr befehlt, Hoheit.« Er entzündete die Kerzen in den Leuchtern und blieb dann vor dem jungen Mädchen stehen.

»Seid Ihr in Begleitung hier, Contessa?« fragte der Doge.

»Nein, Hoheit«, erwiderte Giulietta. »Ich bin allein.«

»Ich wundere mich, daß eine Tochter der Ceprane am Abend allein den Palazzo verläßt«, sprach der Doge, aber es war mehr eine Floskel.

Statt einer Antwort zog Giulietta einen dichten Schleier über ihr Haupt.

»Das macht Euch nicht unsichtbar«, sagte der Doge mit einem Lächeln.

»Nicht unsichtbar, Hoheit. Aber unerkennbar. Wenn ich durch die Straßen gehe, sehe ich aus wie ein Mädchen aus der Stadt.«

Der Doge lächelte wieder. Er sah sie an, die stolze Haltung des Kopfes, die anmutige Gestalt. Nun, auch die Kinder des Volkes besaßen ihre Anmut. Doch es war wohl eine andere.

»Soll das heißen, daß Ihr den Weg hierher gelaufen seid?« fragte er.

»Ja, Hoheit. Im Palazzo Ceprano gibt es eine kleine Pforte, die hinten auf die Gassen führt.«

»Und werdet Ihr sie offen finden, wenn Ihr zurückkehrt?«

»Meine Dienerin erwartet mich dort.«

»Ceno wird Euch heimgeleiten«, sagte der Doge.

Er wandte sich ab. Sie war entlassen.

Doch sie blieb stehen, blickte mit bittenden Augen auf seine stumme Gestalt. »Ihr verzeiht mir, Hoheit, daß ich hier eindrang?« fragte sie leise.

»Ich verzeihe Euch«, kam die müde, alte Stimme.

»Und Ihr werdet keinen bestrafen, der mir half?«

»Das müßt Ihr mir überlassen, Contessa.«

»Und was – und was geschieht sonst?«

»Auch das müßt Ihr mir überlassen.« Es blieb eine Weile still im Zimmer. Dann drehte sich der Doge wieder um.

»Ich werde versuchen, daß ich Antonio Chiari helfen kann. Ich werde mir anhören, was er zu sagen hat. Und wenn ich den rechten Sinn in seinen Worten erkenne...«, der Doge schwieg.

»Und dann?« fragte Giulietta. Es war nur ein Hauch, ihre Stimme bebte.

»Vielleicht kann ich ihm helfen, die Stadt heimlich zu verlassen. Ihr Giulietta, werdet ihn nicht wiedersehen.«

Wieder war es still. Dann die Stimme des Mädchens, ein leises, herzzerreißendes Flüstern: »Nein, Hoheit. Ich werde ihn nicht wiedersehen. Die Madonna segne ihn. Und Euch, Hoheit, wenn Ihr ihm helfen könnt.«

»Ich brauche den Segen der Madonna nicht mehr«, sagte der Doge. Dann wandte er sich endgültig ab, schritt zum Fenster und blickte hinaus auf das dunkle Wasser. Das Mädchen neigte den blonden Kopf. Ceno hielt ihr die Tür auf, sie ging hinaus, der Diener folgte ihr und schloß hinter ihr lautlos die Tür.

Mitten in der Nacht brachte Ceno den Gefangenen in das Zimmer des Dogen. Die Männer sprachen lange zusammen.

Und ehe der Morgen graute, verließ Antonio Chiari die Stadt Venedig, um sie nie wieder zu betreten. Giulietta Ceprano sah ihn niemals wieder.

Sie heiratete ein halbes Jahr darauf ihren Vetter Loredan. Zur Hochzeit übersandte ihr der Doge einen kostbaren Rubinschmuck, den er für die Frau seines Sohnes hatte fassen lassen. Blutrote Rubine von edelstem Feuer, die ein venezianisches Schiff ihm aus Indien gebracht hatte. Doch sein Sohn war tot.

Der nächste Angriff der Türken, nun sein Zeitpunkt bekannt war, wurde abgeschlagen. Die venezianischen Schiffe wurden überprüft und erneuert, man sandte eine Abordnung in die nautische Schule des Don Enrique, damit auch die Venezianer lernten, ihre Schiffe nach neuesten Erkenntnissen zu führen und mit den besten Geräten auszustatten. Die Türken kamen noch oft. Doch das erlebte der Foscari nicht mehr. Nachdem es den venezianischen Adligen endlich gelungen war, ihn loszuwerden, starb er allein und verlassen, nach seinem einsamen, schweren Leben, das ganz der geliebten Stadt Venedig geweiht gewesen war.

Giulietta Ceprano trug den Rubinschmuck niemals. Sie starb in der Nacht ihrer Hochzeit. Niemand wußte, woran sie gestorben war, in der Blüte ihrer Jahre, jung und schön und gesund. Ihr Vetter Loredan hatte ihren Leib nicht berührt. Stumm und blaß, ein leichtes Lächeln auf den Lippen, so lag sie in ihrem Hochzeitsbett. Neben ihrem Bett stand ein leeres Glas. Und obwohl man ihre Dienerin drei Tage und drei Nächte lang folterte, konnte sie dennoch nicht sagen, was in dem Glas gewesen war.

Es war Giuliettas Geheimnis, das sie mit in den Tod nahm. Der stolze Loredan wies den Schmuck zurück. Er wollte kein Geschenk des Foscari. So blieben die Rubine in der Familie Ceprano. Sie hatten niemals die weiße Haut der Giulietta geschmückt. Aber sie hatten das leise, sehnsüchtige Lächeln auf dem Antlitz der Toten gesehen. Das Lächeln eines Mädchens, das aus unerfüllter Liebe starb. Man erzählte sich in der Familie Ceprano, die Rubine seien dadurch noch röter, noch glühender und leuchtender geworden.

Eine furchtbare Entdeckung

Nun muß man nicht denken, daß ich diese rührende Geschichte, so wie sie hier steht, während meiner vorübergehenden geistigen Abwesenheit geträumt hätte. Ich träumte gar nicht, ich war einfach weg.

Dies ist die Geschichte, die Kellermann aufgeschrieben hat, angeregt durch die Lektüre alter venezianischer Chroniken. Ob das stimmt, was er sich da zusammengereimt hat, weiß ich nicht. Aber mir gefällt's ganz gut. Ich habe ihn ausführlich dafür gelobt, und das tat ihm gut wie jedem Dichterling. Kann man's wissen, eines Tages wird doch noch ein ernsthafter Schreiber aus ihm.

Was mich betrifft, so schlief ich erst mal in dem alten venezianischen Hintergehäuse den Schlaf des Gerechten. Das heißt, ein Schlaf war es weniger, ich war richtiggehend betäubt. Die hatten mir wirklich etwas in den Kaffee beziehungsweise in die Limonade getan.

Als ich wieder in die menschliche Gesellschaft zurückkehre, ist es dunkel. Zunächst weiß ich natürlich nicht, wo ich bin. Ich wache auf, mit scheußlichen Kopfschmerzen, und will mich, wie man das immer beim Erwachen tut, noch ein bißchen dehnen und strecken und merke dabei, daß ich verdammt hart liege. Diese liebenswerten Herzchen haben mich einfach, so wie ich ging und stand, auf den harten, dreckigen Fußboden gepackt und da meinem Schicksal überlassen. Was auch wieder sein Gutes hat: wenn ich besser gelegen hätte, wäre ich sicher noch nicht zu mir gekommen, sondern hätte die ganze Nacht durchgeschlafen. Im ersten Schreck bin ich hochgefahren, wovon mir erst mal schwindlig wird. Zweifellos mache ich kein gescheites Gesicht, als ich wild um mich gucke. Gott sei

Dank ist es dunkel, und keiner kann es sehen. Ich sehe auch nichts. Wo bin ich eigentlich? Und was ist denn geschehen?

Und dann fällt mir der ganze Schlamassel wieder ein. Das erste, was ich denke: Geschieht dir recht, du dummes Luder. Was mußt du deine Nase auch in anderer Leute Angelegenheiten stecken.

Aber dann kriege ich einen Riesenschrecken, betaste mich von oben bis unten. Bin ich ganz? Was haben die zwei mit mir gemacht? Genausogut hätten sie mich umbringen können.

Ich stehe vorsichtig auf, mein Kopf brummt wie ein ganzer Bienenschwarm. Irgend so eine Art Vergiftung muß ich wohl haben. Ob es hier Licht gibt? Ich taste mich behutsam zur Tür und suche nach einem Lichtschalter. Gibt es. Und er funktioniert auch. Es ist zwar nur eine kümmerliche Birne an der Decke, aber mir erscheint sie wie ein prächtiger Kronleuchter.

Ich bin allein hier. Tiefe Stille. Wo ist der Conte? Wo ist Pia? Und wo sind die Rubine? Und was haben sich die beiden eigentlich bei dem ganzen Theater gedacht? Sie können doch nicht einfach eine ausländische Touristin in Schlaf versenken wie weiland Dornröschen. So was ist sicher strafbar. Die denken doch nicht etwa, daß ich mir das gefallen lasse. Wenn das ein Scherz sein soll, dann war es ein reichlich schlechter.

Auf dem Tisch entdecke ich ein Stück Papier. »Tut uns leid«, steht darauf, »aber es ging leider nicht anders. Wenn junge Damen gar zu naseweiß sind, muß man ihnen einen Denkzettel verpassen. Noch viel Vergnügen in Venezia.« Da bleibt einem doch die Spucke weg. Noch viel Vergnügen in Venezia. Na, mein Bedarf an Venezia ist gedeckt. Ein Denkzettel war das also. Doch ein Scherz? Komische Sitten und Gebräuche haben die Leute hierzulande.

Wie spät mag es eigentlich sein? Ich schaue auf meine Uhr und stelle fest, daß es bereits zehn Uhr ist. Mein Anhang fällt mir ein. Wundern die sich eigentlich nicht, wo ich abgeblieben bin? Kümmert sich kein Mensch um mich: meine teure Schwester, mein eventuell zukünftiger Mann? Also, ich muß schon sagen, die haben die Ruhe weg. Da könnte ich erdolcht und gekidnappt werden, denen fällt das offenbar gar nicht auf.

Es ist totenstill hier. Ich bin offenbar allein. Wie komme ich jetzt raus? Ich drücke versuchsweise mal auf die Klinge, und wer beschreibt mein Erstaunen, als sich die Tür ohne weiteres öffnen läßt. Sie haben mich nicht mal eingeschlossen. War das Ganze wirklich nur ein schlechter Scherz?

Na, kann mir egal sein, jetzt bloß weg hier. Doch gerade wie ich zur Tür hinaus will, höre ich hinter meinem Rücken ein Geräusch. Mir bleibt vor Entsetzen fast das Herz stehen. Sie sind noch da, und jetzt werden sie mich vermutlich kaltmachen. Ich drehe mich langsam um. Das Zimmer ist leer. Aber da drüben die Tür, die wohl in ein Nebenzimmer führt, von da kam das Geräusch. Sollten sie da drin sein und nicht damit gerechnet haben, daß ich schon zu mir komme?

Und dann höre ich wieder etwas hinter der Tür. Eine Stimme, eine Frauenstimme, die etwas murmelt, kaum zu vernehmen. Dann ist es wieder still. Lieber Himmel, die alte Tante! Sollte die am Ende wirklich existieren? Ich habe sie heute nachmittag auch schon hinter der Tür reden hören.

Jetzt weiß ich wirklich nicht mehr, woran ich bin. Am liebsten würde ich weglaufen. Ich habe die Nase voll von der Familie Ceprano und allem, was dazugehört. Was die mich schon für Nerven gekostet haben. Und Angst habe ich auch.

Aber dann schleiche ich mich doch an die kleine Tür im Hintergrund des Zimmers und lege mein Ohr daran. Nebenan brabbelt jemand. Es *gibt* eine alte Tante!

Langsam und vorsichtig drücke ich die Klinke herunter. Doch die Tür ist verschlossen. Aber das hält mich nur wenig auf. Der Schlüssel steckt nämlich. Ich schlucke einmal, hole tief Luft und drehe ihn ganz langsam und behutsam herum. Dann mache ich die Tür vorsichtig einen Spalt auf. Der Raum dahinter ist stockdunkel, und ich mache die Tür erstmal wieder zu und drehe den Schlüssel wieder herum.

Was nun? Nachdenklich und überlegend stehe ich eine Weile reglos. Ich ertappe mich sogar dabei, daß ich den Finger im Mund habe. Was mache ich bloß? Von nebenan ertönt jetzt wieder eine Stimme, lauter als vorher und hörbar aufgeregt. Ob dieses Wesen hinter der Tür mit mir sprechen will?

Am liebsten würde ich Hals über Kopf davonrennen. Aber wer auch immer in dem Zimmer sein mag, ist eingeschlossen. Pia oder der Conte können es demnach nicht sein.

Und dann öffne ich die Tür ein zweites Mal.

»Prego«, höre ich, »prego.« Das andere verstehe ich nicht. Aber es klingt angsterfüllt, geradezu verzweifelt. Nicht als ob da ein Mörder im Dunkeln lauerte. Meine Hand tastet durch den Türspalt nach einem Lichtschalter. Aber ich finde keinen.

Schließlich öffne ich die Tür weit und schaue in das dunkle Zimmer hinein. Was heißt Zimmer? Eine Kammer ist es nur. Winzig und schmal. Da steht ein Lager, eine alte Decke hängt auf den Boden herab, und ein Kopf hat sich gehoben, ein alter, weißhaariger Frauenkopf. Kein Laut kommt mehr von den farblosen Lippen, zwei Augen starren mich an, genauso entsetzt und voller Angst, wie ich wohl in den Raum starre.

Außer der Frau auf dem Lager ist niemand da. Schweigend sehen wir uns eine Weile an. Dann murmelt die alte Frau ein paar Worte, ihr Kopf sinkt kraftlos zurück auf die Lehne dieses Sofas oder was immer das ist. Die Augen sind jetzt geschlossen. Es sieht aus, als wollte die Alte jeden Moment sterben.

Die Tante der Cepranos existiert also. Sie sei nicht

mehr ganz richtig im Kopf, hat der Conte gesagt. Schließen sie das arme Wurm deswegen hier im Dunkeln ein? So was gibt's doch gar nicht.

Mit zwei Schritten bin ich neben dem Lager und beuge mich herab. Da rührt sich die Alte wieder, sie öffnet die Augen, hebt ihre Hand und umklammert meinen Arm damit.

»Signorina!« stammelt die heisere alte Stimme. »Signorina! Prego!« Und was dann kommt, verstehe ich wieder nicht.

Verdammt, wenn ich bloß Italienisch könnte. Na, das werden wir gleich haben. Ich habe meine eigene Schwäche im Moment ganz vergessen. Sofort und umgehend werde ich laufen und Kellermann holen, der soll mal feststellen, was hier los ist.

»Nur Ruhe«, sage ich, auf deutsch natürlich, was die alte Frau wieder nicht verstehen kann, »ich hole gleich jemand. Hat Ihnen jemand was getan? Wer sind Sie? Die Tante von Amelita? Zia di Amelita?«

Bei dem Namen Amelita ist die alte Frau hochgefahren, ihre Hand krallt sich fest in meinen Arm. »Amelita!« flüstert sie. Ihre Stimme bebt. »Amelita! Dov'è?«

Ich weise auf meine Brust und sagte: »Ich bin eine Freundin von Amelita. Sono amica di Amelita. Io. Io sono amica di Amelita. Capito?« Und dann sagt die Alte etwas, was mir nicht nur ein Licht, sondern einen ganzen Kronleuchter aufgehen läßt. »Sono Teresina«, sagte sie. »Teresina.«

Teresina! Die verschwundene Kinderfrau. Hier also ist sie. Offensichtlich als Gefangene, versteckt und verborgen. Ich war durchaus auf der richtigen Spur, als ich das alte Gemäuer verdächtigte.

Nun ist alles klar. Klar vor allem, daß der Conte die schiefe Tour mitgemacht hat. Was haben sie sich für Mühe gegeben wegen der paar roten Steine! Teresina, so wie sie hier vor mir liegt, ist halb tot. Wer weiß, wie lange sie schon in der Dunkelheit gefangen ist. Jedenfalls doch seitdem Amelita Venedig betreten hat. Wer weiß, wie sie die arme Frau hierher verschleppt haben, wie sie sie festgehalten haben, vielleicht auch mit Drogen und Betäubungsmitteln wie mich.

Heute haben sie die Maske fallen lassen, dadurch, daß sie mich hier eingesperrt haben. Genausogut hätten sie Teresina und auch mich töten können, aber anscheinend wollten sie, daß ich Teresina finde, wenn ich aufwache. Pia und der Conte sind auf und davon, daran kann kein Zweifel mehr sein. Aber wo, um Himmels willen, ist Amelita? Was haben sie mit Amelita gemacht?

»Amelita«, flüstert Teresina und krampft ihre dünne blutleere Hand in meinen Arm.

Amelita!

Mir wird wieder schwach in den Knien, und vor meinen Augen flimmert es. Ich muß mich erst mal auf die Kante des Lagers setzen.

Dabei streichle ich die Hand von Teresina.

»Nur mit der Ruhe«, murmele ich, »wir werden sie schon finden.« Wenn sie uns nicht kaltgemacht haben, werden sie Amelita wohl auch nichts getan haben. Vor einem Mord scheinen sie zurückgescheut zu haben. Wahrscheinlich liegt auch Amelita irgendwo betäubt in einer Ecke. Die müssen einen ganzen Pillenschrank mit sich herumgeschleppt haben, die beiden Gauner.

Teresinas dunkle Augen sind auf mich gerichtet. Sie sieht mich an, hängt an meinen Lippen, als müsse ihr von dort Heil und Rettung kommen.

Ich brauche eine Weile, bis ich mich erholt habe. Mein Kopf funktioniert noch nicht richtig. Also, was muß ich jetzt tun? Erst mal sehen, daß ich hier herauskomme, sofern sie mich nicht eingeschlossen haben. Und dann ins Hotel, Alarm schlagen, jetzt muß wirklich die Polizei her. Nun wird der Tatbestand wohl genügen. Dolmetscher muß her. Und ein Arzt für Teresina. Und dann – ach, ich weiß nicht. Sollen die anderen sich darum kümmern. Obwohl ich eben erst aufgewacht bin, würde ich mich am liebsten pausenlos schlafen legen. Ich bin müde. Ein elendes Teufelszeug, was die mir da gegeben haben. In der tiefsten Hölle schmoren sollen sie dafür.

Aber schließlich ermanne ich mich. »Uno momento«, sage ich und löse Teresinas Hand sanft von meinem Arm. »Ich komme gleich zurück. Keine Angst.«

Sie sieht mich nur stumm an, mit müden, trüben Augen. Es ist wohl zuviel für sie. Die plötzliche Rettung, nach allem, was sie erlebt haben mag in der vergangenen Woche, hat ihr die letzte Kraft genommen.

Ich stehe auf, meine Beine sind wie Blei. Aber ich werde es wohl schaffen, bis ins Hotel zu kommen. Ich gehe durch das Zimmer, zu der Tür, die auf die Treppe hinausführt. Mal sehen, ob und wie ich aus dem Haus hinauskomme. Aber das Schlimmste steht mir noch bevor. Dieser Tag des Schreckens ist noch nicht zu Ende.

Ich lasse die Tür hinter mir auf, um auf der Treppe Licht zu haben, und steige langsam abwärts. Steil und eng sind die Treppen hier. Wie ich beinahe unten bin, sehe ich plötzlich etwas Dunkles auf der Treppe liegen und da – ein furchtbarer Schrei gellt durch das alte Haus, und mir ist nicht bewußt, daß ich ihn ausgestoßen habe.

Da streckt sich ein Bein mir entgegen, seltsam verdreht liegt es da, ein heller Strumpf, ein roter Schuh mit hohen Absätzen. Diese verdammten roten Schuhe! Schon wieder begegnen sie mir. Doch diesmal wohl zum letzten Mal.

Denn was hier auf der Treppe liegt, mit dem Kopf nach unten, die kupferroten Haare wie ein Schleier auseinandergefallen, ist niemand anders als Pia Lanzotti.

Ich habe die Hand vor den Mund gepreßt, nachdem ich geschrien habe, und gehe langsam, Schritt für Schritt, rückwärts, die Treppe wieder hinauf. Und wie ich die Tür erreicht habe, taumle ich in das Zimmer zurück und werfe die Tür hinter mir zu, drehe den Schlüssel zweimal im Schloß herum, als seien tausend Teufel hinter mir her. Und dann fehlt nicht viel, daß ich zum erstenmal in meinem Leben ohnmächtig werde.

Ich taste nach einem Stuhl, umklammere seine Lehne und lasse mich darauf niedersinken. Mein Kopf schlägt auf die Tischplatte wie heute schon einmal. Mein Herz klopft wie rasend, und vor meinen Augen wirbelt es wild durcheinander.

Von nebenan tönt zaghaft Teresinas Stimme: »Signorina! Signorina!«

Es dauert eine Weile, bis ich mich soweit erholt habe, daß ich zu ihr hinübergehen kann. Wie vorher schon, lasse ich mich wieder auf die Kante von ihrem Lager nieder, dann sinke ich einfach vornüber, mein Kopf liegt auf der Brust von Amelitas alter Kinderfrau.

So verharren wir stumm eine Weile. Dann flüstert die Alte etwas, eine Frage ist es, ich höre es am Tonfall. Aber sie versteht mich nicht, und ich verstehe sie nicht, und wenn ich wirklich ein paar italienische Brocken gelernt habe, dann habe ich sie jetzt gründlich vergessen. Ich kann ihr nicht erklären, was ich gesehen habe und warum ich geschrien habe.

Erst als mir bewußt wird, wie rasch und flatternd das Herz der alten Frau an meinem Ohr schlägt, besinne ich mich. Ich muß mich zusammennehmen. Teresina stirbt mir hier unter den Händen. Sie muß noch mehr Angst haben als ich, denn sie weiß ja nicht, was geschehen ist.

Da unten liegt Pia auf der Treppe. Und wenn nicht alles täuscht, ist sie tot. So wie sie da lag – diese Stellung, und überhaupt. Entweder ist sie die Treppe hinuntergestürzt oder aber – ja, oder der Conte hat sie umgebracht.

Das gibt es doch gar nicht. Das ist ja ein Alptraum. Ich glaube überhaupt, daß ich träume. Gleich werde ich aufwachen. In meinem Bett im Hotel oder meinetwegen auch in meinem Zimmer in Düsseldorf. Ich habe alles nur geträumt, das Abitur, die Reise nach Venedig, Rolf, die Cepranos, alles, alles ist ein wilder, böser Traum.

Hoffentlich wache ich jetzt endlich auf. Ich will auch gern in die Schule gehen und fleißig und brav sein und alles tun, was man von mir verlangt.

Aber ich wache nicht auf. Alles bleibt, wie es ist, und ich muß mich damit abfinden, daß ich wach bin. Zwar nicht sehr, aber wach genug, um zu wissen: Alles, was hier geschieht und geschehen ist, ist Wahrheit und Tatsache.

Hier liegt Teresina vor mir, zwar noch lebendig, aber nur noch halb. Da unten liegt Pia auf der Treppe, anscheinend kein bißchen mehr lebendig, und mittendrin kauere ich, auch mehr tot als lebendig.

Immerhin ist es an mir, etwas zu unternehmen. Ich muß handeln, muß heraus aus diesem alten Gemäuer. Ich muß Hilfe holen. Aber dazu müßte ich da unten über den verkrampften Körper steigen. Und das kann ich nicht. Ich kann einfach nicht. Die Treppe ist so schmal, es ist einfach kein Platz da, um daran vorbeizukommen. Und ich kann einfach nicht darüber wegsteigen. Nein, verdammt noch mal, ich kann nicht.

Es ist totenstill. Teresina rührt sich nicht. Ich auch nicht. Ich höre mein Herz klopfen, ich höre Teresinas Herz. In meinem Kopf saust es. Warum, zum Teufel, kümmert sich kein Mensch um mich? Vermißt mich denn niemand?

Und noch eine Überraschung

Es ist nach Mitternacht, als sie endlich kommen. Bis dahin bin ich so am Boden zerstört, daß mich nichts mehr interessiert. Ich fange hysterisch an zu weinen. Alle reden auf mich ein, Rolf hält mich im Arm, Marlise streichelt mich, und Margit weint aus lauter Sympathie mit. Die Polizei will mich verhören, ein Dolmetscher ist da, aber ich bin einfach nicht vernehmungsfähig. Alles, was ich von mir gebe, ist kunterbunter Unsinn.

Die kleine Stube in dem alten Haus ist gedrängt voll, auf der Treppe rumoren sie auch.

Ich sitze auf einem Stuhl und sage immer wieder: »Ach, laßt mich in Ruh! Laßt mich doch in Ruh! Ich will schlafen.«

Aber dann rede ich doch wieder und erzähle, fange immer wieder von vorne an. Von dem, was die anderen sagen und berichten, begreife ich sowieso nichts.

Schließlich gehen wir. Rolf trägt mich mehr, als daß ich selber laufe. Die Treppe ist leer. Mit geschlossenen Augen gehe ich sie hinunter.

Dann bin ich endlich im Hotel, liege in meinem Bett, ein Arzt kommt auch noch, der mich untersucht und mir irgendeine Spritze gibt. Mitten in mein konfuses Gerede hinein schlafe ich ein.

Ich schlafe bis zum Nachmittag. Doch dann bin ich endlich wieder so weit hergestellt, daß ich den Geschehnissen einiges Interesse entgegenbringen kann.

Marlise kommt zu mir ins Zimmer und setzt sich zu mir auf den Bettrand. Sie umarmt mich liebevoll, küßt mich so zärtlich wie noch nie und sagt: »Da bist du ja wieder. Mein Gott, Pony, was hast du mich für Nerven gekostet?«

»Wieso?« frage ich doof.

In Marlises schönen blauen Augen stehen sogar Tränen. »Du abscheuliches Gör«, sagt sie, »ich glaube, ich habe deinetwegen graue Haare gekriegt.«

Das ist übertrieben. Ihre Lockenpracht ist genauso goldblond wie gestern. Aber etwas mitgenommen sieht sie aus. Am Ende hat sie sich wirklich Sorgen um mich gemacht. Aber schließlich hat sie sich wieder so weit gesammelt, daß sie mit aller Entschiedenheit verkünden kann: »Eines kann ich dir sagen, das war die erste und letzte Reise, die ich mit dir gemacht habe.«

»Hm«, sage ich. Weiter nichts. Bin immer noch benommen.

»Wie fühlst du dich?« will Marlise wissen.

Ich dehne mich. »Och, eigentlich ganz gut.«

»Ich war schon mehrmals bei dir drin«, sagt Marlise, »aber du hast geschlafen wie ein Ratz. Und dir fehlt nichts? Keine Nachwirkung von dem Zeug?«

»Was für Zeug?«

»Na, das Betäubungsmittel, das sie dir gegeben haben.«

»Ach so. Weiß ich nicht. Bißchen dußlig ist mir schon. Vielleicht sollte ich was frühstücken. Ich habe scheußlichen Hunger.«

Marlise lächelt. Geradezu mütterlich sieht sie aus mit diesem Lächeln. »Ich lasse dir gleich was heraufschikken. Und dann kommt der Arzt noch mal zu dir.«

»Wozu denn das?«

»Auf alle Fälle. Und dann will dich die Polizei ausführlich vernehmen.«

»Muß das sein?«

»Ich fürchte, ja.«

»Ich habe doch heute nacht schon alles gesagt, was ich weiß.«

»Trotzdem.«

»Was ist denn nun eigentlich los?«

»Allerhand. Du wirst staunen.«

»Und ...« die nächste Frage will mir nicht über die Lippen. »Und Amelita? Hat man etwas von Amelita gehört?«

»Amelita ist hier. Ihr ist nichts geschehen«, sagt Marlise.

»Gott sei Dank.« Mir fällt ein riesengroßer Stein vom Herzen. »Erzähl mal.«

»Gleich. Ich will mich nur um das Frühstück kümmern. Übrigens – Amelitas Bruder ist auch da.«

Ich mache wohl das dümmste Gesicht meines Lebens.

»Amelitas Bruder? Der Conte? Ich denke, der ist mit dem Schmuck abgehauen. Und hat er denn Pia nicht umgebracht?« Während ich es ausspreche, kriecht mir eine Gänsehaut über den Rücken. Das alte Haus da am Kanal werde ich mein Leben lang nicht vergessen.

»Ja, das auch«, erwidert Marlise dunkel.

»Haben sie ihn erwischt?«

»Nein. Bis jetzt noch nicht.«

»Du hast doch eben gesagt, er wäre da.«

»Ist er auch.«

Ich sehe meine Schwester schweigend an. Entweder hat sie gelitten oder ich.

»Du wirst gleich hören«, sagt sie. »Kleinen Moment.«

Und dann entwickelt sich in meinem Zimmer der reinste Jahrmarkt. Rolf kommt zuerst. Er nimmt mich einfach in die Arme und küßt mich, daß mir die Luft wegbleibt und mein Kopf wieder anfängt zu schwimmen. Als er mich losläßt, sehe ich Amelita, sie steht vor meinem Bett und lächelt mich an. Neben ihr steht ein fremder junger Mann mit totenblassem, schmalen Gesicht, und dahinter steht Marlise, und an der Tür entdecke ich Margit und Kellermann, und dann kommt der Ober mit meinem Nachmittagsfrühstück.

Alle reden zur gleichen Zeit, ich verstehe kein Wort und fange erst mal an zu essen.

Amelita sitzt bei mir auf dem Bettrand. »O Pony«, sagt sie, »liebe Pony, wie ist alles furchtbarlich. Was hätte können dir passieren.« Und dann sagt sie etwas Merkwürdiges: »Darf ich dir meinen Bruder vorstellen?«

Sie nimmt den blassen jungen Mann an der Hand, zieht ihn heran. Er verbeugt sich und murmelt irgend etwas. Reichlich mitgenommen sieht er aus, er auch. Rolf schiebt ihm einen Stuhl hin, da sitzt er dann erst mal und schaut verwirrt um sich.

»Dein Bruder?« frage ich Amelita.

»Ja. Mein Bruder Francesco.«

Und in dem Moment geht mir endgültig ein Kirchenlicht auf. »Der Mann im Keller«, sage ich und verklekkere das halbe Omelett auf meine Bettdecke.

Rolf nickt. »Ja, Pony«, sagt er. »Der Mann im Keller. Wir waren der Lösung so nahe und sind nicht darauf gekommen.«

Aber nun muß ich der Reihe nach erzählen, was alles passiert ist. Also, am Abend zuvor war es so, daß man sich erst um mein Ausbleiben Gedanken machte, als Margit und Kellermann nach dem Abendessen im Hotel auftauchten. Da stellte sich heraus, daß ich mich am Nachmittag gegen drei von Margit verabschiedet hatte. Seitdem hatte mich kein Mensch mehr gesehen. Zuvor hatte man mich zwar vermißt, sich aber nichts dabei gedacht. Der Portier hatte berichtet, daß ich mit meiner Freundin fortgegangen sei. Marlise fand es zwar ungehörig, daß ich mich zum Abendessen nicht einfand, und Rolf war betrübt. Behauptet er jedenfalls. Aber niemand dachte etwas Böses.

Als Margit und Kellermann dann kamen, ohne mich, wurde es dramatisch. Zuerst fuhren sie mit einem Motorboot zum Palazzo Ceprano, wo ihnen natürlich keiner aufmachte. Dann gingen sie endlich auf dem schnellsten Wege zur Polizei. Es war allerdings nicht ganz einfach, sich da verständlich zu machen. Selbst Kellermanns gutes Italienisch reichte nicht aus, um die ganze verworrene Geschichte zu erklären. Die Polizei begriff zunächst gar nicht, was man von ihr wollte. Eine Vermißtenanzeige nach einer verschwundenen Touristin aufgeben oder einen handfesten Verdacht gegen eine gute alte Familie aussprechen. Kellermann holte seinen Freund Borelli zu Hilfe, und so langsam glückte es endlich, die Polizei zu überzeugen, daß hier irgend etwas nicht stimmte.

Schließlich setzte man sich mit dem Anwalt in Verbindung, der die Erbschaftssache Ceprano bearbeitet hatte. Der nächste Schritt war eine Anfrage bei dem Bankdirektor nach dem Verbleib des Schmuckes. Da das alles am Abend stattfand, erschwerte es natürlich die Untersuchung. Immerhin stellte sich heraus, daß der Schmuck an diesem Tage von Conte Ceprano und Contessa höchstpersönlich abgeholt worden war. Mit allen nötigen Formalitäten, Vorlage des Passes, Empfangsbestätigung und so weiter. Hier war nun die Polizei geneigt, alles in Ordnung zu finden. Bene, warum sollte der Conte seine Rubine nicht abholen, wenn er sie haben wollte. Anwalt und Bankdirektor bestätigten die Richtigkeit des Vorgangs.

Blieb die verschwundene Touristin aus Deutschland, ein Mädchen namens Pony Cremer.

Es dauerte eine Weile, bis es Rolf gelang, die Polizei davon zu überzeugen, daß man doch besser einmal im Palazzo Ceprano nachsehen solle. Rolf berichtete, was wir ermittelt hatten. Die verschwundene Teresina, der eingesperrte Mann im Keller, Amelitas Verschwinden.

Der zuständige Polizeikommissar entschloß sich ungern zu einem eigenmächtigen Eindringen in den Palazzo. Eine vorgesetzte Dienststelle wurde zu Rate gezogen, dann wagte man es endlich.

Der Palazzo war leer, keine Menschenseele darin. Von Amelita keine Spur. Ein paar Kleider von Pia, das war alles.

Aber dann im Keller! Sie fanden die Tür, sie fanden den Schlüssel, und sie fanden dahinter einen total geschwächten blassen jungen Mann, der sagte, er sei der Conte Ceprano und hier seit über einer Woche eingeschlossen. Und sie fanden eine junge Dame, die ganz wohl aussah, denn sie hatte nur wenige Stunden im Keller verbracht.

Nun begann die Polizeimaschine auf Hochtouren zu arbeiten. Rolf war es, der sich auf das alte Haus im Durchgang besann. Es dauerte eine Weile, bis er die Stelle wiederfand. Und dann hatten sie die ganze Bescherung. Die Tür war verschlossen, doch als sie sie aufgebrochen hatten, fanden sie die tote Pia, die mit dem Kopf dicht hinter der Tür lag, einen Seidenschal um den Hals zugezogen. Oben fanden sie Teresina, und sie fanden mich. Was sie nicht fanden, war der Conte. Vielmehr der falsche Conte. Der war auf und davon und mit ihm der Rubinschmuck der Giulietta. Wenn sie auch gleich alle Grenzstationen benachrichtigten, alle Häfen und Flugplätze, es war zu spät. Er hatte etwa acht Stunden Zeit gehabt, und das war genug, um das Land zu verlassen. Von Teresina erfuhr man, daß Pia gesagt hatte, sie würden nach Südamerika fliegen, sobald sie den Schmuck hätten. Aber auch die Funksprüche, die man an die Flugzeuge durchgab, blieben erfolglos. Niemand wußte ja, unter welchem Namen der falsche Conte reiste.

Teresina wußte überhaupt gut Bescheid. Von ihr konnte die Polizei das meiste erfahren, denn anscheinend hatte Pia ihr gegenüber mit dem raffiniert ausgesonnenen Plan geprahlt. Wie man den echten Conte durch ein fingiertes Schreiben in den Palazzo gelockt hatte, gerade kurz bevor er nach Deutschland fahren wollte, um seine Schwester in Frankfurt abzuholen. Wie man ihn dann niedergeschlagen und in den Keller gesperrt hatte.

Teresina hatte man durch einen Vorwand in das alte Haus geschickt. Sie wußte nicht, daß diese Wohnung Pia gehörte. Früher hatte hier ein alter Onkel Pias gewohnt, nach dessen Tod hatte Pia die Wohnung behalten. Den falschen Conte hatte Teresina übrigens nie gesehen, bei ihr war immer nur Pia in Erscheinung getreten. Übrigens war Teresina tief befriedigt von dem traurigen Ende, das die Geliebte ihres früheren Herrn genommen hatte. Sie hatte Pia immer aus tiefstem Herzen gehaßt und verabscheut.

Wo war aber nun Amelita in den letzten Tagen gewesen, als ich sie nie erreichen konnte?

Ganz einfach: Ihr falscher Bruder hatte sie auf das Familiengut in der Romagna verschleppt, damit sie sich dort wieder einmal umsehen konnte.

Gestern nun hatte er sie ganz plötzlich nach Venedig geholt und war mit ihr auf die Bank gegangen, um den Schmuck endlich abzuholen.

Das ging alles sehr schnell über die Bühne, und dann gondelten die beiden in den Palazzo, wo Pia sie schon erwartete und wo man Amelita kurzerhand zu ihrem Bruder in den Keller sperrte.

Ja, so war das. Nach und nach fügte sich die ganze Geschichte nahtlos zusammen. Alles war gut ausgedacht gewesen. Die Tatsache, daß sich die Geschwister seit frühester Jugend nicht gesehen hatten, erleichterte den Betrug. »Hast du denn nie ein Bild von deinem Bruder gesehen?« fragte ich Amelita. »Doch«, sagte sie. »Natürlich. Ich habe es trotzdem nicht gemerkt.«

Nun ja, der echte Conte ist ebenfalls schlank und nicht sehr groß, er hat ebenfalls dunkles Haar und dunkle Augen und ein schmales Gesicht. Ein Bärtchen hat er allerdings nicht, und er ist viel sympathischer als der Gangster-Conte.

Pia muß wohl den ganzen Plan ersonnen haben. Womit sie allerdings nicht gerechnet haben mochte, war die Tatsache, daß sie ihren eigenen Tod ersann. Ihr Komplice wollte den Schmuck allein kassieren, und er wollte gleichzeitig die Mitwisserin aus der Welt schaffen. Pia hat wohl gewußt, wer er wirklich war. Sonst weiß es keiner. Er ist ein Fremder, ein großes X in dieser Rechnung, keine Spur führt zu ihm.

Das einzige, womit er sich eines Tages verraten wird, sind die Rubine. Wenn irgendwann irgendwo die Rubine auftauchen, dann wird man ihn bestimmt finden. Das behauptet jedenfalls Amelitas Onkel, der zwei Tage später eintrifft. Es sei so gut wie unmöglich, sagt er, einen Schmuck wie diesen in den Handel zu bringen. Auch die Hehler der Unterwelt würden davor zurückschrecken. Natürlich könne man die Steine herausnehmen, Gold und Brillanten extra verkaufen. Aber auch das sei schwierig. Und die Rubine selbst – noch nach Jahren, selbst wenn der Verbrecher so viel Geduld haben sollte, das abzuwarten, würde man sofort Verdacht schöpfen, wenn irgendwo in der Welt Rubine von diesem Wert und dieser Schönheit angeboten würden. Das hatte der Verbrecher wohl nicht bedacht. Und das beweise seine Dummheit. Einen dummen Verbrecher aber würde man bald gefunden haben.

Zunächst finden sie den falschen Conte nicht, obwohl die Polizei sicher alles unternehmen mag, was in einem solchen Fall unternommen werden muß.

Ich lerne Amelitas Onkel gerade noch kennen, ehe wir aus Venedig abreisen. Eugen ist inzwischen auch gekommen und höchst verwundert darüber, uns in so aufregenden Verhältnissen vorzufinden. Auf diese Weise bekommt er gar nicht mit, daß Marlise sich einen Verehrer zugelegt hat.

Wir fahren nicht weit, nur nach Rimini. Keine Rede mehr davon, die Brettschneiders nach Sorrent zu begleiten. Marlise sagt auch keinen Ton mehr davon. Es mag ihr wohl gedämmert sein, daß sie in Eugens Gegenwart ihren Flirt sowieso nicht fortführen kann.

Amelita und ihr Bruder müssen nun noch einige Zeit in Venedig bleiben, um die Ergebnisse der polizeilichen Ermittlungen abzuwarten. Aber es sieht nicht so aus, als werde viel dabei herauskommen. Auf jeden Fall verspricht mir Amelita, mich noch einmal in Rimini zu besuchen, ehe sie Italien verläßt.

Endlich ein paar ruhige Urlaubstage

Rolf und ich liegen nebeneinander im weichen Sand. Er hat vorsorglich einen Sonnenschirm über meinem Haupt aufgebaut, damit mir die Sonne nicht das Hirn verbrennt. Er behandelt mich überhaupt, als ob ich aus dünnstem Porzellan wäre. Es ist das erste Mal in meinem Leben, daß mich jemand so behandelt, und, offen gestanden, ich finde es ganz angenehm. Zehnmal am Tag fragt er: ›Geht es dir gut, Pony? Wie fühlst du dich? Hast du Kopfschmerzen? Soll ich dir was zu trinken holen? Nein, rauche lieber nicht soviel, ich kaufe dir Schokolade.‹

Das kommt daher, weil ich doch noch einige Tage Nachwirkungen von dem Betäubungsmittel gespürt habe, Kopfschmerzen und Schwindel. Mein Nervenkostüm war auch sehr angegriffen. Darum bringen sie sich alle um mit mir, Marlise, Eugen und vor allem Rolf.

Ganz selbstverständlich ist er mitgekommen nach Rimini, er wohnt im gleichen Hotel, sitzt bei uns am Tisch, und wir sind praktisch von früh bis abends zusammen. Er ist kein bißchen frech mehr, behandelt mich mit größter Zärtlichkeit und Behutsamkeit.

Marlise und Eugen betrachten unser Zusammensein mit großem Wohlwollen. Eugen hat eine gute Meinung von Rolf und eine noch bessere von der Firma seines Vaters in Mannheim. Anscheinend hat er auch in diesem Sinne nach Düsseldorf berichtet.

Von Mama bekomme ich einen besorgten, liebevollen Brief. Ein Tadel ist natürlich auch darin enthalten, weil ich mich so leichtfertig in Gefahr begeben habe. ›Und nun, mein Kind‹, schreibt sie, ›erhole dich gut, gehe zeitig schlafen und meide jede Aufregung. Wie ich höre, hast du nette Gesellschaft gefunden. Das freut mich.

Papa und ich würden uns freuen, wenn Herr Gassner uns gelegentlich in Düsseldorf besuchen würde.‹

Und Herr Federmann hat noch ein paar salbungsvolle Worte darunter geschrieben.

Ich ziehe eine Grimasse, als ich es lese. Im Geist sehen sie mich schon als junge Ehefrau in Mannheim einziehen. Tatsache ist, daß ich Rolf ehrlich leiden mag. Sein Umgang tut mir gut. Irgendwie habe ich mich an ihn gewöhnt.

Rolf hat den Kopf in die Hand gestützt und blickt auf mich herab. »Wie fühlst du dich, Pony?« fragt er.

»Bestens«, sage ich. »Tu nicht immer so, als sei ich kurz vor dem Abkratzen. Mir fehlt gar nichts.«

»Na, ich weiß nicht. Ich habe den Eindruck, du bist schmaler geworden.«

Das ist wirklich pure Einbildung. Ich futtere wie ein Scheunendrescher. Die Spaghetti schmecken mir jeden Tag besser, ich kann damit jetzt umgehen wie ein alter Italiener. Der Vino schmeckt mir auch. Nur manchmal abends kommt es vor, daß ich nicht einschlafen kann. Oder ich fahre nachts im Bett auf, mein Herz klopft, und meine Stirn ist feucht. Dann sehe ich wieder Pia tot auf der Treppe liegen, das helle Bein in dem roten Schuh, das sich mir entgegenstreckt.

Natürlich reden wir immer wieder über den Fall. Was mich am meisten beschäftigt, ist der falsche Conte.

»Wer er wohl sein mag? Und wo ist er geblieben? Ein Mensch kann doch nicht einfach verschwinden.«

»Die Welt ist groß«, sagte Rolf. »Man kennt weder seinen Namen noch seine Herkunft. Man besitzt kein Bild von ihm. Die Beschreibung, die wir von ihm gegeben haben, paßt auf Tausende von Menschen. Von hier aus war er in wenigen Stunden über der jugoslawischen Grenze, um nur ein Beispiel zu nennen. Aber er kann überallhin sein. Und dadurch, daß er Pia aus dem Weg geräumt hat, die einzige, die vielleicht etwas mehr von ihm wußte, ist er praktisch in Sicherheit.«

»Bis er die Rubine verkaufen will.«

»Ja. Aber er wird sich hüten.«

»Was hat er dann davon?«

»Du hast gehört, was Amelitas Onkel gesagt hat«, fährt Rolf fort. »Wahrscheinlich wird er den Schmuck auseinandernehmen, vorausgesetzt, er hat einen Fachmann dafür. Doch es ist gefährlich für ihn, jemandem zu vertrauen. Immerhin, das Gold und die Brillanten sind wertvoll genug auch ohne die Rubine. Es hat sich dann für ihn schon gelohnt. Wenn er es wagt.«

Ich stelle mir den falschen Conte vor, wie er irgendwo sitz, in einem Hotelzimmer vielleicht, hinter verschlossener Tür, vor sich den Rubinschmuck ausgebreitet, der ihm zum Verräter wird, wenn er ihn einem Menschen zeigt. Schade wäre es, wenn man den Schmuck auseinandernimmt. Sehr genau habe ich ihn ja nicht betrachtet, nicht im einzelnen. Aber ich sehe ihn trotzdem immer noch vor mir, so als Gesamteindruck. Schön war er. Einmalig schön. Wenn er schon verkauft werden muß, dann sollte er im Ganzen verkauft werden, so wie er ist. Vielleicht gibt es auf der Welt eine Frau, die ihn tragen könnte, den Ring wenigstens oder das Armband und die Kette. Mit dem Diadem wird ja wohl heutzutage keiner herumrennen. Vielleicht auf einer Fürstenhochzeit, so was ist ja derzeit große Mode. Und wenn ihn keiner trägt, dann kann er ihn wenigstens ansehen. Ist auch schon etwas Schönes. Obwohl – ein Mensch mußte sterben um der Rubine willen. Wenn Pia vielleicht auch kein wertvoller Mensch war. Aber seit ich sie da liegen sah auf der Treppe, kann ich nichts Schlechtes mehr über sie denken. Ach, die Habgier, dieser verzweifelte Drang nach Geld, nach Reichtum, was hat er bloß schon für Unheil über die Menschen gebracht. Pia hat er das Leben gekostet. »Eigentlich kann er seines Lebens nicht mehr froh werden«, murmle ich vor mich hin, aus meinen Gedanken heraus.

»Wer?« fragt Rolf.

»Na, der Conte. Der falsche Conte. Wenn er an Pia denkt. Ob er sie geliebt hat?«

»Das ist eine dumme Frage, Pony. Wenn er sie geliebt hätte, dann hätte er sie vermutlich nicht umgebracht.«

»Ja. Auch wieder wahr.«

»Einen Helfer brauchte er. Allein war der Betrug nicht zu bewerkstelligen.«

»Ob sie was – was miteinander gehabt haben?«

»Das weiß man doch nicht. Vielleicht waren sie bloß so eine Art – na ja, eine Art Arbeitsgemeinschaft.«

»Arbeitsgemeinschaft ist gut.« Ich richte mich auf und schaue auf das blaue Meer hinaus. »Ich gehe noch mal ins Wasser.«

»Du hast aber heute schon gebadet«, meint Rolf warnend.

»Na und?«

»Ich glaube, du solltest dich lieber noch etwas schonen.«

»Ach, Mensch, hör auf. Mir fehlt gar nichts. Mir geht's prima. Los, komm, wir schwimmen um die Wette.«

Wir schwimmen also noch mal ausgiebig und gehen dann ins Hotel zum Essen. Unterwegs sprechen wir von Margit und Kellermann. Von ihnen haben wir Abschied genommen. Kellermann mußte zurück, die Schule fängt wieder an. Aber ich habe versprochen, sie auf der Rückfahrt in München zu besuchen.

Eigentlich wäre Rolfs Urlaub auch abgelaufen. Aber er hat mit seinem alten Herrn telefoniert, und der hat weiter nichts dagegen, wenn der Junior noch eine Woche dranghängt.

»Ich soll dich grüßen von ihm«, sagt Rolf.

»Hast du von mir erzählt?«

»Natürlich. Ich habe gesagt, daß ich das bezauberndste Mädchen der ganzen Welt kennengelernt habe.«

Ich kann ein geschmeicheltes Lächeln nicht unterdrücken. Man hört so etwas eben gern. »Und was hat er gesagt?«

»Daß er dieses Mädchen auch gern kennenlernen würde.«

Hm. Na ja, wir werden sehen. Zunächst ist Herr Gassner senior ebenfalls in Urlaub gefahren, nach Badgastein zur Kur.

Kurz ehe wir abreisen, kommen Amelita und ihr Bruder zu Besuch. Sie fliegen in den nächsten Tagen nach Amerika, allerdings ohne Schmuck. Die polizeilichen Ermittlungen sind bisher ergebnislos verlaufen. Der falsche Conte bleibt verschwunden.

An dem Tag, als die Geschwister da sind, reden wir natürlich von früh bis abends kaum etwas anderes als über die Affäre. Francesco schildert uns genau, wie man ihn in die Falle gelockt hat. Er kannte Pia Lanzotti von früher her, zweimal hatte er sie kurz in der Gesellschaft seines Vaters gesehen.

In Rom erreichte ihn ein Brief Pias, in dem sie ihn bat, doch nach Venedig zu kommen, ehe seine Schwester eintreffe. Es hätte sich eine unerfreuliche Situation ergeben, die unbedingt geklärt werden müsse, ehe die Contessa nach Venedig käme. Man dürfe die Contessa nicht mit derartigen Unannehmlichkeiten behelligen. ›Das bin ich dem Andenken Ihres Vaters schuldig‹, hatte Pia pathetisch geschrieben.

Francesco hatte keine Ahnung, worum es sich handeln könnte. Aber er fuhr nach Venedig. Pia holte ihn am Bahnhof ab, und sie gingen umgehend zusammen in den Palazzo. Niemand sah Francesco, niemand wußte, daß er in Venedig eingetroffen war.

Da unten im Keller war es Francesco nicht schlecht gegangen. Er bekam ausreichend zu essen, er war nur leicht gefesselt. Man hatte ihm gesagt, daß ihm nichts geschehen würde, wenn er sich ruhig verhielte. Weder ihm noch Amelita wolle man ein Leid antun. Wenn er allerdings Schwierigkeiten machen sollte, dann würde man Amelita sofort töten.

Es waren furchtbare Tage, die Francesco erlebte. Er

wußte, daß seine Schwester über ihm im Haus war, den beiden Gangstern ausgeliefert. Trotz aller gegenteiligen Versicherungen bangte er um ihr Leben. Was würde geschehen, wenn Amelita den Betrug bemerkte?

Doch Amelita hatte von einem Betrug nichts geahnt. Aber sie spürte, daß etwas nicht stimmte. Der falsche Conte spielte seine Rolle nicht so gut, wie er wohl glaubte. Hätte Pia sich im Hintergrund gehalten, dann hätte Amelita wohl gar keinen Verdacht geschöpft. Aber so bekümmerte sie die vermeintliche Bindung zwischen dem Mann, den sie für ihren Bruder hielt, und der ehemaligen Geliebten ihres Vaters. Sie spürte die Feindseligkeit, die ungute Atmosphäre.

Und sie schüttete mir ihr Herz aus. So kam der Stein ins Rollen. Daran hatten die beiden Verbrecher wohl nicht gedacht, daß eine harmlose Ferienreisende aus Germany ihr Treiben beobachten würde. Ja, so geht's manchmal mit gut ausgedachten Plänen.

Freilich, mein Verdacht und alle unsere Bemühungen hatten nichts genutzt. Der böse Plan war geglückt, der Schmuck gestohlen, die Geschwister um ihr Erbe betrogen.

Übrigens macht Amelita das Verschwinden des Schmucks nicht viel aus.

»Ich brauche ihn nicht«, sagt sie und hebt die Schultern. »Wir werden verdienen, was wir zum Leben brauchen. Es hätte mich für Francesco gefreut, wenn er das Geld bekommen hätte. Aber es wird auch so gehen. Er wird Karriere machen. Wahrscheinlich hängt nur Unheil an den Rubinen. Du hast es ja gehört, Giulietta starb am gleichen Tag, als sie den Schmuck bekam.« Denn Amelita hat natürlich mittlerweile auch Kellermanns Geschichte gelesen und war sehr beeindruckt davon.

»Man muß froh sein, daß nichts Schlimmeres passiert ist«, sagt Francesco. »Dieser Mensch hat vor einem Mord nicht zurückgeschreckt. Wenn er in Bedrängnis geraten wäre, wer weiß, was er alles getan hätte.«

»Er ist sicher nicht normal«, meint Amelita. »Ein normaler Mensch mordet nicht.« Sie zieht fröstelnd die Schultern zusammen. »Dio mio, wenn ich denke, daß ich habe geschlafen mit ihm unter einem Dach. Daß er mir hat umarmt und geküßt. Oh, es ist schrecklich.«

Francesco legt schützend den Arm um sie. »Du mußt es vergessen, amore. Quäl dich nicht mehr damit.«

Amelita sieht schlecht aus. Bei ihr stimmt es, was Rolf von mir behauptet hat. Sie ist schmaler geworden, ihre Wangen sind blaß, ihr Blick unstet. Es wird Zeit, daß sie nach Amerika kommt, zurück in ihre vertraute Welt, vor allem zu ihrem Hans. Dem wird es wohl am besten gelingen, ihr seelisches Gleichgewicht wiederherzustellen. Francesco hat gegen Amelitas Auserwählten nichts einzuwenden. Wenn sie diesen Mann liebt, dann soll sie ihn bekommen. Er sei schon sehr gespannt, seinen zukünftigen Schwager kennenzulernen.

»Und Robby hoffentlich auch«, sage ich. »Vergeßt ja nicht, meinem Bruder das alles ganz genau zu erzählen. Dann brauch ich's nicht zu schreiben.«

Amelita lächelt.

»Wir werden erzählen ihm alles ganz genau«, sagt sie. »Vor allem, welche große, tapfere Rolle seine kleine Schwester gespielt hat.«

Große, tapfere Rolle? Na, ich weiß nicht. Das ist wirklich liebenswürdig übertrieben. So glorreich war meine Rolle eigentlich nicht. Und genützt hat es gar nichts. Der Schmuck ist weg.

»Und wenn du dann verheiratet bist«, sage ich zu Amelita, »und nach Deutschland kommst, dann besuchst du micht.«

»Aber bestimmt«, lacht sie.

»Und wenn ich mal Halsschmerzen habe, dann lasse ich mich von deinem Hans behandeln.«

»Das ist praktisch«, meint Rolf. »Ganz besonders, wenn du in Mannheim wohnst und dein Hausarzt in Hamburg. Das sind teure Arztvisiten.«

»Geizig bist du auch«, sage ich. »Ein Grund mehr, von einem Umzug nach Mannheim abzusehen.«

Wir blicken uns liebevoll in die Augen.

»Ich weiß noch nicht, wo Hans seine Praxis wird haben«, sagt Amelita ganz ernsthaft. Darauf müssen wir alle lachen.

Tut direkt gut, wieder mal zu lachen. Langsam werden wir wohl alle wieder normal werden. Und die glorreiche Geschichte der Familie Ceprano dürfte damit nun zum Ende gekommen sein. Die Contessa heiratet einen deutschen Arzt und wird später vielleicht einmal in den Ferien nach Italien fahren. Und wenn sie mit ihren Kindern auf dem Canal Grande entlanggondelt und am Palazzo Ceprano vorbeikommt, wird sie sagen: ›Da guckt mal, dort ist eure Mama geboren. Da wohnten wir früher mal.‹ Denn der Palazzo soll auch verkauft werden, die Stadt Venedig wird ihn erwerben.

Und der Conte Ceprano – nun, man weiß es nicht. Vielleicht wird er mal eine Oper komponieren, ein großes Orchester leiten oder ein berühmter Pianist werden und auf diesem Weg den alten Namen mit neuem Glanz schmücken.

Der Schmuck aber – die Rubine der Giulietta – ist verschwunden. Irgendein Fremder, ein Unbekannter hat ihn entführt, hat seine Hände mit Blut befleckt deswegen, hat einen Menschen getötet, und nun hütet er in irgendeinem Versteck das kostbare Kleinod, das für ihn nichts wert ist. Denn wenn er es umwechseln will in das dreckige Geld, nach dem er so giert, um dessentwillen er das alles tat, dann wird man ihn finden. Dann findet man ihn bestimmt.

Es geht heimwärts

Da ich nun genau geschildert habe, wie wir nach Italien gefahren sind, will ich auch von der Heimfahrt berichten. Diesmal fahren wir also im Auto, Richtung Brenner. Ehe wir aber good old Germany wieder mit unserer Anwesenheit beglücken, übernachten wir noch mal in Bozen, wo es mir ganz großartig gefällt. Eine schöne Stadt. Ich nehme mir fest vor, später einmal für mehrere Tage herzukommen und mir alles genau anzusehen.

Am nächsten Tag trennen wir uns von Rolf. Aber noch nicht endgültig. Er will nur einen kurzen Abstecher nach Gastein machen und seinen alten Herrn besuchen. Letzte Neuigkeiten aus der Firma erfahren. In München wollen wir uns dann noch mal treffen.

Wir wollen zwei Tage in München bleiben, das wir am zweiten Reisetag erreichen. Eugen will hier ein paar Geschäftsfreunde besuchen. – Am nächsten Vormittag machen Marlise und ich einen Stadtbummel. Nachmittags gehe ich auf eigene Faust los. Ich will Margit und Kellermann besuchen, sage ich. Das stimmt auch.

Vorher aber mache ich einen kleinen Abstecher. Ich will noch jemanden besuchen, einen alten Freund. Kommissar Linckmann, der damals die Untersuchung auf Franzenshöh führte und der so nett zu mir war. Ich weiß zwar nicht, ob er sich überhaupt noch an mich erinnert. Aber sicher passiert doch nicht jeden Tag ein Mord in einem Mädchenpensionat. Außerdem bilde ich mir ein, es müsse ihn interessieren, was ich in jüngster Zeit erlebt habe. Schlägt schließlich in sein Fach.

Doch ich habe Pech. Im Polizeipräsidium sagt man mir, der Kommissar sei heute außer Haus.

»Ist er morgen da?« frage ich den jungen Mann, der mir die Auskunft gibt.

»Weiß ich nicht.« Er zuckt die Schultern und sieht mich neugierig an. »Was wollen Sie denn von Herrn Linckmann?«

»Ich will ihn besuchen. Wir sind alte Bekannte.«

»So.«

»Ja. Falls Sie schon mal was von dem Mordfall im Pensionat ›Franzenshöh‹ gehört haben, da war ich dabei. Kennen Sie den Fall?«

Er sieht mich an, als ob ich schwach im Kopf wäre. »Nein.«

»Sie sollten die Akten besser studieren. Bestellen Sie dem Kommissar einen schönen Gruß und sagen Sie ihm, Pony sei hier gewesen. Und morgen vormittag komme ich noch mal vorbei. Ciao.«

Dann fahre ich nach Schwabing, zu Margit. Dort erwartet mich eine Überraschung. Feli ist da, die angehende Schauspielerin und unsere Mitschülerin aus Franzenshöh.

Das gibt natürlich wieder ein großes Hallo. Wir haben uns viel zu erzählen, und die Zeit vergeht wie im Flug. Feli schwärmt in den höchsten Tönen von ihrem Studium. Sie ist in einer privaten Schauspielschule, die von einem ehemals sehr berühmten Schauspieler und Regisseur geleitet wird. Natürlich liebt sie ihn. »Er ist ein herrlicher Mann. Wir lieben ihn alle. Und was man von ihm lernen kann, das ist überhaupt nicht zu ermessen.«

»Was denn?« frage ich scheinheilig.

Sie guckt mich verdutzt an. »Na, alles eben.«

Feli sieht gut aus. Hübsch war sie ja schon immer, aber jetzt hat sie gelernt, sich richtig zur Wirkung zu bringen. Ihr einstmals dunkelblondes Haar ist silberblond getönt, sie trägt es in einer kurzen, künstlich unordentlichen Mähne, was sehr aufregend aussieht. Sie ist sorgfältig zurechtgemacht, vielleicht eine Spur zuviel, wenn man bedenkt, daß sie ja auch nicht älter ist als wir. Und genau wie früher versteht sie es, die langen, schwarzgefärbten Wimpern langsam und wirkungsvoll zu heben und einen vollendeten Augenaufschlag zu produzieren.

»Natürlich ist *sie* auch noch da«, sie sagt es wegwerfend.

»Wer ist sie?«

»Seine Lebensgefährtin.« Sie betont das Wort mit Nachdruck. »Verheiratet sind sie nämlich nicht. Aber sie leben schon seit undenklichen Zeiten zusammen.«

»Aha. Und so heftig ihr ihn liebt, so glühend haßt ihr sie.«

»Hassen ist übertrieben. Sie ist ja schon alt. Mindestens über vierzig.« Na ja, merkwürdig war Feli schon immer. Daran hat sich offenbar nicht viel geändert. »Sie gibt Sprachunterricht. Und Atemgymnastik. Rollenstudium auch. Sie war früher Schauspielerin.«

Und dann folgt ein genauer Bericht über Stundenplan und Ausbildung in ihrem Laden da. »Nächsten Monat haben wir eine öffentliche Studioaufführung. Schade, daß du nicht mehr da bist, Pony. Dann könntest du mich mal sehen.«

»Vielleicht komme ich«, sage ich nonchalant. »Nehmt ihr noch neue Schülerinnen auf in eurer Schauspielschule?«

Sie starrt mich entgeistert an. »Wieso? Willst du denn auch...?«

»Warum denn nicht? So eine gute Schauspielerin wie du bin ich lange.«

Feli lächelt süßsauer. »Die Aufnahmebedingungen sind sehr streng bei uns. Tonko nimmt nur wenige Schüler. Und nur solche, von denen er sich was verspricht.«

Da wundere ich mich aber, wieso er Feli genommen hat. Muß er wohl eine schwache Stunde gehabt haben.

»Zur Zeit sind wir zwölf«, fährt Feli fort.

»Dann könnte ich die dreizehnte werden. Dreizehn war schon immer meine Glückszahl. Vielleicht kannst du deinen Wundermann schon immer vorsichtig auf mich vorbereiten.«

»Aber Pony! Was werden sie denn bei dir zu Hause dazu sagen«, meint Margit.

Ja, das möchte ich auch wissen. Das heißt, eigentlich weiß ich es. Und ich beschließe umgehend, zu Hause von diesen Plänen lieber nichts zu erzählen. Ich werde sagen, daß ich nach München möchte, um an der Uni Vorlesungen über Zeitungswissenschaft zu hören. Das hatte Herr Federmann ja sowieso angeregt. Nebenbei kann ich dann Schauspielunterricht nehmen. Verdienen müßte ich natürlich auch was. Bißchen viel auf einmal. Aber im Moment kommt es mir vor, als könne ich ab sofort Bäume ausreißen. Das Leben ist so großartig und so unbeschreiblich vielseitig. Man muß sehen, möglichst viel davon mitzukriegen.

»Wundert euch nicht, wenn ich demnächst hier aufkreuze«, teile ich den beiden mit. »München hat mir schon immer gefallen. Und wenn ich zu Hause sage, ich habe hier einen früheren Lehrer und seine tugendhafte Gattin, bei denen ich wohnen kann, können sie eigentlich nichts dagegen haben. Ich kann doch hier wohnen, nicht, Margit?«

Margit ist etwas aus der Fassung gebracht. »Mein Gott, Pony, das weiß ich nicht. Frau Bachmeier vermietet nur an Lehrer.«

»Sagst du ihr also, ich bin auf dem Wege, Lehrerin zu werden und brauche mütterlichen Schutz, da ich ein liebes, nettes, braves Mädchen sei, nur leider etwas weltfremd und menschenscheu. Das muß sie doch rühren.«

Margit schüttelt den Kopf. »Pony, du bist einmalig. Ich bin neugierig, was aus dir noch einmal wird.«

Das haben schon mehr Leute zu mir gesagt. Und ich selber bin am allerneugierigsten, soviel steht fest.

Etwas später kommt Kellermann nach Hause. Es wird noch ein netter Abend.

Ich rufe im Hotel an und teile Marlise mit, daß ich bei Kellermanns zu Abend esse.

Es ist schon ziemlich spät, als Feli und ich aufbrechen.

Wir bummeln noch ein bißchen in der Leopoldstraße, denn Schwabing kenne ich noch nicht. Gefällt mir aber.

In einem Schaufenster entdecke ich einen entzückenden Pullover.

»Ist der hübsch. Wenn mein Geld reicht, hole ich mir den morgen. Oder Eugen muß mir was pumpen.«

Feli ist meiner Meinung. Einen hübschen Pullover soll man sich nicht entgehen lassen.

Wie wir uns von dem Schaufenster abwenden, geht gerade ein Mann vorbei. Das heißt, er ist schon beinahe vorbei, ich sehe nur noch einen Teil der Wangenpartie und den Hinterkopf. Doch ich starre ihm entgeistert nach. Komisch!

»Was hast du denn?« fragt Feli. »Kennst du den?«

»Nein. Aber er erinnert mich an jemanden, den ich kenne. Die gleiche Haltung, und irgendwie...« Ich verstumme und sehe dem Mann nach, der sich rasch entfernt. Nicht groß, eher schmächtig. Aber das Haar ist blond. Und er hatte schwarzes Haar, der falsche Conte. Tiefschwarzes Haar. Ulkig, daß mich dieser Vorübergehende an ihn erinnert. Ich sehe anscheinend schon Gespenster.

Feli meint, wir sollten noch ein Eis essen. Das tun wir denn auch, im Vorgarten einer Eiskonditorei, denn es ist eine warme, milde Nacht. Feli verspricht mir, daß sie ihrem Schauspieldirektor von mir erzählen und ihn auf mein Kommen vorbereiten wird. Wie ich das alles anstellen werde, weiß ich noch nicht. Wird sich finden.

Bis ich ins Hotel komme, ist es fast elf Uhr. Marlise und Eugen sitzen in der Halle. Sie haben auf mich gewartet.

Erst als ich im Bett liege, fällt mir der Mann wieder ein, den ich gesehen habe. Irgendwie hat er Ähnlichkeit mit dem falschen Conte gehabt. Aber er war blond. Kleiner kam er mir auch vor.

Kommissar Linckmann tritt in Aktion

Am nächsten Vormittag erscheine ich wieder im Polizeipräsidium, und diesmal treffe ich Kommissar Linckmann an. Er kommt mir lächelnd entgegen.

»Sieh da, Pony!« sagt er. »Das ist aber nett, daß du mich besuchst. Verzeihung, daß Sie mich besuchen. Wie ich sehe, sind Sie jetzt ein junge Dame geworden.«

Man sieht es also. Nun, ich habe mich auch besonders hübsch gemacht für diesen Besuch. Schickes Kleid, hohe Absätze und ein bißchen Make-up.

»Och, sagen Sie nur Pony und du zu mir«, sage ich dennoch, »das stört mich gar nicht. Außerdem ist es immer gut, wenn man zur Polizei gute Beziehungen unterhält.«

Er lacht und schiebt mir einen Stuhl hin. Der junge Mann, mit dem ich gestern gesprochen habe, ist auch wieder im Zimmer und betrachtet mich interessiert. Es ist ein Neuer, nicht der, der damals bei der Untersuchung in Franzenshöh dabei war.

»Wie geht's?« frage ich den Kommissar, als ich sitze. »Viel los bei den Gangstern?«

»Es langt«, sagt er. »Arbeit haben wir genug. Und du, Pony? Was führt dich nach München?«

»Oh«, sage ich lässig, »ich komme aus Venedig. Kleine Ferienreise gemacht.«

»Sieh mal an, Venedig. Das ist nicht übel.«

»Ja, ich bin nämlich jetzt mit der Schule fertig«, erzähle ich ihm. »Ich habe das Abi gemacht und bin nun erwachsen.«

»Donnerwetter. Meinen Glückwunsch und alle Hochachtung.«

Wir reden so ein bißchen hin und her, und dann bin ich endlich bei dem Thema angelangt, das mir am Herzen liegt. Ich brenne geradezu darauf, Kommissar Linckmann von meinen neuesten Erlebnissen zu berichten.

»In Venedig war was los«, sage ich. »Sie machen sich keine Vorstellung. Beinahe wäre es mir an den Kragen gegangen.«

»Nanu! Wie denn das?«

Und nun lege ich los. Ich gebe einen lückenlosen Bericht von allem, was ich erlebt habe. Der Kommissar hört schweigend zu. Als ich fertig bin, schüttelt er den Kopf.

»Ist ja nicht zu glauben. Nicht mal eine Urlaubsreise kannst du machen, ohne daß was passiert. Mir scheint, du ziehst die aufregenden Erlebnisse an wie ein Magnet die Stahlsplitter.«

»Ich kann schließlich nichts dafür, wenn einer einen alten Familienschmuck klaut. Ich hab' bloß bemerkt, daß da was nicht stimmt.«

»Womit du ja recht behalten hast. Und die italienischen Kollegen haben den Kerl also nicht erwischt?«

»Solange ich da war jedenfalls nicht.«

»Da müßte ja bei uns eigentlich auch eine Fahndungsmeldung vorliegen«, wendet sich der Kommissar an seinen Gehilfen. »Ich war nämlich auch in Urlaub«, sagt er dann zu mir, »und bin noch nicht wieder ganz auf dem laufenden.«

»Wird wohl was gekommen sein«, sagt der junge Mann. »Wenn Sie wollen, Herr Kommissar, frage ich mal nach.«

»Hier werden wir den Burschen kaum finden. Der wird wohl ein Stück weiter gereist sein.«

»Stellen Sie sich vor«, sage ich, »gestern habe ich so eine Figur in Schwabing gesehen, gestern abend, als ich dort mit einer Freundin Eis essen war – Feli übrigens, die müssen Sie doch auch noch kennen. Die sich damals so wichtig hatte. Wissen Sie nicht mehr?«

»Offen gestanden, nein«, sagt der Kommissar. »Wenn mir eine der jungen Damen nachhaltig im Gedächtnis geblieben ist, dann bist das du, Pony.«

Ich lächle geschmeichelt. Na bitte, wer sagt's denn.

»Ich muß immer noch daran denken«, fährt der Kommissar schmunzelnd fort, »wie ich dich dort im Nebenzimmer erwischte, als du an der Tür lauschtest.«

»War keine schlechte Sache«, sage ich, »auf die Art haben wir die ganzen Verhöre mitgekriegt.«

»Wir?«

»Ja. Jetzt kann ich es Ihnen ja sagen. Meine Freundin Ina war meist auch dabei. Nur gerade zufällig, als Sie mich ertappten, war sie mal nicht da.«

Der Kommissar sieht den jungen Mann an und schüttelt seufzend den Kopf. »Das waren vielleicht Fratzen, Knote. Ich kann Ihnen sagen. Den Fall vergesse ich auch mein Leben lang nicht. – Aber nun mal weiter, Pony. Du wolltest von gestern abend erzählen.«

»Ach, weiter nichts. Da ging nur ein Mann vorbei. Ich hab' ihn eigentlich nur von hinten gesehen. Aber im ersten Moment dachte ich, es könnte der Conte sein. Der falsche Conte, meine ich. Ich weiß auch nicht, warum. Dabei war der Mann gestern blond.«

»Ja, man täuscht sich manchmal«, meint der Kommissar. »Wenn man viel an jemanden denkt, bildet man sich ein, ihn überall zu sehen. Geht mir auch öfter so.«

Plötzlich stößt der junge Mann einen leisen Pfiff aus und sagt:

»Der italienische Graf.«

»Wie?« fragt Kommissar Linckmann. »Was meinen sie, Knote?«

»Der italienische Graf«, wiederholt Herr Knote. »Haben Sie von dem schon mal gehört, Herr Kommissar?«

»Nicht, daß ich wüßte. Wer soll das denn sein?«

»Ich war doch früher bei der Sitte, ehe ich zur Mordkommission kam, das wissen Sie ja, Herr Kommissar. Und wir hatten so einen Vogel, der trug den Spitznamen ›der italienische Graf‹. Bei seinen Brüdern da. Zuhälterei und so.«

Kommissar Linckmann räuspert sich warnend mit einem Blick auf mich.

Herr Knote errötet holdselig und sagt artig: »Verzeihung, gnädiges Fräulein.«

»Man zu«, sage ich, »ich werd's überleben.«

»Wir konnten ihm nie was nachweisen«, fährt Herr Knote fort, »der Bursche war sehr geschickt. Vorbestraft ist er meines Wissens nicht. Er muß da irgendwo im hinteren Schwabing wohnen. Bei seiner Mutter, wenn ich mich richtig erinnere.«

»Und warum hieß er ›der italienische Graf‹?« fragt der Kommissar.

»Das haben wir von seinen Gesinnungsgenossen erfahren. Er prahlte immer damit, daß sein Vater eigentlich ein italienischer Graf sei und daß er ihn eines Tages beerben werde. Ich weiß es auch nicht mehr so genau. Wir haben uns den Quatsch ja nie so genau angehört.«

»Hm«, macht der Kommissar. »Na ja, was es alles gibt.« Er zündet sich gedankenverloren eine Zigarette an. Dann besinnt er sich auf mich. »Entschuldige, Pony.« Er reicht mir die Packung herüber, und ich fische mir eine heraus.

»Kann natürlich ein drolliger Zufall sein«, sagt der Kommissar. »Wie sah der Mann denn aus, Knote?«

»Weiß ich nicht. Ich hab' ihn nie gesehen. Aber ich kann Kommissar Mittermeier mal fragen, der weiß es sicher. Der kennt die Vögel alle sehr genau.«

»Hm«, macht der Kommissar wieder. »Fragen Sie ihn doch mal. Gelegentlich. Kann nie was schaden. Namen und Wohnung und so weiter. Falls alles vorliegt. Von Venedig nach München ist es nicht sehr weit. Obwohl – na ja, ist sicher Unsinn.« Dann wendet er sich wieder zu mir. »Wie lange bleibst du denn noch in München, Pony?«

»Wir wollen morgen nach Hause fahren.«

»So. Morgen. War jedenfalls nett, daß du mich besucht hast. Und was du mir da erzählt hast, eine tolle Geschichte. Bin wirklich gespannt, ob sie den Burschen kriegen.«

»Und was machen Sie nun mit diesem sogenannten italienischen Grafen?« frage ich gespannt.

»Mal angucken. Ganz demnächst mal ein bißchen angucken.«

Aber ganz demnächst ist schon heute.

Als ich am nächsten Nachmittag mit Marlise ins Hotel zurückkomme – wir waren mal eben beide beim Friseur, weil Eugen abends groß mit uns ausgehen will, und Rolf erwarten wir auch –, teilt mir der Portier mit, daß schon zweimal nach mir angerufen worden sei. Ich möchte doch bitte sofort diese Nummer anrufen. Er gibt mir einen Zettel. »Es ist das Polizeipräsidium«, fügt er mit einem mißtrauischen Blick auf mich hinzu.

»Lieber Himmel, was ist denn nun schon wieder los?« fragt Marlise mit hörbarem Entsetzen in der Stimme. »Du bist kaum zwei Tage hier, du kannst doch unmöglich schon wieder in neue Schwierigkeiten verwickelt sein.«

»Sind noch die alten«, sage ich so beiläufig wie möglich. »Kommissar Linckmann ist ein alter Freund von mir. Wir haben schon mehrere Morde zusammen aufgeklärt.«

Dem Portier verschlägt es die Sprache. Er schaut mir mit großen Augen nach, als ich zur Telefonkabine stolziere.

Ob ich mal eben vorbeikommen könne, will der Kommissar wissen.

Doch, sage ich, das könne ich allemal. »Gibt es was Neues?«

Aber das sagt er mir am Telefon nicht. Wie ich mit einem Taxi am Polizeipräsidium vorfahre, steht er schon bereit, neben ihm sein Inspektor und noch ein anderer großer, breitschultriger junger Mann.

»Was haben Sie denn vor?« frage ich neugierig.
»Wir fahren nur mal nach Schwabing«, teilt er mir mit.
»Ist er es denn?« frage ich aufgeregt.
»Keine Ahnung. Wir wollen uns den Burschen nur mal anschauen. Und da du ihn ja kennst, Pony, können wir uns umständliche Recherchen ersparen. Du siehst ihn dir ebenfalls an, und dann kannst du uns gleich Bescheid sagen. Aber du tust nur, was ich sage. Keinen Schritt ohne meine Erlaubnis, das mußt du mir feierlich versprechen.«
Ich verspreche es, und dann fahren wir los.
Schwabing ist nicht nur amüsant und lustig. Es hat nicht nur einen breiten Boulevard, gute Kabaretts und hübsche Lokale. Es hat auch alte enge Straßen, schmutzige Hinterhöfe, abgebröckelte Häuser. Wir fahren durch ein häßliches Viertel, halten dann an der Ecke einer Straße, in der alte vermickerte Häuser stehen.
»Los«, sagt der Kommissar. »Wir gehen mal rauf. Ihr bleibt im Stockwerk drunter.«
Die beiden jungen Männer nicken. Der Kommissar hat sich auf der Fahrt schon die Krawatte abgebunden. Als wir eines von den alten Häusern betreten haben, knöpft er sein Jackett auf und schiebt seinen Hut verwegen auf die Seite.
»Was tun wir?« frage ich aufgeregt.
»Wir gehen jetzt rauf und klingeln und schauen uns den Vogel an. Du, Pony, brauchst weiter nichts zu sagen als ja oder nein. Dann machst du kehrt, gehst wieder runter und setzt dich ins Auto. Ist das klar?«
»Vollkommen«, sage ich.
Das Herz klopft mir bis zum Hals, als ich neben dem Kommissar eine schiefgetretene Treppe hinaufsteige. Im dritten Stock macht er halt. Drei Türen sind hier. An einer klebt eine Karte, darauf steht Benkert.
Hier klingelt der Kommissar. Es dauert eine Weile, bis uns geöffnet wird. Währenddessen hat sich der Kommissar den Hut noch schiefer gedrückt und seinem Ge-

sicht einen ausgesprochen verschlagenen Ausdruck verliehen. Ich schaue ihn fasziniert an. Toll, was er alles kann. Jetzt schwankt er sogar leise neben mir hin und her, als wenn er einen getrunken hätte. Er fährt mir mal durch meine neue Frisur, dann legt er seinen Arm um meine Schulter und zieht mich näher an sich ran.

Die Tür vor uns geht langsam einen Spalt auf.

Der Kommissar beugt sich vor und rülpst erst mal. »Zeihung. Frau Benkert?«

Im Türspalt zeigt sich undeutlich ein zerfurchtes, gelbliches Frauengesicht unter verwirrtem schwarzen Haar.

»Ja?« fragt eine harte klanglose Frauenstimme mißtrauisch.

»Grüß Gott«, sagt der Kommissar und schwankt noch ein bißchen mehr. »Entschuldigen S' schon die Störung. Ich wollt' zu Ihrem Herrn Sohn. Der Ladi schickt mich. Ihr Sohn weiß schon Bescheid. Ich habe hier eine nette Puppe.« Er drückt mich zur Bekräftigung fest an sich. »Wollt' mit dem Herrn Sohn mal drüber sprechen. Hick!« Er rülpst noch mal kräftig, fügt dann höflich hinzu: »Tschuldigung!«

Frau Benkert öffnet die Tür ein wenig weiter. »Ich glaube nicht, daß mein Sohn daran Interesse hat«, sagt sie. »Er hat zur Zeit andere Geschäfte.«

»Na, mal schauen könnt' er doch. Anschauen kost' ja nix. Sagen S' ihm halt, daß ich da wär'.«

»Mein Sohn ist nicht da. Er ist gerade hinuntergegangen, was einkaufen. Ich bin nämlich krank und kann das Haus nicht verlassen.«

»Ach so, na, macht nix, warten wir halt so lang. Dürfen wir vielleicht derweil reinkommen?«

»Tut mir leid«, sagt die harte Stimme. »Ich bin krank. Warten Sie lieber unten.«

»Bitt schön, bitt schön, wie S' wollen. Tschuldigen S' die Störung.«

Und schwankend ziehen wir beide ab, die Treppe hinunter.

Ich merke, daß ich vor Aufregung schwitze. Aber mitbekommen habe ich doch etwas, und das muß ich dem Kommissar gleich mitteilen.

»Das war aber keine Deutsche«, flüstere ich. »Haben Sie gehört, wie sie gesprochen hat? So hart, mit so einem komischen Akzent. Das könnte gut eine Italienerin sein.«

»Pst«, macht der Kommissar.

Unsere beiden Mitarbeiter im Stockwerk drunter haben alles mitgehört.

»Und nun?« fragen sie.

»Hm, mal überlegen«, meint der Kommissar. »Vor dem Haus warten geht nicht, da sieht er uns zu früh. Gehen wir erst mal wieder zum Wagen. Vielleicht sehen wir ihn kommen.«

Aber wie wir aus dem Haus kommen und ein paar Schritte gegangen sind, sehe ich über der Straße die bunte Gemüseauslage eines Geschäftes.

»Wenn er einkaufen ist, kann er da drin sein«, sage ich.

»Soll ich mal reinschauen?« Und damit setze ich mich bereits in Bewegung und überquere die Straße.

»Du bleibst hier, du Fratz«, ruft der Kommissar mir nach.

Aber mich hat jetzt das Jagdfieber gepackt. Mal in den Laden reinschauen, das ist ja weiter nicht gefährlich.

Es ist kurz vor Ladenschluß, und das kleine Lebensmittelgeschäft ist gerammelt voll. Daß die Leute nie rechtzeitig einkaufen können! Immer in letzter Minute.

Ich gehe rein und drängle mich zwischen den Leuten durch. Und dann sehe ich ihn. Er steht ganz vorn am Ladentisch und spricht mit einer rundlichen Frau, die gerade Wurst aufschneidet. Blondes Haar hat er, genau wie gestern abend. Sein Gesicht kann ich nicht genau sehen. Aber jetzt! Er dreht es zur Seite und zeigt mit dem Kinn auf den Käse.

»Noch ein Viertel Emmentaler«, sagt er. »Und ein Viertel Butter.«

Sein Gesicht ist blaß, ungesund gelblich. Blond steht ihm nicht. Und das Leben war wohl doch letzthin ein bißchen aufregend für ihn. Hundert Gramm Wurst, ein Viertel Käse und ein Viertel Butter, das sind bescheidene Einkäufe für einen Mann, der einen Schmuck in der Tasche hat, der mehr als eine Million wert ist.

Jetzt habe ich mich neben ihn gedrängelt. Hinter mir schimpft eine Frau. »Diese Rotznasen heutzutage. Kannst du net warten, du Schratzen.«

Ich stehe neben ihm. Er fingert gerade das Geld aus der Tasche, zählt es dann pedantisch auf den Ladentisch.

»Hallo, Conte«, sage ich. »Wie geht's?«

Er fährt herum und starrt mich an. Sekundenlang steht er wie gelähmt. Sein Gesicht verliert vollends die Farbe, es ist nicht mehr gelb, es ist grün. Sein Mund ist geöffnet wie zu einem Schrei.

Aber auch mir bleibt jedes weitere Wort im Halse stekken. Jetzt, da ich ihn vor mir sehe, Aug in Aug gewissermaßen, wird mir angst vor meiner eigenen Courage. Der Betrüger. Der Dieb. Der Mörder. Der Mörder!

Aber da hat er sich schon umgedreht, läßt alles stehen und liegen, boxt sich rücksichtslos durch die Frauen durch, die ihn umstehen, kommt zur Ladentür und läuft dort geradewegs den drei Männern in die Arme, die auf ihn warten. Ich habe ihm atemlos nachgesehen, auch die anderen Leute im Laden sind aufmerksam geworden, alles starrt zur Tür, und alle sehen, was ich sehe, wie der Flüchtende stehenbleibt, als habe ihn der Blitz getroffen, und wie er aufgibt, im gleichen Moment, als er die Männer sieht. Er sackt zusammen, seine Schultern sinken nach vorn, er sagt kein Wort.

Ich sehe, wie Herr Knote blitzschnell sein Handgelenk ergriffen hat, man sieht kaum was, aber er hat ihm wohl Handschellen angelegt. Und nebeneinander gehen sie dann über die Straße, rechts Knote, links der andere Polizist, und der falsche Conte Ceprano, der italienische Graf aus München, Herr Benkert aus Schwabing, in der Mitte.

Das alles ist so schnell gegangen, daß man meint, man habe nur geträumt. Oder alles sei ein Irrtum gewesen. Um mich herum hebt das Geschnatter der Frauen an, die nicht ganz begriffen haben, was hier vor sich ging. Ein paar sehen mich neugierig an. Aber die meisten haben gar nicht mitgekriegt, daß ich mit der Geschichte zu tun hatte.

Der Kommissar steht vor der Ladentür und winkt mir.

»Komm raus, du Saufratz«, sagt er.

Das ist leichter gesagt als getan. Ich merke jetzt erst, daß ich weiche Knie habe und daß das Herz mir oben im Hals klopft.

Schweigend gehe ich neben dem Kommissar her, auf das Auto zu, hinter den drei Männern her, die dicht nebeneinander vor uns hergehen.

Bis wir beim Auto sind, habe ich mich etwas beruhigt.

»Schimpfen Sie nicht mit mir, Herr Kommissar«, sage ich. »Sie müssen doch zugeben, das gelingt Ihnen auch nicht alle Tage, einen Verbrecher so leicht und mühelos zu fangen. Ruhm und Ehre werden Sie in bella Venezia ernten. Noch in drei Generationen wird man die Münchner Polizei lobpreisen. Und habe ich den Burschen vielleicht nicht bildschön aus dem Kramladen rausgeholt? Soll mir erst mal einer nachmachen.«

Abschied von München

Es wird ziemlich spät, bis wir heute zu unserem Abendessen kommen. Marlise, Eugen und Rolf, der inzwischen auch eingetroffen ist, warten voller Unruhe auf mich im Hotel.

Als ich endlich komme, mit zerzaustem Haar, glänzender Nase, aber stolz wie ein Sieger nach der Schlacht, kommen sie gar nicht dazu, mir Vorwürfe zu machen.

»Pony, um alles in der Welt«, beginnt Marlise. Aber weiter kommt sie nicht.

»Wir haben ihn«, rufe ich, »wir haben ihn.«

»Was denn? Wen denn?«

»Grüß dich, Rolf«, sage ich. »Lange nicht gesehen. Schade, daß du nicht hier warst, du hast viel verpaßt. Heute haben wir den falschen Conte geschnappt.«

Nun sind alle drei sprachlos, und dann erzähle ich. Mein Triumph ist vollkommen.

»Du bist wirklich ein tolles Mädchen«, meint Rolf anerkennend.

»Sag ich ja immer«, erkläre ich bescheiden.

»Na, dann wollen wir mal essen gehen«, sagt Eugen, »damit du wenigstens dein nächstes Abenteuer nicht mit leerem Magen bestehen mußt.«

»Gute Idee. Ich bin halbtot vor Hunger. Übrigens habe ich Kommissar Linckmann eingeladen. Es ist euch doch recht?«

Und Linckmann kommt wirklich. Es dauert eine Weile, wir sind schon mit der Vorspeise fertig, als er im Königshof aufkreuzt.

Zu Marlise sagt er: »Ihr Fräulein Schwester, gnädige Frau, alle Hochachtung. So ein helles Köpfchen findet man nicht alle Tage.«

»Siehst du, siehst du«, sage ich zu Marlise und kann vor Begeisterung kaum stillsitzen.

Marlise lächelt etwas gezwungen. »Sie haben sicher nicht unrecht, Herr Kommissar«, meint sie. »Aber so im täglichen Umgang ist sie etwas strapaziös.«

»Aber auch wieder sehr unterhaltend«, fügt Rolf hinzu und sieht mich zärtlich an.

Der Kommissar blickt von Rolf zu mir und von mir zu Rolf.

»Aha«, sagt er dann. Weiter nichts.

Dann trinken sie alle auf mein Wohl, und dann erzählt der Kommissar, was er inzwischen ermittelt hat. Sie wissen jetzt alles, der falsche Conte namens Tullio Protti und seine werte Frau Mutter, Maria Benkert, geborene Protti, die man gleich auch noch abgeholt hat, haben bereitwillig alles erzählt, was man wissen wollte. Der falsche Conte war restlos zusammengebrochen, er gestand alles, gab alles zu, nur noch ein Häufchen Unglück war von ihm übriggeblieben.

Vor allem aber – der Schmuck ist da. Unversehrt und so schön wie je zuvor fand man ihn unter alter Bettwäsche in einer Kommode verborgen.

»Frau Benkert war Stubenmädchen im Palazzo Ceprano«, berichtet der Kommissar, »ich habe ein Jugendbild von ihr gesehen, demnach war sie ein außerordentlich hübsches junges Mädchen. Nach ihrer Aussage hat der Conte Ceprano sie verführt, und als sie ein Kind von ihm erwartete, aus dem Hause geworfen. Sie lebte noch einige Zeit in ärmlichen Verhältnissen in Venedig, dann ging sie nach Triest in Stellung. Dort lernte sie einen deutschen Matrosen kennen. Daraus entwickelte sich die große Liebe, und Maria folgte diesem Mann nach Hamburg. Die große Liebe war eines Tages zu Ende. Maria arbeitete dann auf der Reeperbahn als Bedienung, und hier, einige Jahre später, begegnete ihr wieder ein Mann, ein Lastwagenfahrer aus München, der ganz gern mal einen Abend auf der Reeperbahn verbrachte, wenn er in Hamburg war. Als sie wieder ein Kind erwartete, wollte sie sich das Leben nehmen. Doch Benkert heiratete sie und nahm sie mit nach München. Das Kind starb bei der Geburt. Benkert hatte nichts dagegen, daß sie sich den Sohn aus Italien holte, der in der Zwischenzeit bei ihren Eltern gelebt hatte. So kam Tullio nach München, wuchs hier auf, ging hier zur Schule.«

»Ist der Conte wirklich sein Vater gewesen?« frage ich.

»Tja, das läßt sich wohl kaum mehr nachweisen. Die Mutter behauptet es, der Conte scheint die Vaterschaft stets abgeleugnet zu haben. Der Sohn jedoch glaubte nur zu gern daran. Wie es scheint, hat er schon von Kindheit an den Drang nach der sogenannten großen Welt gehabt, den Wunsch nach Reichtum, nach einem besseren Leben, als es ihm beschert war. Die Vorstellung, ein italienischer Graf sei sein Vater, gefiel ihm außerordentlich, und er hat offenbar auch mit dieser Geschichte nie hinter dem Berge gehalten. Daher sein Spitzname, der uns letztlich auf seine Spur gebracht hat. Die Mutter scheint den Geltungsdrang des einzigen Sohnes, den sie abgöttisch liebt, noch unterstützt zu haben, sie redete ihm ein, er sei etwas Besonderes, besser und wertvoller als die anderen Buben, mit denen er spielte und in die Schule ging. Nach sechsjähriger Ehe starb Benkert bei einem Unfall. Frau Benkert mußte wieder arbeiten, um für den Lebensunterhalt zu sorgen. Tullio hat anscheinend nie gearbeitet. Als er aus der Schule kam, geriet er ziemlich bald in schlechte Gesellschaft. Ich will hier nicht im einzelnen ausführen, wie er lebte, es würde Ihnen den Appetit verderben. Auf jeden Fall war er ein ausgesprochen asoziales Element, wohlbekannt bei der Sittenpolizei.

Eugen räuspert sich unbehaglich. Bloß keine unerfreulichen Geschichten vor Marlises Ohren, das kann er nicht vertragen. Aber der Kommissar hat sich ja schon so diskret wie möglich ausgedrückt.

»Nebenbei«, fährt der Kommissar fort, »hegte Tullio

den stillen Traum, daß sein vermeintlicher Vater, der Conte Ceprano, ihn eines Tages anerkennen würde. Als er einmal genügend Geld beisammen hatte, staffierte er sich fein aus und reiste nach Venedig. Der Conte war nicht da, doch Tullio erfuhr, wo er sich aufhielt, und reiste ihm an die Riviera nach. Es gelang ihm zwar, den Conte zu sprechen, sich ihm als Sohn zu präsentieren. Doch der alte Ceprano ließ ihn hinauswerfen. Pia Lanzotti war Zeuge dieses Auftritts gewesen. Noch am gleichen Abend erschien sie bei dem jungen Mann in der billigen Pension, in der er sich eingemietet hatte. Warum sie das getan hat, man weiß es nicht. Ob sie damals schon an einen Betrug dachte, ob sie ein Druckmittel gegen den Conte wollte oder ob ihr der hübsche Junge einfach leid tat, man wird es nie erfahren. Jedenfalls versprach sie dem jungen Mann, sich für ihn beim Conte zu verwenden. Außerdem gab sie ihm das Geld für die Heimreise.«

»Finde ich anständig von ihr«, sage ich. »Eine doppelte Gemeinheit, daß er sie umgebracht hat.«

»Na ja, wie gesagt, reine Menschenfreundlichkeit wird es auch nicht gewesen sein. Diese Frau scheint sehr genau gewußt zu haben, was sie will. Sie blieb auch nach dieser Begegnung mit Tullio in Verbindung. Als zwei Jahre später der Conte starb, erschien sie eines Tages in München bei Mutter und Sohn und entwickelte dort ihren Plan. Die Verhältnisse kamen ihr zu Hilfe. Die Geschwister kannten sich nicht, und Tullio hatte wirklich eine entfernte Ähnlichkeit mit dem jungen Conte. Höchstwahrscheinlich ist er eben doch der Sohn des alten Ceprano. Dessen Lebenswandel war ja wohl in dieser Hinsicht etwas turbulent. Wie gesagt, ich habe Bilder der Frau Benkert gesehen, sie war ein außergewöhnlich hübsches Mädchen, und daher wäre alles besser zu begreifen. Heute natürlich – diese Südländerinnen altern ja schnell. Besonders, wenn sie ein schweres Leben haben. Außerdem ist die

Frau schwer herzkrank und wird sowieso nicht mehr lange leben.«

Wenn ich das alles so höre, empfinde ich geradezu Mitleid mit der Frau. Nicht mit dem falschen Conte. Nein, mit dem gewiß nicht. Aber seine Mutter hat wirklich ein schweres Leben gehabt. Freilich, daß ihr Sohn mißraten ist, daran ist sie zweifellos zum großen Teil selber schuld. Sie hat ihn eben falsch erzogen.

»Mutter und Sohn lieben einander sehr«, fährt Linckmann fort, »und es war immer Tullios Wunsch, der Mutter ein besseres Leben zu ermöglichen. Auf die Idee, daß man das eventuell auch durch Arbeit erreichen kann, ist er offensichtlich nicht gekommen. Tja, nun hat er sein Leben zerstört. Und das seiner Mutter dazu. Obwohl man natürlich gegen sie keine Anklage erheben kann. Ihre Schuld zu sühnen ist nicht Sache des Staatsanwaltes.«

Wir schweigen alle nachdenklich. Schuld, wenn man es genau nimmt, hat wohl am meisten der alte Conte auf sich geladen. Durch sein verantwortungsloses, egoistisches Handeln. Hätte er für Mutter und Sohn gesorgt, so wäre es vielleicht alles anders gekommen. Denn letzten Endes war es ja die ständige Einbildung, daß ihm Unrecht geschehen sei, ihm etwas vorenthalten sei, was ihm eigentlich zugestanden hätte, die den jungen Tullio auf die schiefe Bahn gebracht hatte.

»Aber warum hat er Pia umgebracht?« frage ich. »Wenn das nicht wäre, dann wäre es für ihn doch halb so schlimm.«

»Offenbar hat diese Lanzotti ihn betrügen wollen. Man findet das ja oft, daß sich Gauner gegenseitig hereinlegen. Erst hatte man vorgehabt, getrennt zu reisen, jeder mit einem Teil des Schmucks. Sie bestand aber dann darauf, den Schmuck ganz mitzunehmen. Eine Frau könne leichter Schmuck mit sich führen, wenn wirklich eine Grenzkontrolle etwas finden würde, sagte sie. Sie wollte Ring und Armband tragen, die anderen

Stücke im Koffer oder in der Handtasche verbergen. Sehr groß war das Risiko nicht, falls man die Grenze erreichte, bevor eine Meldung der Polizei vorlag. Der Zoll kontrolliert heute kaum mehr das Gepäck, schon gar nicht während der Reisezeit. Die Lanzotti wollte mit dem Schmuck nach Wien fahren. Tullio sollte nach München gehen und wie bisher bei seiner Mutter leben. Später wollte die Lanzotti ihn in München treffen. Er traute ihr nicht, zweifellos mit einiger Berechtigung. Sie hatten sich anscheinend über dieses Thema schon gestritten, ehe du ins Haus platztest, Pony. Viel Zeit zu einer Auseinandersetzung hatten sie nicht. Nun, da sie den Schmuck hatten, mußten sie so schnell wie möglich verschwinden. Nachdem sie dich betäubt hatten, ging der Streit wohl weiter. Tullio gab scheinbar nach. Als sie dann die Treppe hinabstieg, erwürgte er sie von hinten mit einem Seidenschal, nahm den Schmuck an sich und verschwand. Er fuhr mit dem nächsten Zug über den Brenner, verließ den Fernzug in Innsbruck und reiste von dort nach München weiter. Möglicherweise hätte man ihn nie entdeckt. Der Haken, an dem er sich fing, warst du, Pony.«

»Was ein Häkchen werden will...«, gibt Rolf seinen überflüssigen Senf dazu.

»Daß du ihn und seine angebliche Schwester auf der Hinreise kennenlerntest und auch in Venedig mit der Contessa in Verbindung bliebst, diese an sich so unerhebliche Tatsache ließ die ganze Sache schließlich auffliegen.«

»Na denn«, sage ich und hebe mein Glas. »Da müßte ich eigentlich von Amelita und ihrem Bruder eine Belohnung kriegen.«

»Das müßtest du.«

»Die werden staunen. Und die Venezianer erst. Haben Sie Ihren Fang schon an die dortige Polizei weitergemeldet?«

»Selbstverständlich.«

»Und was sagen sie dazu?«

»Wie du scharfsinnig ganz richtig vermutet hast: die staunen. Morgen werden wohl ein paar Kollegen aus Venedig hier eintreffen.«

»Darf ich da mit dabeisein?« frage ich.

Der Kommissar schmunzelt. »An sich ist das nicht üblich. Aber in diesem Fall kann man vielleicht eine Ausnahme machen.«

»Du wirst nicht dabeisein«, teilt mir mein Herr Schwager mit, »morgen fahren wir nach Hause. Ich bin der Meinung, daß du für eine Weile wieder mal genug Abenteuer erlebt hast.«

»Hm«, sage ich, »wenn ihr fahren wollt... Ich kann ja mit der Bahn nachkommen.«

»Du fährst mit«, läßt sich jetzt mein Schwesterlein energisch vernehmen. »Ich werde erst wieder ruhig schlafen können, wenn ich dich zu Hause abgeliefert habe. An diese Reise werde ich mein Leben lang denken.«

»Was kann man von einer Reise mehr verlangen«, sage ich, »denk mal, was du alles zu erzählen hast in deinem Bridgeclub, in deinem Tennisclub und was weiß ich noch wo. Und Herr Rudi wird staunen. Herr Rudi ist unser Friseur«, erläuterte ich den anderen. »Mensch, Marlise, das war die Reise deines Lebens. Endlich Venedig kennengelernt, einen aufregenden Kriminalfall miterlebt, einen reizenden Flirt genossen und zu alledem noch die amüsante Gesellschaft deiner einmaligen Schwester gehabt. Was kann ein Mensch mehr verlangen?«

»Reizender Flirt?« fragt Eugen mißtrauisch. »Wieso? Was soll das heißen?«

Marlise schaut mich entsetzt an. Die großen Töne sind ihr vergangen.

»Ach nein, nicht Marlise«, sage ich beiläufig, »das war eine kleine Verwechslung. Den reizenden Flirt hatte ich ja. Hier sitzt er.« Ich lege meine Hand auf Rolfs Hand und lächle ihn spitzbübisch an.

Er lächelt zurück. »War es nicht eigentlich ein bißchen mehr?« fragt er.

»Hm«, sage ich, »schon möglich.« Und dann erröte ich sogar, wie es sich für ein junges Mädchen gehört.

Die ganze Tischrunde betrachtet mich mit Wohlwollen.

Um das Erröten wieder wettzumachen, rette ich mich in meine bewährte große Klappe und erkläre mit Nachdruck: »Alles, was ich tue, tue ich gründlich. Ob es sich um die Aufklärung eines Verbrechens handelt oder um einen Flirt. Gelernt ist eben gelernt.«

»Du Fratz«, sagt Rolf.

»Und falls mal irgendwo wieder was los sein sollte, Herr Kommissar«, sage ich zu meinem Freund Linckmann, »dann rufe ich Sie zu Hilfe, nicht? Alle Kriminalfälle, die mir über den Weg laufen, werden nur mit Ihnen zusammen aufgeklärt. Ehrensache.«

»Es wird mir ein Vergnügen sein, Pony«, lacht der Kommissar, »unsere Zusammenarbeit war eigentlich bisher immer sehr erfolgreich.«

Von Kommissar Linckmann nehme ich an diesem Abend noch Abschied. Am nächsten Morgen dann von Rolf. Wir sitzen in der Hotelhalle, kurz nach dem Frühstück. Marlise und Eugen haben uns diskreterweise allein gelassen. Eugen hat Rolf nachdrücklich eingeladen, uns möglichst bald in Düsseldorf zu besuchen.

»Wir müssen überhaupt die Zusammenarbeit unserer Firmen etwas enger und persönlicher gestalten«, hat er gesagt, und Rolf hat begeistert zugestimmt.

Ich bin sicher, es dauert nicht lange, dann kommt er angebraust.

Aber jetzt sieht er richtig traurig aus, er lacht kein bißchen mehr, ganz bekümmert schaut er drein. Auch mir geht der Abschied nahe. Komisch, wie schnell man sich an einen Menschen gewöhnen kann!

»Und du schreibst mir, Pony? Bestimmt!«

»Klar doch«, sage ich. »Gelegentlich. Eine großartige Briefschreiberin bin ich nicht gerade.«

»Wir können auch öfter telefonieren«, meint er.

»Können wir auch. Lassen wir die Bundespost was verdienen. Da freuen die sich drüber.«

»Und du hast mich ein bißchen lieb, Pony?«

»Auch das.« Mir ist es peinlich, so unumwunden darüber zu sprechen. Ich schaue an Rolf vorbei, betrachte scheinbar interessiert die Leute am Nebentisch.

Er nimmt meine Hand und zieht mich zu sich heran.

»Bestimmt, Pony? Ein kleines bißchen?«

»Auch ein großes bißchen, wenn du willst. Aber wir brauchen da nicht weiter drüber zu reden.«

»Warum denn nicht? Ich hab' dich lieb, ganz richtig. Und sehr viel. Und ich möchte es dir gerne sagen.«

Unsicher schaue ich ihn an. »Ja?«

»Ja.« Er küßt zärtlich meine Hand und fügt dann ernst hinzu: »Du überlegst dir mal, was du davon hältst. Wenn ich dann nach Düsseldorf komme, reden wir darüber. Ganz ernsthaft, Pony? Ja?«

»Wenn du willst.«

»Du wirst darüber nachdenken?«

»Sicher.«

»Und nicht mit anderen Männern flirten. Mit diesem Jürgen beispielsweise?«

»Der ist kein Mann.«

»Trotzdem. Es wäre mir schrecklich, wenn ich denken müßte, daß du mit dem im Auto herumfährst und da in euren komischen Klub zum Tanzen gehst.«

Ich habe ihm mal davon erzählt, und nun mimt er den Eifersüchtigen.

»Ab und zu muß ich ja mal tanzen gehen«, sage ich. »Ich tanze furchtbar gern. Und ich tanze nicht nur mit Jürgen allein!«

»Pony!« Er schaut mich bittend an, ganz nah blickt er mir in die Augen.

»Ja, schon gut«, sage ich. »Ich gehe nicht oft. Nur

manchmal. Und du? Willst du vielleicht behaupten, daß du so tugendhaft durchs Leben wandelst? Die Spielzeit fängt jetzt an, vielleicht habt ihr eine hübsche neue Schauspielerin an eurem Stadttheater.«

»Das ist nicht nett, Pony, daß du so was sagst. Ich bin an keinem dummen Flirt interessiert. Nicht mehr. Nur noch an dir. Und ich komme bald. Sehr bald. Du wirst sehen.«

Kurz darauf bringt er uns an den Wagen. Er verabschiedet sich von Marlise und Eugen, und dann, gerade wie ich einsteigen will, nimmt er mich plötzlich in die Arme und küßt mich, hält mich ganz fest, als wollte er mich nie wieder loslassen. Vor Marlise und Eugen. Ich geniere mich.

Aber die sagen weiter nichts, gucken diskret seitwärts, und als ich glücklich im Wagen sitze, höre ich keine anzügliche Bemerkung. Ich bin wohl doch richtig erwachsen.

Ich wende mich um und schaue zum Rückfenster hinaus. Rolf fährt mit seinem Wagen hinter uns her. Doch dann bei einer Ampel kommen wir noch hinüber, aber er hat Rotlicht und muß warten. Aus.

Ganz einsam und verloren komme ich mir auf einmal vor. Aber er hat ja gesagt, er kommt bald nach Düsseldorf. Und ich glaube, daß ich mich sehr freuen werde, wenn er kommt. Ja, bestimmt, ich werde mich freuen.